Sylvia en Eddie hebben twee kinderen. Ze wonen in een groot huis in Amsterdam-Zuid en het ontbreekt hun aan niets. Maar er is één probleem: het vele geld dat Eddie binnenbrengt is crimineel geld. Sylvia's geweten begint te knagen. Na enkele bedreigende confrontaties is het haar duidelijk dat ze met haar kinderen bij Eddie weg moet. Maar ze beseft ook dat hij haar niet zomaar zal laten gaan. Ze weet immers te veel...

'Een spannende thriller, waarvan je onmiddellijk een actuele speelfilm kunt maken.' – *Algemeen Dagblad*

'Appel did it again.' – *de Volkskrant*

'Degelijk geschreven, spannend en verrassend.'
– *Haarlems Dagblad*

'Een Appel waar je gretig je tanden in wilt zetten: sappig, soms zuur soms zoet, maar bovenal aangrijpend goed.' – *Ezzulia.nl*

'Spannend en lekker vlot geschreven.' – *Flair*

René Appel

Schone handen

Anthos|Amsterdam

Eerste druk 2007
Negende druk 2008

ISBN 978 90 414 1401 4

Omslagontwerp Roald Triebels, Amsterdam
Omslagillustratie © Ilona Wellmann, Trevillion Images
Foto auteur Merlijn Doomernik

Verspreiding voor België:
Veen Bosch & Keuning uitgevers n.v., Wommelgem

'You can check out any time you like,
but you can never leave.'

The Eagles, 'Hotel California'

I

Ze deed een lamp aan in de hoek van de kamer. Halfeen. Het was stil in huis, veel te stil. Dit wende nooit. Van buiten klonk geen enkel geluid. Er passeerde zelfs geen auto, geen scooter, niets. Even schrok ze van een harde klap, waarschijnlijk afkomstig uit een van de binnentuinen. Ze wachtte tot haar ademhaling weer tot rust was gekomen, ging toen naar de keuken, trok het rolgordijn voor het raam omhoog en keek naar buiten. Vaag zag ze het tuinmeubilair. Twee dagen terug hadden ze een barbecue gehouden. Zo'n twintig mensen in de tuin, krankzinnig mooi weer voor de tijd van het jaar. Rumoer, muziek, gelach en een buurman die gebeld had met de vraag hoe lang dit door zou gaan. Eddie had het afgehandeld. De buren waren uitgenodigd – eten en drinken in overvloed –, maar die hadden zich niet vertoond. Eddie stond zelf achter het vuur, met veel biefstukken en spareribs, en hamburgers voor de kinderen. Charly, Eddies beste vriend, had een groot schort voor hem meegenomen met daarop het beeld van een topless vrouw, zonder gezicht natuurlijk. Het stond grappig, Eddies hoofd daarboven. Er waren foto's van gemaakt. Oscar en Daan waren er, de vaste maten van Eddie, zijn 'compagnons', zoals hij ze soms noemde. En Herman natuurlijk, die zich met zijn imposante, zware lijf op een grote stoel had laten vallen, die speciaal uit de kamer naar de tuin was gesleept. Die Herman zat erbij alsof hij de baas van de wereld was, een dikke sigaar tussen de tanden, maar hij werd nadrukkelijk niet gefotografeerd. Hij was en bleef een soort *mystery guest.*

Sylvia had salades laten bezorgen. Maar toen was er plotseling een telefoontje gekomen. Eddie moest weg, nadat hij even had overlegd met Herman. Ze begreep niet wat er zo dringend kon zijn, maar Eddie negeerde haar, vloekte zacht in zichzelf, mompelde iets over zaken. Charly ging met hem mee, Oscar en Daan vertrokken ook, maar andere gasten waren gebleven.

Vanavond was hij weer weg. Niet onverwacht, maar gepland. Het hoorde bij zijn leven. Een avond weg, misschien een nacht, een paar dagen, een weekend of soms langer. Ze had gevraagd hoe laat hij thuis zou zijn, maar hij had alleen zijn schouders opgehaald. Toen had ze doorgevraagd. 'Elf uur? Twaalf uur?' Maar dat had een ontwijkend 'Misschien wel' opgeleverd.

Die eeuwige onzekerheid, daar begon ze steeds meer de pest aan te krijgen. Nee, alles hoefde niet afgepast en voorspelbaar, duidelijk en keurig. Een beetje onzekerheid kon best, maar Eddie ging daar erg ver in. En ze was er nooit aan gewend geraakt. Zou er in de toekomst evenmin aan wennen, dat wist ze zeker. Je deed mee of je deed niet mee, en dat laatste zou hij nooit accepteren. Je deed dus mee, daar ging hij van uit.

Hij had Daphne een zoen gegeven, terwijl ze languit op de bank liggend opging in een tv-soap. 'Hè, doe nou niet, ik zit net te kijken.' Eddie had het bekende gebaar van de machteloze vader gemaakt, met de bijbehorende blik. Misschien had hij niet in de gaten dat haar stuurse houding voor het grootste deel aan hem lag. 'Niet zo nuffig, hè, ik geef je alleen maar een zoen. Sinds wanneer mag dat niet meer?' Daphne had niet gereageerd. 'Waar is Yuri?' vroeg Eddie. 'In z'n kamer, aan het gamen, denk ik.' Eddie knikte. Hij zag er goed uit: een perfect pak, een mooi overhemd, goeie schoenen. Bij de kapper had hij zijn haar een tintje lichter laten maken. Een gebruind gezicht en blond haar. Om door een ringetje te halen, zou Sylvia's moeder zeggen, zoals ze dat altijd zei als Sylvia zich had opgetut en zich in haar mooiste kleren had gehuld om uit te gaan. 'Pas goed op jezelf,' had haar moeder daar altijd aan toegevoegd. Later vroeg ze aan Eddie: 'Pas je goed op haar?'

Het lichtblauwe trainingspak dat ze aan het eind van de middag had aangetrokken, droeg ze nu nog. Lekker makkelijk in huis. Ze pakte de afstandsbediening en maakte een korte, onbevredigende rit langs alle tv-zenders. Uiteindelijk bleef ze hangen bij MTV. Ze zette het geluid zacht. Niet meer haar muziek, al jaren niet meer. Het leek eeuwen geleden dat ze voor het laatst met Eddie in een disco was geweest. Nu kwamen ze soms op feesten waar een topveertigbandje speelde. Afgelopen zomer ergens bij Breukelen, in de tuin van een enorme villa, eerder een klein kasteel langs de Vecht. Meer dan honderd mensen, veel champagne, zalm, kaviaar. Vrouwen die elkaar de ogen leken te willen uitsteken met jurken en sieraden. Toen had ze plotseling zin gekregen in een spijkerbroek met een eenvoudig topje erboven.

Vanavond was Sylvia tegen halfacht met Eddie naar de deur gelopen, wat ze zelden deed. Hij had tijdens de maaltijd al een gespannen indruk gemaakt en weinig gegeten. 'Vind je het niet lekker?' had ze gevraagd. 'Ik heb niet zo'n honger. Laat geluncht.' 'Ik ook,' had Yuri gezegd, en hij had zijn bord een stukje van zich af geschoven. Eddie zette het bord terug. 'Jij eet lekker je bord leeg, jij moet er nog van groeien.' Zo'n stem, zo'n blik, daar deed je niets tegen. Yuri keek haar even schuw aan, en begon toen weer te eten. Eddie gaf Yuri een goedmoedige, maar toch redelijk harde tik tegen zijn achterhoofd. 'Goed zo, jongen. Zo ken ik m'n zoon weer.'

Ze liep nu naar de keuken en schonk een glas fruitsap in. 'Natuurlijk en gezond', stond er op het etiket, '250 ml is voldoende voor uw dagelijkse behoefte aan vitamine'.

In de hal had ze haar armen om Eddie heen geslagen en hem

tegen zich aan getrokken. Honderden keren hadden ze zo gestaan. Vroeger in het gangetje bij haar thuis, nadat ze zo stil mogelijk in haar kamertje gevreeën hadden, daarna op tientallen andere plekken. 'Ik ben al laat,' had hij vanavond gezegd. 'Waar moet je naartoe?' 'Naar Charly.' 'Waarvoor? Wat gaan jullie doen?' Als antwoord gaf hij haar een zoen, die al verdwenen was voor ze zijn lippen goed en wel had gevoeld. De laatste tijd vertelde hij steeds minder over de zaken waar hij mee bezig was. 'Ik blijf op je wachten.' Ze had ineens behoefte dat te zeggen. 'Dat is nergens voor nodig,' reageerde Eddie. 'Ga maar naar bed als je daar zin in hebt.' 'Maar als ik...' Hij stond al op straat, keek even om en zwaaide naar haar. Zoals hij liep, met licht verende stappen, dat was absoluut Eddie. Haar Eddie, nu al ruim vijftien jaar. Ze stond in de deuropening en voelde zich heel erg de vrouw van, die haar man weg zag gaan. Hij stapte in zijn Lexus, startte, drukte kort op de claxon, en was in een paar tellen de straat uit. Ze was blijven staan tot ze het koud kreeg. Daarna was ze even naar Yuri's kamer gegaan. Op het scherm vocht hij een bloedige oorlog uit. Ze keek ontroerd naar zijn licht gekromde rug, het donzige haar in zijn gladde nek, zijn gespannen handen. 'Yes!' riep hij bij een kennelijk geslaagde actie, terwijl hij een vuist en een gehoekte arm omhoog bracht.

Kwart over een was het nu. Meestal lag ze dan al in bed, maar deze keer zou ze zich niet laten kennen. Als hij thuiskwam, konden ze samen iets drinken. Net zoals vroeger.

Eddie had met Maaswinkel afgesproken in het brugrestaurant boven de A4 net voorbij Schiphol, maar de man was nergens te bekennen. Eddie dacht toch zeker te weten dat hij La Place had genoemd. Geen teken van Maaswinkel. Na ruim een kwartier liep Eddie nog eens door de Rancho BBQ and Grill, vervolgens door de Gouden Wok. Dit was een stomme plek geweest voor een ontmoeting, te veel mogelijkheden, onoverzichtelijk. Eddie probeerde hem te bellen, maar er werd niet opgenomen. Overal druk pratende mensen, gezinnen, haastige zakenlieden, eenzame chauffeurs.

Om zijn ergernis te verdrijven belde Eddie met Charly. Of hij al wist of het goed zat met de extra spullen. Extra, dan wist Charly wat hij bedoelde.

'Geen probleem. Ze draaien op volle toeren.'

Het was een fabriekje in Waddinxveen, wist Eddie, zogenaamd een handel in buitenverlichting, maar hun eigen buitenverlichting zou op een heel laag pitje staan als de dozen met pillen werden ingeladen. 'Oké, dat is dan geregeld.'

Eddie maakte opnieuw een rondje door de restaurants. Keek zelfs bij de Kentucky Fried Chicken en de Febo, waar hij bijna zin kreeg in een ouderwetse Febokroket met veel mosterd.

Anouk lag languit op het kingsize bed, naakt, alsof ze hem een laatste keer wilde uitdagen, maar ze zei gelukkig niets.

Eddie zat op de rand. Hij liet zijn hand strelend over haar lichaam gaan, haar borsten, haar buik, het kleine pornostreepje met schaamhaar. 'Net het snorretje van Hitler,' had hij laatst gezegd.

Ze maakte een licht kreunend geluid, maar hij gaf niet toe.

Hij stond op en stapte onder de douche. Het leek een eeuwigheid te duren voor er warm water kwam. Had hij daarom duizenden euro's aan die aannemer betaald? Eindelijk... hij klungelde met de kranen tot het water de juiste temperatuur had.

Toen hij weer in de slaapkamer stond, lag Anouk nog altijd naakt op het bed, nu op haar buik, haar benen licht gespreid. Ze leek iets molliger geworden de laatste tijd. Hij liep al op haar toe, maar bedacht zich en trok zijn kleren aan.

'Ik weet verdomd goed wat je wilt,' zei hij. 'Je bent een geil kreng, een lekker geil kreng.'

'Mag dat dan niet?' vroeg ze met een klein stemmetje.

'Het moet juist.' Terwijl hij zijn schoenen aandeed, keek hij even naar haar, al was het alleen maar om zijn eigen opwinding te voelen kloppen en branden. Niet toegeven, controle, alles in eigen hand, daar ging het om. Hij liep naar het bed, boog zich over haar heen en drukte een zoen, eerst op de ene, toen op de andere bil. Beet daarna even in het stevige vlees. Het liefst zette hij zijn tanden er zo hard mogelijk in, tot de afdrukken ervan zichtbaar zouden zijn.

Anouk spreidde alleen haar benen iets meer, maar reageerde verder niet. Ook niet toen hij 'Tot een volgende keer' zei, waarna hij de deur achter zich sloot.

Sylvia schrok wakker. Ze kwam overeind, terwijl ze probeerde te bedenken waar het geluid vandaan kwam dat ze had gehoord. Haar spieren deden pijn, haar rechterarm had bekneld gelegen. Ze keek op haar horloge. Kwart over drie. Bijna sluipend ging ze naar de deur van de gang, die ze voorzichtig opendeed.

Eddie stond halverwege de trap naar boven. Ze schrokken van elkaar.

'Shit... ben je nog op?' vroeg Eddie.

'Ik zat op je te wachten,' fluisterde ze.

Hij kwam naar beneden. 'Waarom? Dat is toch nergens voor nodig, schat. Je had toch lekker naar bed kunnen gaan.' Hij drukte een zoen op haar wang en ging even met zijn hand door haar haar.

'De kinderen slapen.'

'Ja, natuurlijk slapen de kinderen,' zei Eddie. 'En waarom jij niet? Is er soms iets gebeurd?'

Ze schudde haar hoofd.

'Zeker weten? Niks met Yuri of Daphne? Telefoon?'

'Nee, niks,' zei ze.

'Maar wat is er dan?' Eddie glimlachte, maar aan zijn stem

kon ze horen dat hij een beetje geïrriteerd was.

'Kunnen we niet even wat drinken?'

'Ik... eh, ik heb het morgen krankzinnig druk. Ik ben doodmoe, ik ga naar bed.' Hij liep verder de trap op.

Ze keek hem na, bleef zelfs luisteren – eerst de wc, toen de badkamer, daarna de deur van hun slaapkamer – tot ze niets meer hoorde. Het huis was weer van haar alleen. Ze liep naar de keuken en schonk een glas witte wijn in. Ze nam één slokje en goot de rest in de gootsteen. Nadat ze de tv uit had gezet, liep ze naar boven.

In de badkamer poetste ze haar tanden. De spiegel kaatste haar beeld onbarmhartig terug. Ze sperde haar mond wijd open, de tanden zo zichtbaar mogelijk, tot een lichte kramp in haar kaken schoot. Ze trok het vel onder haar kin naar beneden en voelde of het losser begon te zitten. Viel mee. Het vel van haar bovenarmen. Werd misschien al slapper. Ze prikte met een vinger in haar vlees.

Het licht in de slaapkamer hoefde niet aan. Met veel overbodige bewegingen en gezucht schoof ze in bed, maar Eddie leek niets te merken.

'Eddie.'

Geen reactie.

Ze schudde aan zijn schouder. 'Eddie!'

'Ga slapen,' mompelde hij.

'Eddie,' zei ze, nu iets luider, 'waarom bleef je weer zo lang weg? Is er iets? Problemen?'

Plotseling schoot hij overeind. 'Ja, dat jij me wakker houdt, dat is er.'

Toen ging hij weer liggen, alsof alles hiermee was afgehandeld, maar nu ze eenmaal begonnen was, wilde ze verder. 'Vroeger vertelde je me altijd wat je gedaan had, waar je geweest was, maar als ik nu alleen maar vraag waarom je zo lang wegblijft, dan geef je geen antwoord.'

'Omdat het niet belangrijk is. Ga nou maar lekker slapen.' Hij draaide zijn rug naar haar toe. 'Welterusten.'

'Is er iets gebeurd of zo, dat je zo laat thuiskwam?'

Eddie zuchtte diep, maar zei niets terug.

Ze trok het dekbed van hem af. 'Ik ben niet alleen de moeder van je kinderen, ik ben niet alleen je huishoudster, je kok, je wasvrouw... We zijn getrouwd, Eddie, dan kan je me toch vertellen wat je uitvreet tot diep in de nacht. En dit gebeurt voortdurend de laatste tijd. Dat vind ik niet leuk.'

Zwijgend probeerde hij het dekbed terug te veroveren, maar ze hield het stevig vast.

'Heb je soms een ander? Heb je een vriendin?'

'Natuurlijk niet. En laat dat dekbed nou 'ns los, ik wil slapen.'

'Heb je een vriendin? Doe je het met een ander?' Eddie rook niet naar een ander. Er had een frisse geur om hem heen gehangen toen hij haar net een zoen gaf, te fris voor een man die met andere mannen had zitten roken, drinken en praten, want daaruit leek Eddies werk vooral te bestaan. Misschien was hij wel ergens onder de douche geweest voor hij naar huis kwam.

Hij trok opnieuw aan het dekbed, maar ze liet niet los. Plotseling zette hij zijn voeten naast het bed.

'Wat ga je doen?' vroeg ze.

'Naar de logeerkamer. Als ik hier niet kan slapen, dan ga ik ergens anders liggen.'

'Je wilt dus niet met me praten.'

'Niet als je alleen maar zit te zeuren. Bij jou moet ik als een klein kind komen vertellen wat ik doe... moet ik me verantwoorden. Daar heb ik helemaal geen zin in, dat weet je best.' Hij pakte zijn ochtendjas en stapte de gang op.

Een paar seconden wachtte ze, voor ze hem volgde. Op de deur van de logeerkamer zat geen slot.

'Jezus, krijg ik nou nooit 'ns rust? Ik moet morgen werken, Syl.'

Met kloppend hart ging Sylvia op de rand van het bed zitten. Ze had er een hartgrondige hekel aan als hij haar Syl noemde, maar dat liet ze opnieuw passeren. 'Ik hoef helemaal niet zoveel,' zei ze. 'Ik vraag niet zoveel, maar af en toe, dan eh... dan zit ik in zeg maar een soort vacuüm. Jij hebt je werk, je ziet allerlei mensen, je gaat overal naartoe, en ik zit hier thuis een beetje in m'n eentje te wachten.'

'Wat wou je dan? Meegaan?'

'Nee, maar dat je me vertrouwt, zoals vroeger. Het is net of je zaken steeds geheimzinniger worden.'

'Dat wil je allemaal niet eens weten.'

'Dat wil ik wel.'

'Nee, niet... veel beter van niet. Als je het niet weet, kan je er niks over vertellen, zo simpel is dat. En nou wil ik slapen. Geen geouwehoer meer aan m'n kop.'

Sylvia bleef op de rand van het bed zitten. Ze hoorde de regelmatige ademhaling van Eddie, maar ze kon zich niet voorstellen dat hij inderdaad sliep.

'Vertrouw je me soms niet?' vroeg ze.

Eddie reageerde niet.

'We zijn getrouwd... dan moet je me ook vertrouwen!' Ze vond het een mooie vondst. Trouwen... vertrouwen, het hoorde bij elkaar, zoals zij en Eddie bij elkaar hoorden. Dat kon hij niet zomaar ontkennen.

Ze probeerde op het smalle logeerbed tegen hem aan te gaan liggen. 'Toe nou, Eddie. Zoveel vraag ik toch niet van je?'

Met een wilde beweging draaide hij zich om, zodat ze bijna op de grond viel.

2

Yuri zette zijn fiets op slot en gaf Sylvia de sleuteltjes. Om hen heen arriveerden andere ouders met hun kinderen, verschillende met een moderne bakfiets. Toen ze hier twee jaar geleden voor het eerst stond, had ze de indruk dat veel opa's en oma's hun kleinkinderen naar school kwamen brengen, maar dat was niet het geval: er waren simpelweg veel oudere ouders bij. Vrouwen die pas tegen hun veertigste hun eerste kind hadden gekregen, met een man die meer dan een handvol jaren ouder was. Voor die vaders waarschijnlijk vaak een tweede leg.

Ze ging mee naar binnen, omdat Yuri gisteren met een andere jongen had gevochten tijdens het speelkwartier. Hij had ruzie gekregen met Rogier. Er was een vechtpartij ontstaan, die door de surveillerende leerkrachten in de kiem was gesmoord; met geweld hadden ze de jongens uit elkaar moeten trekken. Dit was het moment om het uit te praten, met juf Ine erbij. Rogiers moeder, Madeleine, was er ook. Rogier had een blauwe plek op zijn wang. Aan Yuri was niets te zien. Natuurlijk gaven ze elkaar de schuld.

'Jullie waren dus sámen begonnen,' zei juf Ine vredelievend.

'Nee, Rogier, die greep me vast, en toen trok ik me los, en toen begon die eikel me te stompen.'

'Hé, hé,' zei Sylvia, 'dat soort dingen zeggen we hier niet.' Nee, hier op deze keurige school niet, en thuis zou ze misschien wat meer op Yuri's taalgebruik moeten letten, maar als Eddie het al had over een shitwedstrijd en een kutprogramma, wat kon ze dan anders van Yuri verwachten?

Ine glimlachte. Madeleine sloeg een beschermende arm om haar zoon heen.

Yuri keek stuurs voor zich uit. Zo was hij precies Eddie in het klein. Boze, donkere ogen, zijn vuisten gebald, alsof hij er zo weer op los kon slaan.

'Jullie geven elkaar een hand,' zei Ine, 'en jullie beloven dat je zoiets niet meer doet. Als het weer gebeurt, dan kunnen jullie in de pauze binnen blijven. Begrepen?'

Met Madeleine liep ze de school uit. Haar zoon zat dit jaar voor het eerst bij Yuri in de klas. Hij kwam van een andere school, ergens uit het zuiden van Nederland.

'Hè,' zei Madeleine. 'Ik heb zin in koffie. En jij?'

Sylvia haalde haar schouders op.

'Ga je mee? Dan gaan we even naar de PC. Ben je op de fiets? Ja, ik ook. Die kunnen we hier wel laten staan.' Nog maar net in Amsterdam, en nu had ze het over de PC Hooftstraat alsof die al jaren bekend terrein was.

'Sorry, maar ik heb een afspraak. Naar de tandarts,' verzon Sylvia. 'Misschien een andere keer.'

Sylvia pakte haar fiets en reed naar het Vondelpark, waar ze op een bankje ging zitten. Zo'n tien meter verder zaten twee dakloos ogende mannen. Ieder met een groot blik bier en een sigaret, en aan hun voeten een plastic tas, waarschijnlijk gevuld met meer blikken. Een van de twee had een warrige haardos en baard. De ander was kaal. Ze keken in haar richting, maar deden niets, zeiden niets. Als op afspraak hieven ze synchroon hun rechterarm om een slok bier te nemen. Daarna staarden ze weer voor zich uit.

'Proost,' mompelde Sylvia.

■

'Tsjeses... Frans. Dat is een tijd geleden.' Eddie had hem onmiddellijk herkend. In zijn gsm zei Eddie: 'Ik bel je morgen terug over die nieuwe zending. Oké?' Hij liet het toestelletje in zijn binnenzak glijden. De deal leek in orde. Alles was onder controle. Oscar zou erbij zijn als de lading binnenkwam.

'Ja, een jaar of twaalf, schat ik,' zei Frans. 'Is die stoel vrij?'

'Bijna vijftien jaar volgens mij.' Eddie wist het nog precies, en het leek niet waarschijnlijk dat Frans het was vergeten. Dat soort dingen, die zakten niet weg uit je geheugen.

Half lacherig keken ze elkaar aan. Binnen een minuut vijftien jaar overbruggen bleek niet eenvoudig. Nou ja, die vijftien jaar, daar ging het niet direct om, eerder om wat er daarvoor was gebeurd. Pijnlijk? Ja, maar dat hoorde erbij.

Hij vroeg wat Frans wilde drinken.

'Doe maar een spaatje... rood graag.'

Frans zag er goed uit. Netjes, beschaafd, een heer, in een perfect gesneden pak. Wat was het vroeger geweest? Een spijkerbroek en een sweatshirt. Frans was zijn lange haar ook kwijt. Bovenop begon hij al aardig kaal te worden, zag Eddie tot zijn genoegen. Misschien dat Frans zich daarom zo kort had laten knippen. Hij had nog altijd een beetje een trouwe-hondenkop met van die droevige ogen en daaronder forse wallen. Een paar jaar geleden had Eddie voor het laatst een fotootje van hem in de krant gezien, toen er allerlei discussies waren over het onder de prijs verkopen van boeken in zijn platenzaken.

Eddie wenkte een kelner, een jonge man die hij hier niet eerder had gezien. 'Een rooie spa en voor mij nog een keer hetzelfde.' Hij wees naar zijn glas.

'Zo...' Frans keek om zich heen. 'Mooie zaak. Je komt hier veel?'

'Regelmatig.' Het was duidelijk dat Frans bepaald niet toevallig binnen was komen lopen, maar Eddie had geen zin om het hem makkelijk te maken.

'Nog altijd in... eh, in zaken?' vroeg Frans. 'Dezelfde zaken, bedoel ik.'

'Ja, waarom niet?'

'Je verdient goed?'

Eddie leunde achterover. 'Ik mag niet klagen.'

'Beter dan vroeger?' vroeg Frans. 'Zeker niet meer van die kleine pestpartijtjes van een paar kilo. Dat heb ik me tenminste laten vertellen.'

'Door wie?' vroeg Eddie.

'Ach, je hoort wel 'ns wat.'

De kelner zette hun drankjes neer.

Eddie pakte zijn glas. 'Proost.'

'Proost.' Frans nipte van zijn spa alsof het een dure cognac was.

'En jouw zaken?' vroeg Eddie. Toen ze hun samenwerking hadden moeten opbreken, was hij de carrière van Frans half en half blijven volgen. Van de eerste platenzaak in de Spaarndammerbuurt tot de keten cd-winkels waar hij nu zijn geld mee scheen te verdienen. Absoluut anders dan hoe ze samen begonnen waren: heel simpel een beetje hasj naar wat coffeeshops, in het begin alleen in de Spaarndammer- en de Staatsliedenbuurt. Spannend en het betaalde goed. Toen het groter werd, begon Frans hem al een beetje te knijpen, maar na Sylvia was het pas echt afgelopen.

Ondanks zijn riante winkels maakte Frans een benauwde indruk, alsof iemand hem stevig bij zijn ballen had en het verdomde om los te laten. Maar misschien betekende het niet veel. Frans was nooit erg vrolijk of opgeruimd geweest.

'Kon beter,' zei Frans en hij nam alweer zo'n wijvenslokje.

'Waarom?'

'Mensen kopen geen cd's meer. Ze downloaden alles van

internet. Dus ben ik met computers begonnen, games, dat soort dingen.'

'En? Dat is toch dé business tegenwoordig?'

'Dat zeggen ze, ja...'

Eddie wist nu zeker dat Frans hier met een speciaal doel was gekomen. 'Maar dat is dus niet zo?'

'Niet altijd, nee.' Er zat niemand in hun buurt, maar toch dempte Frans zijn stem, alsof hij bang was afgeluisterd te worden. 'Heb je weleens van DigiDeli gehoord?'

Eddie schudde zijn hoofd.

'Grote jongens. Tenminste, vorig jaar nog. Importeerden uit Korea en India. Digitale delicatessen dus eigenlijk. Hardware, software... allerlei programma's, games ook natuurlijk. Zo kwam ik bij ze terecht. Goed, ze waren klein begonnen, ergens in Utrecht op een zolderkamertje, en daarna mega gegroeid. Maar ze investeerden als een gek, dus daar hadden ze geld voor nodig. En weet je waar dat vandaan kwam?'

Het was het soort verhaal dat Eddie al zo vaak had gehoord. 'Van jou.'

Frans dronk nu in een paar teugen zijn glaasje water leeg. 'Zoiets kan ik ook wel gebruiken.' Hij wees naar Eddies glas. Van een geslaagde zakenman was hij plotseling een wat treurige scharrelaar geworden. Zelfs zijn pak leek regelrecht bij C&A vandaan te zijn gekomen, of erger: bij het Leger des Heils.

Eddie trok de aandacht van een van de kelners. 'Twee van deze, graag.'

Ze zwegen even.

'DigiDeli dus,' zei Eddie. 'Investeringen, veel geld, een nieuw pand, *opportunities.* Die moet je pakken. En dat deed jij.'

'Ja, ik kende die jongens. Eerst groter worden, daarna naar de beurs, en dan *cashen*, dat was het idee. Of verkopen natuurlijk, dat kon net zo goed. Mijn accountant heeft de boeken bekeken. Het zag er fantastisch uit. Bovendien zou ik hun spullen goedkoper in mijn winkel krijgen. Kon ik allemaal acties mee plannen. Echt een win-winsituatie.' Frans nam een slokje whisky. 'Dat dacht ik tenminste.'

'Jij hebt dus geïnvesteerd,' veronderstelde Eddie.

'Ja, extra hypotheken op acht van mijn winkels, een paar forse leningen. Bij elkaar zestien miljoen euro.'

'En toen?' Eddie wist wat er komen ging, maar hij wilde het graag uit de mond van Frans horen.

'Alles kwijt. DigiDeli is kapot, failliet... alleen maar schulden. Een luchtballon waar ze een speld in hebben gestoken... zoiets. Een heleboel geld ging naar bedrijfjes in het Verre Oosten en zo, waar ze ook hun spullen van kregen, die weer onder bedrijven zaten op de Kaaimaneilanden, Curaçao, Barbados, noem maar op. Die stuurden enorme rekeningen. Ik heb het laten nagaan... torenhoog, echt waanzinnige bedragen. Die twee eigenaars, die gezellige Utrechtse jongens kregen daar natuurlijk een grote hap van. Maar dat kan ik allemaal niet hard maken.' Frans nam een slokje van zijn whisky. 'Godverdomme, jaren keihard voor gewerkt... gesappeld... en zomaar alles naar de verdommenis.' Er zat een snik in de stem van Frans. Typisch Frans. Vroeger zat hij bij tegenslag ook al meteen in zak en as.

'En die eigenaars, die Utrechtse jongens?'

'Ik kan ze niks maken,' legde Frans uit. 'Ze hebben zogenaamd ook veel verloren, maar ik weet dat het ergens anders ligt, zodat ik er niet bij kan komen... de klootzakken.'

'En wil jij nou dat ik...' De ringtone van Eddies telefoon klonk, de beginklanken van het Wilhelmus. 'Sorry... even opnemen. Dit is de sos-lijn, zal ik maar zeggen.' Eddie wendde zich af van Frans. 'Ja, zeg het maar.'

'Ik heb Maaswinkel gesproken,' hoorde hij Charly zeggen. 'Hij...'

'Waarom was die druiloor niet op die afspraak?' Eddie dempte zijn stem. 'Ik heb verdomme bijna een uur zitten wachten.'

'Plotseling verhinderd of zo, en hij had je nummer niet.'

'Een kutsmoes. Hij kan zeker niet betalen.'

'Klopt,' zei Charly. 'Zijn afnemers in Denemarken komen nog niet over de brug, dus hij heeft geen geld. Zegt-ie tenminste.'

'Als hij niet betaalt, gaan er heel vervelende dingen gebeuren.'

'Moet ik nu al maatregelen nemen?'

'Nee. Komt nog wel.' Eddie brak het gesprek af en stopte het toestelletje in zijn binnenzak. 'Maar je wou dus iets geregeld hebben,' zei hij tegen Frans.

Frans keek even om zich heen. 'Ja, misschien dat je...'

Eddie maakte een afwerend gebaar. 'Liever niet hier, en ik heb nu trouwens geen tijd. Misschien kunnen we voor een andere keer wat afspreken.' Frans had hem nodig, wist hij, maar daarom was het juist goed om hem een tijdje te laten bungelen.

Frans pakte een visitekaartje. CD-KING stond erop met zwierige letters, en een kroontje erboven, alsof het bedrijf koninklijk was goedgekeurd. De naam van Frans eronder met de toevoeging 'commercieel directeur'. Verder adressen, telefoonnummers en een website. Eddie had kaartjes van de East-West Textile Company, maar die waren alleen voor noodsituaties.

'Ik bel je,' zei Eddie.

'Dit blijft toch onder ons?' Er klonk iets smekends in de stem van Frans, iets wat Eddie herkende van vroeger. Ja, ze hadden hem echt bij zijn ballen.

'Natuurlijk.'

'Heb jij ook een kaartje?'

'Nee, daar doe ik niet aan. Voor je het weet zwerven die overal rond.'

'Hè, Yuri, kan je nou niet 'ns wat anders gaan doen, technisch lego of een boek lezen bijvoorbeeld?'

Het leek of Yuri haar niet hoorde. Er klonk onheilspellende

muziek, een schreeuwende stem, daarna een paar harde knallen.

Sylvia liep naar hem toe en legde een hand op zijn schouder.

Yuri schoot een klein stukje omhoog. 'Shit! Ik schrik me rot.'

'Waar ben je nou weer de hele tijd mee bezig? Wat is dit voor spel?'

'*Crime battle*, van papa gekregen.'

'Wanneer dan?' Hoe vaak had ze Eddie niet verteld om niet met cadeautjes te strooien. Daphne was laatst haar fiets kwijtgeraakt. Vergeten op slot te zetten. Geen probleem voor Eddie. De volgende dag had ze een spiksplinternieuwe. Als het aan Sylvia lag, had ze voorlopig op een tweedehands rammelkast gereden.

'O, een paar dagen terug. Kijk...' Yuri's vingers bewogen vaardig over de toetsen. 'Er zijn drie teams, drie groepen die de stad willen veroveren, en je moet proberen de politie uit te schakelen, en die andere, dat zijn je tegenstanders. Maar je kan ook met een andere club samenwerken, zodat je... hé, shit, wat gaat die nou doen?' Yuri ratelde weer met zijn vingers over de toetsen.

'Nog een halfuurtje, dan ga je naar bed.'

Beneden las ze wat in de krant. De *crocodile hunter* was dood. Een keer had ze hem op de televisie gezien met krokodillen, alsof het zijn beste vrienden waren. Er stond een foto bij het artikel in de krant: met zijn ene hand voerde hij een krokodil een dode kip, terwijl hij zijn vijf weken oude zoontje op zijn andere arm bij zich droeg. Ze liet haar ogen even over de rouwadvertenties gaan, een gewoonte sinds een collega bij haar eerste baas, Marilon, geschept was door een auto en in het ziekenhuis was overleden. Nee, geen bekenden, en ook niemand van haar leeftijd.

Ze bladerde verder, tot ze bij een interview kwam met een vrouw uit Amsterdam. Haar zoon was gestorven na een overdosis heroïne, thuis, op zijn oude jongenskamertje. Die jongen was zoals zoveel anderen met hasj begonnen. Het leek allemaal niet ernstig, maar hij had later steeds meer en ook andere, zwaardere middelen nodig. De vrouw was een actiegroep begonnen van ouders met verslaafde kinderen. Verschrikkelijk moest het zijn, haar eigen kind kapot te zien gaan aan de drugs. Een kind dat ze op de wereld had gezet, dat ze naar school had gebracht, van wie ze met hart en ziel hoopte dat hij gelukkig zou worden. Maar nu had ze aan zijn graf gestaan. 'Het is zo makkelijk te krijgen in Amsterdam,' zei de vrouw in het interview. 'Overal kan je het kopen. Ik begrijp niet dat ze die mensen die eraan verdienen, niet harder aanpakken.' Sylvia legde de krant weg en probeerde haar tranen terug te dringen.

Tegen elf uur kwam Eddie thuis. Hij gaf haar een vluchtige zoen en vroeg of er iets te eten was.

'Nee, wij hebben om zeven uur al gegeten. Er is brood.'

'Brood... goh, wat lekker, zeg! Heerlijk! Ik werk me de hele dag de pestpokken, en als ik dan thuiskom, is er alleen brood, en daar moet ik dan zeker blij mee wezen.'

'Als jij nooit zegt hoe laat je thuiskomt en wat je dan wilt,' zei Sylvia, 'dan is het voor mij moeilijk om iets te plannen.'

'Ik werk, ik zorg voor geld, al die spullen hier, dit huis, alle vakanties, je kleren, apparatuur, je sportschool... noem maar op, maar een beetje rekening met me houden, nee, dat is zeker te veel gevraagd.'

'Zo bedoel ik het helemaal niet.'

'Hoe dan wel?' Zonder haar antwoord af te wachten stond Eddie op en liep naar de keuken. Hij kwam terug met een glas whisky en ging weer op de bank zitten.

'Als ik jouw programma niet ken, als jij mij altijd overal buiten houdt, dan weet ik niet wat ik moet doen. Je moet dit trouwens 'ns lezen.' Ze hield hem het artikel voor.

Vluchtig liet Eddie zijn ogen erover gaan. 'Wat heb ik daarmee te maken?'

'Dat weet je heel goed.' Ze keek hem aan. 'Het is jouw handel; diezelfde handel waar ik niks meer van mag weten.'

'Dan is het toch evengoed mijn schuld nog niet.'

'Dat is het wel, Eddie Kronenburg. Jouw schuld, en die van Charly, Oscar, Daan, noem maar op. Jullie zorgen ervoor dat die spullen overal te koop zijn. Mensen zoals jullie hebben zijn dood op jullie geweten. Die vrouw... die moeder is er helemaal kapot van. Haar enige kind, haar hele leven is verwoest.'

'Die jongen had zich ook dood kunnen zuipen en dan...'

'Dat is anders,' onderbrak Sylvia.

'En dan had zeker Freddy Heineken de schuld gekregen,' ging Eddie door. 'Wat is dat voor bullshit.'

'Freddy Heineken is al een paar jaar dood.'

'Daar gaat het niet om.' Eddie wendde zich van haar af, alsof dit onderwerp ook zo kon worden afgesloten.

'Ik wil het niet meer,' zei ze. 'Dit soort leven wil ik niet meer.' De laatste woorden schreeuwde ze bijna uit.

'Een beetje rustig, Syl. Straks worden de kinderen nog wakker.'

'Daar maak je je druk om, of de kinderen misschien wakker worden, maar zo'n jongen die dood is, dat interesseert je niks. Ik walg ervan, weet je dat. Ik word er helemaal kotsmisselijk van.' Alles wat ze opgespaard had, moest er nu uit, maar ze kon het niet eens opbrengen. Ze stond op en liep naar de deur.

'Wat ga je doen?' Binnen twee tellen stond hij bij haar en pakte haar bij een pols.

'Naar bed.'

Hij schroefde zijn hand nog krachtiger om haar pols. 'Je gaat toch niet moeilijk doen, hè?'

3

Naast zich hoorde Sylvia de zwoegende, zware adem van Eddie, alsof hij bezig was een immens groot karwei uit te voeren. Kennelijk was hij vannacht toch stilletjes naast haar komen liggen. Ze keek op de wekker: kwart voor zeven. Eddie maakte nu een licht puffend geluid. Er hing een zure dranklucht in de slaapkamer. Voorzichtig voelde ze even aan haar arm. Pijnlijk, behoorlijk pijnlijk. Het was verdomme weer uit de hand gelopen, terwijl ze wist wat hij zou doen als woorden niet meer genoeg waren of als hij zich getergd voelde. Maar soms moesten dingen nu eenmaal gezegd worden. Als ze het voor zich hield, kreeg ze het gevoel uit elkaar te zullen knallen. Minstens een halfjaar geleden was het voor het laatst gebeurd, ook na zo'n soort ruzie. Praten, dat wilde ze alleen maar. Duidelijkheid, zodat ze wist waar ze aan toe was.

Toen de wekker om halfacht afging, besefte ze dat ze opnieuw in slaap was gevallen. Eddie draaide zich om, maar gaf verder geen krimp. Hij was één met het bed, voorlopig onafscheidelijk. Ontbijten, kinderen naar school, iets bedenken voor het eten vanavond, boodschappen doen, een beetje krant lezen, misschien wat winkelen, kinderen uit school. Ze hoefde er niet eens over na te denken. Vandaag kwam Irina schoonmaken, maar Sylvia had geen zin om haar te ontmoeten, en in krom Nederlands vertelde verhalen te moeten horen over haar ellendige jeugd en haar ouders in een of ander achterlijk gehucht in Polen. De eeuwige aardappel- en bietensoep waar ze het over had. Haar vader die te veel wodka dronk, haar moeder die halve dagen huilend in bed lag, haar jongere broertjes en zusjes voor wie ze moest zorgen. 'Iek nu geld sturen... Polen arm... Nederland rijk, veel meer rijk als Polen.'

Sylvia's lichaam voelde loodzwaar. Nog even en ze zou door de matras zakken, dan versplinterde de houtconstructie van het bed, daarna begaven de planken van de vloer het, het plafond van de huiskamer zou in gruzelementen gaan, het mooie sierstucwerk, dwars door de vloer, het souterrain. Ergens in het midden van de aarde zou ze pas tot stilstand komen, overal even ver vandaan.

Ze stapte uit bed, nam een douche en kleedde zich aan. Op haar bovenarm zat een blauwe plek. Ze drukte er stevig op, zodat de pijn door haar arm trok.

Yuri had grote moeite om uit z'n bed te komen. Hij had dikke slaapogen. Toch te lang achter de computer gezeten, natuurlijk. Om negen uur had ze het gecontroleerd, en toen lag hij in bed. Maar daarna was hij er waarschijnlijk weer uitgeklommen. Daphne at alleen maar wat muizenhapjes. Yuri zat te knoeien met een boterham met pindakaas, maar ze had zich voorgenomen er niets van te zeggen. Ze lepelde een bakje magere kwark leeg. 'Van elk hapje moet je langzaam genieten,' stond er in het dieet dat ze volgde. Ze probeerde het, maar het bleef gewone magere kwark, die een lichte, duffe meelsmaak in haar mond achterliet.

Ze bracht Yuri naar school. Volgend jaar zou hij alleen mogen, net zoals Daphne nu deed. Altijd de Van Baerlestraat over met dat drukke verkeer. Een paar weken geleden had ze Yuri bijna met geweld tegen moeten houden, toen hij al pratend aanstalten maakte om over te steken, terwijl er een rij auto's aan kwam racen.

Bij school zag ze een glimp van Madeleine met haar Rogier, maar ze maakte zich snel uit de voeten. Naar huis? Nee, Eddie zou er nog zijn en ze had geen zin om hem nu onder ogen te komen. En straks Irina. Doelloos fietste ze door de stad. Op een gevel aan het begin van de Jan Evertsenstraat was een groot bord bevestigd met daarop de tekst STOP MET LIJDEN. Sylvia glimlachte. Langs de Admiralengracht bleef ze even staan. Twee bootjes, waarvan één met een buitenboordmotor, lagen half onder water. Verdronken boten. De buitenboordmotor stak net boven het water uit, alsof die wanhopig probeerde niet ten onder te gaan. De eigenaren moesten de bootjes hebben opgegeven: reddeloos verloren.

Eddie dacht dat hij de baas was, dat hij het allemaal in de hand kon houden. Natuurlijk wist ze wat hij deed, waar hij zijn geld... nee, hún geld vandaan haalde, ze kende de mensen, de deals, maar ze wilde dat hij het zei. Pas dan konden ze er samen over praten. Sylvia dacht weer aan die vrouw en haar overleden zoon. Het in- en intrieste gezicht van de foto in de krant bleef op haar netvlies verschijnen.

Het was prachtig weer. Ze fietste verder naar de Spaarndammerbuurt. Even overwoog ze bij haar moeder langs te gaan, maar de vele recente telefoontjes waren voor nu meer dan genoeg. Het café waar ze vroeger weleens met Frans kwam, was er niet meer. Verdwenen, net als allerlei winkels: de bakker, de melkboer, de slager, de groenteboer, de drogist. Frans had daar toen die eerste keer kapotjes gekocht. Andere zaken waren in de plaats gekomen van de voormalige buurtwinkels, vaak met Turkse of Marokkaanse opschriften op de winkelruit. Ze stond voor een Turkse bakker en snoof de geur van vers brood op. De eerste kapperszaak waar ze gewerkt had na haar opleiding, was nu een Surinaams eethuis geworden. Ze had er zelfs samen met Floor stage gelopen. Floor, ze moest haar weer eens bellen. Sinds haar verhuizing naar Almere was het contact minder geworden, afgezien van een korte opleving na haar scheiding van Johan. Misschien kwam het ook door Eddie, die Floor nooit zo had zien zitten. 'Ik begrijp wel dat Johan van d'r af is,' had hij weleens gezegd. Voor Eddie was Floor waarschijnlijk te eigengereid, te zelfstandig.

Die coffeeshop op de hoek, High Times, was niet gesneuveld. Dat was de eerste klant van Frans en Eddie geweest. Ze zette haar fiets tegen de muur en probeerde naar binnen te kijken. Alles was donker, maar het zou haar niets verbazen als het interieur nog altijd hetzelfde was. Vroeger had ze er ook soms een blowtje genomen.

'Zocht u wat?'

Sylvia schrok. Een grote, massief ogende man met strak langs zijn schedel getrokken haar, samengebonden in een paardenstaart, had haar aangesproken.

'Nee, niks, ik keek alleen maar even.'

'Waarom?'

'Zomaar.'

'Zomaar? Dit is mijn zaak. Dan mag ik toch wel weten waarom je naar binnen staat te loeren.'

'Nou ja, vroeger kwam ik hier wel 'ns,' zei Sylvia. 'Ik wou kijken of het nog een beetje hetzelfde was.'

'Ah, nostalgie!' De ogen van de man lichtten op. 'Ga je mee wat drinken?'

'Ik moet weg,' zei ze. 'Ik heb andere dingen te doen, mijn huis, de kinderen.'

De man kwam een halve stap dichterbij. Sylvia kon zijn aftershave ruiken. 'Ik heb zin om met je te neuken. Volgens mij ben jij hartstikke goed in bed. Ik denk dat je een lekker kutje hebt.'

Zonder iets te zeggen, pakte ze haar fiets. Toen ze weg wilde rijden, greep hij de bagagedrager. 'Ik laat je zo drie keer achter elkaar klaarkomen. *This is an offer you can't refuse.*'

'Laat los, of ik begin te schreeuwen.' Ze voelde zich ijzig worden. Wanneer ze dit aan Eddie vertelde, zou hij de man onmiddellijk door een paar sportschooljongens helemaal binnenstebuiten laten keren.

'Ja, lekker schreeuwen,' zei de man, 'daar word ik helemaal geil van.'

Sylvia keek om zich heen. Aan de andere kant van de straat liepen twee vrouwen met een hoofddoek om en in lange jassen, grote boodschappentassen van Dirk in hun hand. Verder was er niemand te zien.

Ze liet haar fiets los en rende weg. Toen ze omkeek, zag ze dat de man nog altijd haar fiets vasthield.

'Ach, stom wijf.' De man lachte, terwijl hij de fiets liet vallen.

'Sorry van die ruzie van gisteravond,' zei Eddie. Hij stond erbij als een schooljongen die door zijn moeder betrapt was met de huishoudportemonnee in zijn handen. Af en toe kon hij dat kinderlijke hebben, ook als er iets gelukt was en hij klaarblijkelijk een prima deal had gesloten.

Ze schudde haar hoofd en ging zitten. Van boven klonk de stofzuiger. Irina had Eddie misschien uit bed verdreven.

'Ik was een beetje opgefokt... Problemen met een klant,' zei Eddie, de woorden half inslikkend.

'Wat voor problemen?' vroeg Sylvia.

Eddie keek haar aan alsof hij vond dat ze te ver doorvroeg, in zijn ogen die kleine opflikkering van agressiviteit en ergernis. Maar hij zou niets doen, zeker niet nu Irina in huis was. 'Hij wou niet betalen. Tenminste, hij zei dat-ie niet kón betalen.'

'Wie?'

'Maaswinkel, zo heet-ie. Je kent hem niet.'

'Veel geld?' Maaswinkel, die naam had ze inderdaad nooit eerder gehoord.

Eddie zuchtte diep. 'Ja, ruim vijftig.'

Vijftigduizend euro, wist ze. Bij Eddie ging het altijd om dat soort bedragen. Het kleine werk was niets voor hem, dat was hij al jaren ontgroeid, zoals ze samen de Spaarndammerbuurt waren ontgroeid. Geen gescharrel op straat, geen kleine deals bij de achterdeur, maar de grote partijen. En voor henzelf dus een groter huis, een betere buurt, mooiere spullen, en een rekening in Luxemburg. Eigenlijk was dit huis boven hun stand, maar Eddie wilde dit nu eenmaal, zoals hij alles groter wilde.

'En wat ga je daaraan doen?' vroeg ze.

'Dat weet ik nog niet.' Het was duidelijk dat dit onderwerp nu afgesloten moest worden. 'Kijk, dat van gisteravond, dat spijt me echt. Ik zal het niet meer doen, dat beloof ik je.'

Hij keek haar trouwhartig aan. Het was niet voor het eerst dat hij zoiets zei en er zo bij keek; waarschijnlijk zou het niet voor het laatst zijn. Ze keek van hem weg, maar hij liep op haar toe, draaide haar gezicht in zijn richting en glimlachte een beetje verlegen. 'Kijk, ik heb dit voor je gekocht, om het een beetje goed te maken.'

Ze pakte het doosje aan, overwoog om het ongeopend terug te geven, maar haar nieuwsgierigheid won het. Ze moest in ieder geval weten wat ze afwees.

Met licht trillende handen maakte ze het open. Een ring met een steentje, waarschijnlijk een diamant. Ze gaf het terug aan Eddie, die al klaarstond om haar te omhelzen. 'Ik hoef het niet,' zei ze. 'Ik heb al genoeg sieraden.'

Eddie keek haar verbijsterd aan. 'Maar... ik wou het goedmaken.'

'Op deze manier komt het niet goed,' zei ze. 'Ik laat me niet meer afkopen. Deze manier van leven, dat trek ik niet meer, dat heb ik je nou al een paar keer verteld. Ik wil m'n kinderen zo niet laten opgroeien.'

'Maar vroeger had je er geen probleem mee!'

'Voeger was vroeger en nu is nu.' Ze wist dat het niet sterk was, maar een betere verklaring had ze niet.

Eddie ging zitten. 'Fuck! Het is ook nooit goed bij jou.'

Eddie had Maaswinkel voorlopig een dag de tijd gegeven. 'Om er rustig over na te denken,' had hij gezegd. Vanmiddag zou hij hem weer zien, op het parkeerterrein bij de Gamma langs de Spaklerweg. Eddie had eerst overwogen om iemand mee te nemen, vooral omdat er vanochtend op hun vaste nummer was gebeld. Hij nam niet op, zoals hij dat nooit deed. Sylvia had de telefoon gepakt. 'Voor jou.' Hij had alleen zijn hoofd geschud. Het was onduidelijk wie gebeld had. Een man die sprak met een buitenlands accent volgens Sylvia, maar hij had geen naam genoemd. Stom dat ze het idee gegeven had dat hij thuis was. De telefoon was levensgevaarlijk. Van de vaste telefoon maakte hij alleen gebruik voor zaken die niets met zijn werk te maken hadden. Voor dat werk had hij wisselende mobieltjes. Af en toe schafte Charly er een paar voor hem aan. Waar ze vandaan kwamen, wist Eddie niet, maar ze waren safe volgens Charly, tweehonderd procent safe.

Met een van die mobieltjes belde hij nu met Frans. Of die vanavond even bij hem langs kon komen, ja, bij hem thuis. Dan konden ze de zaak verder bespreken. Eigenlijk leek het hem wel een aantrekkelijk idee om Frans zijn huis te showen. Zijn adres was tenslotte niet geheim en Sylvia moest toch de deur uit, naar een ouderavond op school.

'Oké, halfnegen bij mij thuis, dan praten we verder,' stelde Eddie voor.

Frans beloofde er te zijn.

Eddie zag een paar mensen lopen met een kar met bouwmaterialen. Ooit had hij verbouwd en geklust in hun eerste huis. Zijn vader was niet voor niks metselaar geweest. Die had nog een paar jaar met een kapotte rug achter de geraniums gezeten voordat hij zo stompzinnig in die stacaravan aan zijn einde was gekomen. Eddie had liever een riant huis op Aruba of Curaçao als ze eenmaal genoeg hadden. De vraag was natuurlijk wat 'genoeg' betekende. Als hij eerlijk was tegen zichzelf – nee, nooit tegen Sylvia, die wilde graag zo'n vooruitzicht, dan hield ze het vol, en zag ze waar het einde lag – dan was het nooit genoeg.

Eddie keek op zijn horloge. Maaswinkel was al bijna een kwartier te laat. Hij zou nu een hogere rente moeten vragen, in ieder geval meer dan de twintig procent die al stond.

Eindelijk reed er een BMW X5 de parkeerplaats op. Maaswinkel stapte uit. Eddie drukte kort op zijn claxon. Maaswinkel keek om zich heen en liep toen in de richting van Eddies auto.

'Welkom,' zei Eddie, nadat hij het rechterportier open had gedaan.

Voordat Maaswinkel, een nauwelijks verstaanbaar excuus mompelend, naast hem ging zitten, keek hij Eddie schichtig aan. Slecht geslapen, dacht Eddie. Maaswinkel zag er nog magerder uit dan Eddie zich meende te kunnen herinneren.

Ze zaten een tijdje zwijgend naast elkaar.

Eddie zag het zweet op Maaswinkels voorhoofd. 'En?' vroeg hij ten slotte.

''t Is moeilijk.' Maaswinkel wreef raspend over de vijfdagenbaard op zijn ingevallen wangen. Zijn donkergrijze pak was misschien ooit mooi geweest, maar nu zag het er slonzig uit. Het zat ook te ruim om zijn dunne lijf. De stropdas was los, het bovenste knoopje van zijn overhemd open.

'Niemand had je beloofd dat het makkelijk zou worden. Als dat zo was, dan deed ik alles in m'n eentje.'

Maaswinkel knikte. Dus dat begreep-ie in ieder geval. Mooi meegenomen. Eddie stak een sigaret op. Hij keek naar andere mensen die hun aankopen afvoerden. Dit was een goeie plek om te staan. 'Kijk.' Hij wees naar zijn linkerkant, naar de overkant van de Spaklerweg, over de spoordijk. 'Zie je hem... de bajes?'

Maaswinkel knikte.

'Voor je het weet zit je d'rin,' blufte Eddie. Maaswinkel zou natuurlijk juist niet in de gevangenis moeten belanden, want dan kon hij zelf zeker naar zijn geld fluiten. 'Er hoeft maar één man zijn mond voorbij te praten, ze hebben maar één lullig bewijsje nodig, en je zit achter de deur. Al je geld kwijt... belastingen, beslag op je eigendommen, je auto, alles.'

'Dat weet ik,' zei Maaswinkel. 'Ik wil ook best betalen, maar ik heb het geld niet. Mijn klanten hebben niet betaald, dat heb ik je al verteld.' Eddie wist het: Denemarken, daar zaten die motorclubs tussen, en als die niet dokten, dan had je weinig mogelijkheden om ze onder druk te zetten.

Een man en een vrouw met een kleine stoet kinderen achter zich verdwenen in de McDonald's. Vroeger had Daphne het weleens gehad over het 'vogeltjesrestaurant' waar ze naartoe wilde. Het duurde lang – Daphne was bijna in tranen – voor hij haar had begrepen. De naam had te maken met het logo, realiseerde hij zich ten slotte, dat veel leek op een vliegende vogel zoals die door kleine kinderen werd getekend.

'Weet je hoe het zit?' Eddie stak nog een sigaret op. 'Ik ben alleen maar een tussenpersoon. Ik moet dat geld doorsluizen. Anders krijg ik stront met de mensen boven me. Dacht je dat ik zomaar vijftig mille kon ophoesten? En trouwens, waarom zou ik voor jou betalen? Dat kan toch niet!'

Maaswinkel schudde zijn hoofd.

'Maar wat dan?' vroeg Eddie. 'Wat wou je dan?'

'Ik weet 't niet.' Maaswinkel sloeg met zijn handen op het dashboard.

Eddy zag de linkerhand van Maaswinkel naast de cd-speler, wit, onbehaard, duidelijk zichtbare aderen. Hij deed of hij zijn sigaret wilde aftippen in de asbak, maar drukte de vurige punt op de uitnodigende, bleke huid van Maaswinkels hand.

4

'Jij nog thee?'

'Liever cola.'

Sylvia haalde uit de keuken een blikje cola light en een glas, en schonk voor zichzelf thee in. Ze hadden het weer over Eddie gehad. Het leek of Rosalie haar voor de zoveelste keer de les wilde lezen, zoals ze vroeger al gedaan had toen ze allebei nog thuis woonden. Rosalie en Eddie, die waren nooit erg op elkaar gesteld geweest. 'Ach, ze is stinkjaloers,' had Eddie weleens gezegd, 'omdat ze zelf geen kerel kan krijgen.'

Sylvia vertelde over een balletuitvoering door de school van Daphne, maar Rosalie hield vast aan haar onderwerp. 'Dat van die twee of drie coffeeshops en die paar wietplantages, dat wist iedereen, papa en mama ook.' Ze keek Sylvia indringend aan. 'Ook harddrugs?'

Sylvia zweeg, maar ze wist dat Rosalie vasthoudend zou blijven.

'Ook dat soort troep?'

'Ik weet 't niet. We praten er eigenlijk niet meer over. Eddie zorgt voor het geld, en dat is het. Over en sluiten.'

'Ja, Eddie zorgt voor het geld. Nou, toen je die jas kocht, bijna zevenhonderd euro en je betaalde cash, ik wist niet wat ik zag. Dat is toch niet normaal meer! Iedereen betaalt met een pasje of een creditcard, maar jij moet zo nodig contant betalen. Waarom?'

'Van Eddie krijg ik contant geld,' mompelde Sylvia. Een paar dagen geleden had Eddie een pak bankbiljetten uit zijn binnenzak gehaald, en er daarvan enkele tientallen voor haar afgepeld. Hij keek zelfs niet eens hoeveel het er waren.

'Wat zeg je?' Rosalie klonk een beetje venijnig. Misschien was ze toch vooral jaloers, met haar gewone huisje in de Kinkerbuurt, en haar baantje waarmee ze schoon op z'n hoogst anderhalf duizend euro per maand verdiende.

'Eddie zorgt ervoor dat ik contant geld heb,' herhaalde Sylvia.

'Lekker makkelijk.'

'Wat moet ik anders? Wat zou jij doen?'

'Om te beginnen zou ik nooit met Eddie getrouwd zijn. Ik had het nooit zo ver laten komen. Hij zit in die business...,' Rosalie keek Sylvia veelbetekenend aan, 'en nou kan-ie natuurlijk niet meer terug. Waarschijnlijk wil-ie niet eens meer terug, zo gaat het in die wereld. Het staat verdomme elke dag in de krant! Die Bovelander die al een tijd vastzit. Die man heeft bloed aan z'n handen. Ze moeten het nog bewijzen, maar iedereen weet 't. Wat denk jij?'

'Misschien heb je wel gelijk.' Ze waren een keer op een feestje geweest van Ruud Bovelander, ergens in een chic huis in Aerdenhout. Daar had ze meer mensen gezien van wie de namen af en toe opdoken in krantenberichten. Gijs Teerlink bijvoorbeeld, die een maand geleden op straat was neergeschoten. Soms dacht ze aan de vrouw van Gijs Teerlink, en aan zijn kinderen. In de krant had ze gelezen dat hij vader van een tweeling was, twee jongetjes van vijf jaar.

'Als je maar een klein beetje doordenkt met je mavo-koppie,' zei Rosalie, 'dan weet je dat er drie mogelijkheden zijn.'

'Drie mogelijkheden?'

'Ja, moet ik het allemaal voor je uittekenen?'

Sylvia verborg haar hoofd in haar handen. Natuurlijk wist ze het. Lang had ze het weggestopt, onder een zo dik mogelijke laag van smoesjes, goedpraterij, verhalen, excuses. Maar gisteren was alles glashelder naar boven gekomen en het was net of haar zus dat in de gaten had.

'Goed,' zei Rosalie, terwijl ze haar wijsvinger opstak. 'De eerste mogelijkheid is dat-ie een keer wordt neergeschoten of zo. Omgelegd, neergeknald. Op straat, als een beest. Je hebt die foto's in de krant toch wel gezien?'

Sylvia knikte. Neergeschoten... Eddie bloedend op straat. Zij zou het de kinderen moeten vertellen. Eddie... vermoord. Ze hadden zoveel meegemaakt, samen kinderen gekregen. Ze voelde de pijn. Het was onvoorstelbaar, maar door Rosalies woorden kwam het allemaal dichterbij, kon ze het bijna voor zich zien.

'Twee,' ging Rosalie door. 'Hij wordt een keer gepakt door de politie. Vandaag of morgen, je kunt erop wachten. Hij wordt veroordeeld. Hoeveel jaar? Twee, drie, vier... ik weet het niet. Volg je me nog?'

'Wil jij een wijntje?' vroeg ze. Twee uur, maar het moest. Om drie uur hoefde ze Yuri pas uit school te halen. Alleen al vanwege Yuri dacht ze nu aan het bezoek in een gevangenis. Zou ze daar met Yuri en Daphne naartoe mogen? Misschien zouden die het niet eens willen. Of zou Yuri het juist spannend vinden?

'Eerst even numero tres.' De ringvinger kwam erbij. 'Eddie houdt ermee op. Hij gaat iets anders doen.'

Het was bijna onmogelijk om je Eddie in een ander leven voor te stellen, met echt werk, een baan, collega's, misschien een kantoor, van negen tot vijf, een girorekening, een reële belastingaangifte, hoe graag ze dat ook wilde. 'Eddie iets anders doen?' vroeg ze. 'Maar wat dan?'

'Dat moet-ie zelf bedenken. Ja, doe mij ook maar een wit wijntje.'

Sylvia haalde een fles, twee glazen en een kurkentrekker uit de woonkeuken.

'Proost. Op de toekomst,' zei Rosalie. Het klonk eerder hard en cynisch dan troostend of optimistisch.

Even had Eddie overwogen om bij de juwelier de ring weer op de toonbank te leggen en zijn geld terug te vragen, maar hij had geen zin in een discussie over het bedrag waar hij genoegen mee zou moeten nemen. Ze konden allemaal de klere krijgen, wat hem betrof. Hij reed in de richting van het appartement van Anouk. Hij dacht weer aan Maaswinkel. Nu was het in ieder geval tot hem doorgedrongen dat hij het serieus meende. Om dat te onderstrepen had hij hem vastgegrepen toen hij uit de auto wilde stappen. 'Er kunnen veel ergere dingen gebeuren dan zo'n brandwondje. Ik kan Charly bijvoorbeeld op je afsturen. Die heeft nog veel meer de pest aan mensen die hun afspraken niet nakomen.' Maaswinkel wilde zich losrukken, maar Eddie hield hem stevig vast. 'We weten waar je woont, we kennen je vrouw. Je zou toch niet willen dat er wat met haar gebeurde? Of met je huis?' 'Ik doe mijn best,' had Maaswinkel tussen zijn tanden door gezegd. 'Ik zorg dat je dat geld krijgt.' Met onhandige lange stappen was Maaswinkel naar zijn auto gehold. Eddie zag hem manipuleren met zijn autosleutels, die hij ook nog een keer op het asfalt liet vallen.

In een zijstraat vond Eddie een parkeerplaats. Het duurde lang voordat Anouk opendeed. Ze had een ochtendjas aan, en daaronder waarschijnlijk niets, zoals gewoonlijk. Hij drukte haar tegen zich aan. Haar lichaamsgeur was sterk, bijna sterker dan hij aankon.

'Had je niet even kunnen bellen? Ik lag nog in bed.'

'Toch wel alleen, mag ik hopen,' zei hij glimlachend. 'Ik wou je verrassen.'

Ze zoenden elkaar. Anouk likte met haar tong langs zijn lippen. Daarna liepen ze verder het appartement in. Soms dacht Eddie dat hij zich hier meer thuis voelde dan in de Van Eeghenstraat. Hij had een arm om Anouk heen geslagen en trok haar weer tegen zich aan, voelde de rondingen van haar lichaam, haar stevige borsten. Die operatie was het geld meer dan waard geweest. Zijn onderlijf reageerde meteen. 'Ik wou je echt verrassen,' zei hij opnieuw. 'Ik heb een cadeautje voor je meegenomen.'

'Een cadeautje?' Anouks stem schoot kirrend omhoog. 'Wat lief! Dat had ik helemaal niet verwacht.'

Eddie glimlachte. Zo kende hij Anouk weer. Ze zou keihard ontkennen dat ze eigenlijk altijd cadeautjes van hem verwachtte. Hij pakte het doosje uit de zak van zijn colbert en gaf het haar. Met gretige vingers maakte ze het open.

'O! Wat mooi, wat een prachtige ring! Zomaar? Krijg ik die zomaar?'

Eddie genoot van haar ongeremde enthousiasme.

'Zal ik even koffie maken?' Ze wendde zich af om naar de hightech keuken te lopen.

Eddie sloeg zijn armen om haar heen, liet zijn handen haar ochtendjas binnenglijden, en voelde haar waanzinnig spannende borsten. 'Ik heb meer zin in wat anders dan koffie.'

Sylvia stond bij de tafel met koffie, thee en speculaasjes. Ze schonk een bekertje thee in en knikte naar twee andere moeders. De ene had een zoon, Onno, die met Yuri op judoles zat. De andere vrouw woonde zo'n honderd meter verder in de Van Eeghenstraat.

De beide vrouwen glimlachten terug, en liepen toen naar een andere hoek van het lokaal.

Sylvia ging in de kring zitten. Na een paar minuten schoof Madeleine naast haar. Ze begon meteen te vertellen over de leuke winkeltjes die ze had ontdekt en over de kamers in hun huis die nog moesten worden ingericht. Sylvia had de indruk dat een man in haar richting keek, terwijl hij iets tegen zijn buurvrouw zei. De vrouw ontmoette Sylvia's ogen en sloeg meteen haar blik neer.

Dit was de eerste ouderavond van het jaar en ze begonnen met het bekende voorstelrondje. De man die naar haar had gewezen, bleek de vader van Fabian te zijn, een jongen bij wie Yuri vorig jaar een paar keer had gespeeld, maar deze eerste schoolmaanden was het niet meer gelukt om een afspraak met hem te maken. Vanmiddag tijdens de bekende onderhandelingen nadat de school was leeggestroomd, had ze het weer gemerkt: Yuri had geprobeerd om bij een andere jongen aan te sluiten of om iemand mee te nemen naar hun huis in de Van Eeghenstraat, maar blijkbaar was er geen enkele klasgenoot om samen iets mee te ondernemen. Ze moesten naar hockeytraining, naar celloles, naar schermles, naar hun oma of ze hadden al met een ander afgesproken. Yuri was weer in z'n eentje achter de computer terechtgekomen. Sylvia had door de geopende deur een tijdje naar hem staan kijken. Hij was alleen en zo bleef hij alleen. Het deed pijn als ze eraan dacht.

Sylvia zat een beetje te dromen toen ze aan de beurt was. Madeleine stootte haar aan.

'O ja, ik ben Sylvia, de moeder van Yuri. Ik heb hier ook een dochter op school, Daphne. Die zit in groep acht.'

Toen iedereen aan de beurt was geweest, begon Ine over het pedagogisch klimaat in de klas. 'Vaak laat ik de leerlingen die een beetje vooroplopen, de wat zwakkere kinderen helpen. Dat functioneert heel goed.'

Een blonde vrouw met een strak en streng gezicht vroeg het woord. 'Maar worden die voorlijke kinderen dan niet in hun ontwikkeling geremd? Die moeten toch juist stimulerend materiaal krijgen! Arianne klaagt nu al vaak dat ze zich verveelt, omdat ze bijna altijd alles eerder af heeft dan andere kinderen.'

De vrouw keek bijna uitdagend de kring rond. Het gesprek ging door over verschillen tussen kinderen, samenwerking, onderlinge hulp. De moeder van Arianne bleef het hoogste woord voeren, na een tijdje bijgestaan door de vader van Hidde, die zei het probleem te herkennen. Het woord 'hoogbegaafd' viel.

In de pauze werd Madeleine aangesproken door een andere moeder, die eveneens uit Brabant bleek te komen. Sylvia stond in haar eentje. Ze voelde de twee glazen wijn die ze vanmiddag had gedronken en het halfje in de keuken, toen Rosalie alweer weg was. Ze haalde diep adem en liep naar de achterwand van het klaslokaal, waar de tekeningen hingen die de kinderen hadden gemaakt van een onbewoond eiland. Ze bleef even staan bij de tekening van Yuri. Er was een schip bij zijn eiland gestrand, maar er was geen drenkeling of overlevende te bekennen. Drenkeling en overlevende, de woorden echoden door haar hoofd. Eddie wilde zondag naar Vinkeveen, naar de boot.

De andere ouders spraken gedempt. Over haar natuurlijk. Een gezoem van woorden, dat dan weer luider werd en dan weer afzwakte, dat tegelijk leek te werken als een schild tussen haar en de anderen. Af en toe keken sommigen schichtig haar richting uit. O ja, ze wisten het allemaal, en ze zouden hun eigen kind niet laten besmetten met dit gevaarlijke virus waar geen geneesmiddel tegen opgewassen was. Alle mensen bleven praten, de woorden klonterden aan elkaar vast. Voor Sylvia was er geen doorkomen meer aan. Alle zuurstof werd opgebruikt. Ze moest hier weg, zo snel mogelijk.

'Je woont hier prachtig... mooi op stand.' Frans knikte goedkeurend. Hij had hetzelfde strak gesneden pak aan als de vorige keer. Het was net of hij zijn haar nog korter had laten knippen.

'Iets drinken?' vroeg Eddie. Ja, dit was heel anders dan waar hij zijn jeugd had gesleten. Niet ver van die plek was Frans trouwens geboren en opgegroeid. Hij scheen nu ergens in Amstelveen een huis te hebben. Ook niet verkeerd.

'Nee, dank je.' Frans liep even door de kamer alsof hij de woning inspecteerde.

'Zoek je iets?'

'Nee, niks... Sylvia is er niet?'

'Nee, naar school, een ouderavond. Daarom hebben we hier afgesproken, anders hadden we net zo goed naar Vak Zuid kunnen gaan of zo.' Eddie wilde Frans zijn huis laten zien, en hij wilde hem tegelijk ontvangen op zijn eigen terrein. Frans had hem nodig, op alle mogelijke manieren. Prima. 'Syl vindt die school belangrijk, ik ook trouwens. En we moeten natuurlijk een beetje interesse tonen, dat is goed voor Yuri en Daphne.'

'Helemaal goed, dan zijn we mooi onder elkaar.'

'Niks drinken?' vroeg Eddie opnieuw. 'Zeker weten?'

'Absoluut.' Frans ging zitten.

'Oké, waar waren we ook alweer gebleven?' Eddie wist het nog precies, maar het was beter als Frans opnieuw over zijn nederlaag vertelde.

Frans had net het hele verhaal over zijn zeperd met DigiDeli herhaald, de namen genoemd van de twee mannen die hem die streek hadden geleverd, en over de hypotheken op zijn winkelpanden verteld, toen Eddie de buitendeur hoorde.

5

Eddie schonk nog een whisky in. Het was stil in huis, het was stil op straat. Overal stilte, maar ondertussen klonken in zijn hoofd de stem van Frans, het gekakel van Sylvia, en daartussendoor de zoete, geile woorden van Anouk. Hij nipte van zijn drank en stak een sigaret op. Hij rookte in de huiskamer als hij dat wilde. Wie betaalde dit huis, wie had de meubelen gekocht, wie zorgde voor het huishoudgeld? Nou dan.

Eerst had hij de pest erover in gehad dat Sylvia zo vroeg was thuisgekomen. Ze was volkomen verrast door de aanwezigheid van Frans, en had ook verder een wat verwarde indruk gemaakt. Zoals trouwens wel vaker tegenwoordig. Misschien een vriendin die haar het hoofd op hol bracht. Als hij een paar dagen een mannetje op haar zette, zou hij erachter kunnen komen. Maar toen ze eenmaal op de bank zat met een glas wijn, toen was het goed. Frans keek van hem naar haar, hij leek nerveus, zelfs een beetje gejaagd. Eddie kon het zich bijna niet meer voorstellen dat Sylvia ooit het liefje van Frans was geweest. Ze hadden elkaar alleen een vluchtige zoen gegeven toen Sylvia was binnengekomen, en Frans leek nog steeds een beetje geschrokken dat zijn overleg met Eddie was onderbroken.

Sylvia had nog een paar keer iets gezegd als 'Goh, dat je hier zomaar bij ons in de kamer zit'. Toen ze eenmaal van haar verbazing was bekomen, informeerde ze naar de vrouw van Frans, hun kinderen, zijn werk. 'Je hebt zeker wel een paar mooie cd's voor ons meegenomen?' Nee, dat had hij niet, vergeten, sorry. Daarna vroeg ze pas waarom hij hier was, zo plotseling. 'Voor zaken,' had Frans gezegd. 'Zaken? Toch niet zoals vroeger?' 'Laat dat nou maar aan ons over,' had Eddie geprobeerd een kleine barrière op te werpen. Maar verdomd, ze liet zich er niet door weerhouden en vroeg door alsof het ging over hun zomervakantie.

Hij schonk wat whisky bij. Halfeen, en hij was nog klaarwakker. De wereld lag open, hij kon nog van alles ondernemen. Een pilletje nemen. Even de stad in, het bleef lokken. Naar de Lexington misschien. Wie weet wie daar nog meer waren.

Langer dan een uur had ze zitten doormekkeren over het huis, de kinderen, hun oude buurt en hoe die veranderd was. Frans vertelde over zijn drie kinderen. 'Twee dochters... schatten van meiden, en toen kregen we een zoon, Mitchel, een jongetje. Toen-ie een jaar of vijf was, kwamen we erachter dat-ie autistisch was. Hebben we zoveel problemen mee gehad, heel moeilijk.' Hij keek alsof hij zo in tranen uit kon barsten. Eindelijk was Sylvia naar boven gegaan. 'Ze ziet er nog goed uit,' zei Frans. 'Ja, maar ze heeft wel twee kinderen gehad,' had hij geantwoord, 'dat merk je.' Het leek of Frans overal over wilde praten, behalve over de oplossing voor zijn zakelijke problemen. Eddie had hem op een gegeven moment op de man af gevraagd wat hij nu eigenlijk van hem wilde. Hakkelend en twijfelend had Frans hem antwoord gegeven. Van die twee mannen in Utrecht, Verschaaf en Boshuis, was niets meer te halen, maar ze zouden moeten merken dat ze Frans een rotkunstje hadden geflikt. En hij wilde graag wat investeren. 'Ik... eh, ik kan nog wel wat geld vrijmaken. Niet veel, maar jij weet daar vast meer van te maken.' Typisch Frans, om niet op de man af te zeggen wat hij echt wilde. Verschaaf en Boshuis in de kreukels, en een paar ton investeren in een transport. Zo simpel was het.

Ze hadden elkaar een hand gegeven toen Frans wegging. Die bezegelde hun afspraak. 'Ik zorg overal voor,' had Eddie toegezegd, 'maar je houdt er wel rekening mee dat voor zo'n transport het risico bij jou ligt.' Natuurlijk, dat wist Frans.

Een van Eddies mobieltjes ging over met 'Een beetje verliefd'. 'Hallo.'

'Met Pieter Maaswinkel.'

'Hoe is het met je hand, Pieter? Niet al te veel pijn meer? Een ongeluk zit in een klein hoekje. Kan altijd gebeuren, dat weet je. Maar vertel 'ns. Je belt me niet omdat je niet kan slapen, dat ik je een verhaaltje moet voorlezen. Wat heb je te melden?'

'Ik wil graag nog wat uitstel.' Maaswinkel klonk alsof hij moeilijk lucht kon krijgen.

'Je bent al ver over tijd.'

'Maar ik heb meer nodig.'

Eddie brak het gesprek af. Een paar seconden later klonk weer het melodietje van Hazes, maar Eddie drukte het meteen weg.

Hij nam de laatste slok whisky en ging naar boven. Voor de deur van Yuri's kamertje kon hij maar net de aanvechting weerstaan om even naar de slapende jongen te kijken. Hij ging naar de wc. Op de verjaardagskalender zag hij op de tiende Daphnes naam staan.

Sylvia leek wakker te worden toen hij in bed kwam. Ze schoof haar warme billen in zijn schoot. Hij legde een arm om haar schouder.

'Slaap lekker,' fluisterde hij.

'Hoe lang nog?' vroeg Yuri.

'We zijn net op het water,' zei Eddie. 'Het is mooi weer, het zonnetje schijnt... lekkere frisse lucht.'

'Daarom steek je zeker net een sigaret op,' zei Daphne. Haar blik was onzichtbaar achter de grote zonnebril, maar Sylvia wist hoe ze keek.

'Niet zo bijdehand doen, hè? Anders krijg je volgende week niks voor je verjaardag.' Eddie duwde plagend tegen haar arm.

'Hè, hè, leuk, hoor! Toe nou, niet doen.' Daphne was in de fase dat ze bijna niet meer wilde worden aangeraakt door haar ouders. De nachtzoen was al langer verleden tijd.

Sylvia zette de mand met broodjes op de tafel. Het beleg had ze apart gehouden. Zalm voor Eddie, en eiersalade voor de kinderen. Voor zichzelf had ze een bakje magere yoghurt met vruchten (0 procent vet) en een stukje 20+-kaas meegenomen. Ze maakte een broodje klaar voor Eddie; gretig zette hij zijn tanden erin, alsof hij persoonlijk iets had af te rekenen met dat broodje.

'Lekker. Heb je d'r nog één, Syl?'

'Ik heet Sylvia.' Ze beklemtoonde 'via', maakte nog een broodje klaar en reikte het Eddie aan.

'Natuurlijk, sorry.'

'Mag ik effe sturen?' vroeg Yuri.

'Ja, als je maar goed uitkijkt. Liever geen gevaarlijke toeren uithalen.' Eddie in zijn glansrol als verantwoordelijke vader, bedacht Sylvia.

Hij haalde een fles champagne uit de koelbox.

'Champagne?' vroeg Sylvia. 'Hebben we dan wat te vieren?' Kennelijk had Eddie de fles in de koelbox gezet, nadat zij hem al gevuld had met proviand.

De kurk knalde. 'Natuurlijk hebben we wat te vieren. Het weer... de boot... vrij... niks te doen. Daar moeten we op proosten.' Uit de luxe picknickmand, die hij haar ooit voor een verjaardag had gegeven, pakte hij twee champagneglazen en schonk ze vol. Yuri maakte een onverwachte stuurmanoeuvre, waardoor Eddie een forse scheut champagne langs het glas goot.

'Hé, kijk je een beetje uit! Als jij zo nodig wilt varen, dan moet je wel een beetje behoorlijk sturen. Proost.'

Sylvia hief haar glas en nam een miniem slokje. Een paar jaar geleden zou ze gelijk met Eddie hebben opgedronken, lekker een beetje aangeschoten raken. Eenmaal thuis de kinderen voor de tv zetten met een leuke videofilm, en dan samen naar bed. Seks op zo'n lome zondagmiddag... heerlijk! Ze herinnerde zich nog die keer dat Daphne onverwachts hun slaapkamer binnen was komen stormen, terwijl ze op z'n hondjes aan het vrijen waren. Het gezicht van hun dochter, die ogen! Later bleek dat Yuri had overgegeven, midden in de kamer, en dat Daphne hen was komen waarschuwen.

Nu verdween Daphne in de kajuit.

'Wat ga je doen, Daph?' vroeg Eddie.

Ze hoorde hem waarschijnlijk niet, want ze had de oordopjes van haar mp3-speler in.

De gsm van Eddie ging over. 'Ja... nee, ik zit op Vinkeveen. Wacht effe...' Eddie liep naar de voorplecht. Sylvia zag hem druk praten en gesticuleren. Ze kiepte de rest van haar champagne over de reling.

'Ik heb het wel gezien, hoor.' Yuri had een brede grijns op zijn gezicht.

'Het bruist zo lekker in het water... al die belletjes.'

Na een paar minuten stond Eddie weer bij het stuur. Hij zag er opgewonden uit.

'Wat is er?' vroeg Sylvia, terwijl Eddie beide champagneglazen opnieuw volschonk. 'Problemen?'

'Niks, helemaal niks. Waarom problemen? Alles loopt op rolletjes.'

'Ja, dat zei die invalide ook.'

Eddie deed of hij haar niet had gehoord. 'Kijk, Yuri, daar naar die landtong, dus nu een beetje meer stuurboord... Nee, niet bakboord! Stuurboord zei ik. Hoe vaak moet ik het verschil nog uitleggen?'

■

Sylvia stond nu bijna een halfuur op de crosstrainer. Haar benen en armen bewogen in een gelijkmatig ritme. Op de display controleerde ze haar hartslag en haar energieverbruik. Ze had hier met Tanja afgesproken, maar die had afgebeld omdat ze zich niet zo lekker voelde. Tanja voelde zich vaak niet zo lekker. Sylvia had haar ooit leren kennen via Charly, die haar een keer had meegenomen naar een feestje, zeker al een jaar of acht geleden. Via Tanja had ze weer andere vrouwen leren kennen. Ze zagen elkaar op feesten, en af en toe gingen ze samen uit, in Amsterdam, maar ook een paar keer naar Londen of Brussel. 'De damesclan' noemde Eddie het, of 'De plattelandsvrouwen' als hij in een hatelijke bui was. Toch was ze nooit zo close met hen als met Floor. De banden waren niet bijzonder hecht en langzaam was hun clubje uit elkaar gevallen. Echtscheidingen, nieuwe vriendinnen, ruzies... alles verkruimelde en verpulverde, leek het. Hans, de vriend van Esther, werd gearresteerd en veroordeeld. ('Hij heeft het stom aangepakt,' had Eddie gezegd. 'Het was nergens voor nodig. Maar ik weet dat-ie verder zijn mond houdt. Je hoeft nergens bang voor te zijn.' Daar had ze op door moeten gaan. Toen had ze moeten eisen dat Eddie schoon schip zou maken.) Esther verhuisde naar Groningen. Germaine, een pronte Surinaamse, was teruggegaan naar Paramaribo, nadat ze had gemerkt dat Stefano naast haar nog drie vrouwen onderhield, van wie er twee een kind van hem hadden. Tanja was inmiddels al jaren van Charly af. Zo ging dat. Natuurlijk waren er nieuwe relaties, nieuwe vriendinnen, die ze soms op feesten zag. Maar om een of andere reden klikte het niet meer. Ze waren jonger, hadden een andere achtergrond, een ander leven, meestal nog geen kinderen.

Bewegen, bewegen, steeds maar weer, haar armen, haar benen, ze voelde de spieren, de pezen. Misschien ging ze daarom naar Fitness Focus, om haar lichaam weer eens te voelen. Het bloed stroomde; het klopte door haar aderen. Zweet liep kietelend over haar rug. Bloed en zweet, en wat daarop altijd weer volgde, daaraan moest ze niet denken, maar ze kreeg het niet meer uit haar hoofd. Zolang ze bleef bewegen, bleef ze leven, hield ze zich voor. Tanja had voorgesteld om samen te gaan shoppen, want daar was ze kennelijk fit genoeg voor. Sylvia had het voorstel afgeslagen: geen zin. Maar ze had gezegd dat ze geen tijd had.

Dit was het, ze bewoog, maar op een apparaat, op een vaste plek, en verder zat er geen beweging in, geen vooruitgang, geen achteruitgang, niets. Het bleef pure stilstand. Ze draaide in een kringetje, in haar huis, in de straat, een kringetje rondom Eddie, steeds maar weer. Tot het haar duizelde, tot ze het benauwd kreeg en naar adem moest happen.

Ze was moe, doodmoe, en de week was nog maar net begonnen. Eddie had vanochtend gezegd dat hij onverwachts naar België moest. Waarschijnlijk had hij dat laatst al afgesproken toen ze op het water waren, maar soms leek het of hij haar bewust pas op het laatste moment met een afspraak confronteerde. Ook op de plas was de beweging vooral stilstand geweest. Toen het chagrijn en de verveling van Daphne en Yuri voor Eddie te veel werden, waren ze teruggevaren naar de jachthaven. Gisteren had ze weer ruzie met Eddie gehad. Hij had beloofd Yuri naar judoles te rijden, maar was het straal vergeten. Uiteindelijk had zij hem maar weer gebracht. Eddie had zich 's avonds uitgebreid geëxcuseerd voor zijn nalatigheid.

Op de crosstrainer naast haar ging een jonge man staan met een strak, gespierd lichaam. Hij keek even naar haar, maar zei niets terwijl hij de weerstand van het apparaat instelde.

Ruim een halfuur stond ze al op de trainer, en haar plan was om net zo lang door te gaan tot ze haar persoonlijk record had verbeterd. Ze controleerde haar hartslag en keek naar de man naast haar, maar die hield zijn blik strak naar voren gericht. Dat wilde zij ook, naar voren kijken, maar het lukte zelden.

Na bijna drie kwartier hield ze ermee op, buiten adem en volledig uitgeknepen. Ze twijfelde even bij de sauna, maar nam alleen een douche, kleedde zich aan en haalde een glas sinaasappelsap bij de bar. Gulzig dronk ze het glas in enkele teugen leeg; daarna vlijde ze zich neer op een van de banken. Het was rustig deze ochtend. Er klonk zachte, oosterse muziek. Nooit zou ze meer opstaan. Dat was ook nergens voor nodig. Niemand durfde dat nog van haar te verwachten.

Eerst was ze 's middags naar de Food Supply geweest, daarna haalde ze Yuri van school. Daphne ging naar jazzballet. Op die leeftijd had Sylvia dat ook gedaan. Soms ging ze mee om een tijdje naar die meiden te kijken in hun strakke pakjes, hun lichaam niet meer helemaal dat van een kind, maar toch nog lang geen vrouw. Alles was in ontwikkeling, niets was onmogelijk. De muziek was heel anders dan in haar tijd, meer een aanhoudend, zwaar ritmisch bonken, dat ze ook als toeschouwer in haar middenrif voelde. Maar deze keer had Daphne gezegd dat ze liever alleen ging. Ze gaf Sylvia twee briefjes die ze van klasgenoten had gekregen. Die zegden beiden af voor het slaapfeestje van aanstaande zaterdag. Dat deden ze in ieder geval wel: een keurig briefje met dank voor de uitnodiging, maar helaas, ze waren verhinderd. Eerder waren er al twee andere afzeggingen binnengekomen. Zo bleef er bijna niemand meer over. Misschien kon Daphne een paar meisjes van jazzballet vragen.

Er was geen bericht van Eddie, geen sms'je, geen voicemail. Ze had pasta met pesto en kipfilet gemaakt en een grote bak salade. Yoghurt met stukjes mango toe. Haar moeder had tot haar vijftigste niet geweten wat mango was. Van pesto had ze trouwens ook nooit gehoord.

Nadat ze met Daphne naar *Goede Tijden* had gekeken, las

Sylvia wat in de krant. Er stond een groot verhaal in over *De Gouden Kooi*. Mensen die zich met elkaar voor een televisieprogramma zouden laten opsluiten in een enorme villa. Degene die het 't langste volhield, kreeg een miljoen. De situatie kwam Sylvia bekend voor. Een groot verschil was dat díé Gouden Kooi op de televisie zou worden uitgezonden.

Omdat Daphne zo zwijgzaam en bedrukt leek, ging ze even bij haar in haar kamer kijken. Ze lag op bed naar muziek te luisteren.

'Is er iets?' vroeg Sylvia. 'Je bent zo stil.'

'Nee, niks.' Er klonk een onderdrukte snik door in haar stem.

'Is het je slaapfeestje? Dat er bijna niemand komt?'

Toen braken de sluizen. Daphne huilde met diepe uithalen. Sylvia probeerde haar te troosten, maar haar woorden leken niet aan te komen.

Na een minuut of vijf was het ergste voorbij. 'Toen ik de uitnodiging gaf, zeiden ze allemaal dat ze zouden komen. Maar nu komt... nu komt...' Het werd haar weer te veel.

'We bedenken iets anders. Of we verzetten het een week, op een tijd dat ze wel kunnen.' Sylvia wist dat dit nergens op sloeg.

Daphne haalde haar neus op. 'Nu komt er misschien niemand, en volgende week ook niet. Ik wil niet meer naar school. Het is een rotschool, en het zijn allemaal stomme rotmeiden.' Ze draaide zich om in bed en verborg haar hoofd in het kussen.

Sylvia bleef nog een tijdje bij haar zitten tot ze was gekalmeerd. 'Morgen zien we verder. Ga nu maar slapen.'

Tegen elf uur ging Sylvia naar bed. Nog steeds geen teken van Eddie. Hij zou zomaar, zonder aankondiging, een paar dagen weg kunnen blijven. Beneden in de kamer had het moeite gekost haar ogen open te houden, maar nu leek het of ze steeds wakkerder werd. De energie van vanochtend kwam terug in haar lichaam. Die man naast haar op de crosstrainer, die had alleen vluchtig naar haar gekeken. Zo slecht zag ze er toch niet uit, dat had ze aan de blikken van Frans kunnen zien. Ja, natuurlijk, haar borsten waren niet meer zo stevig, maar met twee kinderen was dat geen wonder. Ze voelde haar buik, de lichte uitstulping, het iets te zachte, weke vlees, liet haar vingers even verder afdalen, maar trok haar hand weer snel naar boven, alsof iemand haar betrapte.

6

Na bijna een uur woelen en malen ging ze uit bed en zette beneden de televisie aan. Ze zapte wat en bleef hangen in een herhaling van de *Oprah Winfrey Show* over vrouwen die gokverslaafd waren en het huishoudgeld en de spaarcenten, zelfs dat van hun kinderen, verspeeld hadden. Altijd kon alles erger. Een therapeute vertelde over afhankelijkheid. Kracht die uit je innerlijk moest komen, maar waarvoor je ook je omgeving kon inschakelen. De tranen vloeiden rijkelijk; de mensen op de tribune – vooral vrouwen – waren diep ontroerd. Sylvia hoorde Eddie het huis binnenkomen. Snel zette ze het toestel uit.

'Ben je nog niet naar bed?' vroeg Eddie.

'Nee, ik wou op jou wachten. Waar ben je geweest?' Ze probeerde haar stem zo vriendelijk mogelijk te laten klinken. Een geïnteresseerde vraag van een liefhebbende echtgenote.

'Naar België.' Hij zei het alsof hij op en neer naar Haarlem was gereden.

'Waarvoor?'

'Zaken.' Eddie zuchtte diep en opvallend luid.

'Waar ergens in België?'

'Is dat belangrijk?'

'Nou ja, gewoon... Antwerpen of Brussel... Weet je nog die keer dat we met dat ploegje in Antwerpen waren en dat toen in dat rare café... die man die z'n oren kon laten bewegen en dat Madelief toen...'

'Zeebrugge,' onderbrak Eddie. 'Ik moest naar Zeebrugge.'

'Is het daar leuk?'

'Alleen als je gek bent op havens, schepen, containers en cafés met veel Belgisch bier.'

'En wat moest jij daar dan? Is de boot in Vinkeveen niet genoeg?' Ze hoopte dat het klonk als een grapje, maar hij ging er niet op in.

'Zaken.'

'Ja, dat zei je al.' Ze wist dat ze zich niet moest laten afschepen. 'Maar waar ben je dan nu mee bezig?'

'Jezus, dat hoef je toch niet te weten, dat is nergens voor nodig.'

'Ja,' zei Sylvia, 'dat is het wel. Waarom moet alles tegenwoordig zo geheimzinnig? Het ging zeker weer om containers met...'

'Dat is niet belangrijk,' onderbrak hij haar.

'Waarom doe je de laatste tijd zo geheimzinnig? Ik ben je vrouw. We zouden alles delen, we zouden er voor elkaar zijn, maar het is net of jij de laatste tijd anders bent geworden.'

'Delen, delen,' zei Eddie. 'Het is veel beter dat je die dingen niet weet. Wat je niet weet, dat kan je ook niet aan een ander vertellen. Jij wat drinken?'

Ze schudde haar hoofd. 'Aan wie zou ik het dan kunnen vertellen?'

'Vriendinnen, je zus... Het wordt doorverteld, en voordat je het weet, ligt het op straat.'

'Dat ligt het toch al. Mensen vermoeden van alles.' En zij wist het ook, van het kleine tot het grote werk. Containers met hasj, en wie weet wat er nog meer in zat. Connecties met mensen uit Zuid-Amerika, mensen op Curaçao, die zorgden voor aanvoer. Ze kende verschillende namen en veel gezichten van allerlei feestjes. Er waren mensen die dachten dat het op Curaçao om Antillianen ging, maar Sylvia wist wel beter. Ook in deze handel waren het vooral de Nederlanders die de lakens uitdeelden, en voor het kleine werk de plaatselijke bevolking inschakelden.

Eddie schonk een glas whisky in.

Het was nu of nooit, wist Sylvia. Als ze nu niet doorzette, dan was alles verloren. 'Ik wil dit niet meer.'

'Wat wil je niet meer?'

'Dit leven, jouw zogenaamde werk.'

'Zogenaamd? Nou, ik sloof me anders...'

'De buurt, de school voor de kinderen, de mensen die hier wonen.' Vanochtend had ze de buurvrouw links naast hen vriendelijk gegroet. Bij die vrouw had er niet meer af gekund dan een kil knikje. 'De ouders op school,' ging ze door. 'Ik zie hun blikken, ik zie ze denken, ik zie ze praten... Ze willen ons niet. Weet je dat er bijna niemand op het partijtje van Daphne komt, zaterdag? Vandaag weer een paar afmeldingen. Er willen geen vriendjes meer spelen bij Yuri, of ze mogen niet van hun ouders, en hij komt bijna nergens... wordt niet gevraagd. Mensen hoeven ons niet.'

'Nou, dan hoef ik hun ook niet meer. Makkelijk zat. Laat ze barsten, stelletje kapsoneslijers.' Eddie dronk van zijn whisky en zette het glas met een klap terug op het tafeltje.

'Maar ik wil het zelf niet meer zo. Die handel waar je mee bezig bent. Het deugt niet, er klopt allemaal niks van. Die mensen waar je mee omgaat...'

'Als je het zo goed weet, Syl, waarom ondervraag je me dan aldoor? Je lijkt verdomme de politie wel.'

'Omdat ik het uit jouw mond wil horen, Eddie.' Ze probeerde zijn blik vast te houden, maar hij wendde zijn ogen af. 'Ik weet waar je geld vandaan komt, wat er allemaal achter zit. En daar heb ik helemaal, absoluut, totaal schoon genoeg van. Een ander leven, Eddie, het kan nu nog. Voor ons tweeën, voor de kinderen.'

'Ach...' Hij maakte een wegwerpgebaar.

'En als er wat met je gebeurt? Het is hartstikke gevaarlijk. Niet alleen voor jou, maar ook voor ons. Je weet wat ze met Gijs Teerlink hebben gedaan. Met hem heb je toch ook weleens gewerkt.'

'Eén keer maar, schat, ik heb verder nooit meer wat met hem te maken gehad.'

'Op straat neergeschoten,' zei Sylvia, 'afgemaakt als een beest. Dat wil jij toch niet.'

'Gebeurt me niet,' zei Eddie. 'Ik heb het allemaal keurig in de hand. Gijs is stom geweest, dat heb ik je al eerder verteld.'

'Maar ik... wil... dit... niet... meer!' Ze benadrukte elk woord. Ze dacht voor de zoveelste keer aan dat krantenartikel over die vrouw en haar overleden zoon. Het was langs Eddie afgegleden als water. Het raakte hem niet. 'Waarom zeg je niks?' vroeg ze.

'Omdat het allemaal gezeur is, natuurlijk. Ik heb het je al zo vaak verteld. Ik werk, ik zit in de handel. Die is dan misschien niet helemaal legaal, maar er is zoveel wat niet helemaal legaal is. Moet ik er daarom mee ophouden?'

Ze knikte, maar hij leek het niet op te merken. Misschien niet helemaal legaal. Waarschijnlijk dacht hij er echt zo over en was dat de waarheid binnen zijn eigen wereld, de eigen, absolute waarheid zoals hij, Charly, Oscar en al die anderen het met elkaar hadden afgesproken. 'En dat er mensen aan kapotgaan, dat doet je niks?'

'Er gaan altijd wel ergens mensen aan kapot. Voor sommigen is het leven nou eenmaal niet zo leuk. Dat is mijn schuld niet.'

'Nee, nooit is er iets jouw schuld,' wierp ze tegen.

'Dat zeg ik niet. Maar wat ik lullig vind... Je wist waar je aan begon toen we trouwden, je wist wat ik deed. Ga dan nou niet een beetje schijnheilig zitten doen.'

'Maar ik dacht dat je misschien...' Ze maakte haar zin niet af.

'Dat ik wat?"
'Dat je er wél mee op zou houden, dat het tijdelijk was.' Ze fluisterde de woorden bijna, zo weinig geloof hechtte ze er zelf aan.
'Ophouden? Waarom zou ik ermee ophouden?' Het leek of Eddie haar idee belachelijk vond. 'We leven er toch goed van? De zaken lopen fantastisch. Natuurlijk gaat er af en toe wat fout, maar waar gebeurt dat niet? Bij Frans bijvoorbeeld ook met zijn geweldige winkels... wel zwaar in de shit, en dan komt-ie met hangende pootjes bij mij.'
'Wat is er dan met die winkels van Frans?'
'Niks, daar gaat het nou niet om. Maar waar het op neerkomt, is dat ik voor je zorg, voor de kinderen. Je hoeft maar te kikken en je krijgt het, en dat wil je allemaal weggooien, omdat je er niet tegen kan?' Het leek of Eddie ineens een idee kreeg. 'Misschien moet je wat meer te doen hebben. Wil je een winkeltje? Een modewinkeltje... of iets met antiek. Ik koop een pandje en we verbouwen het. Of we nemen een zaakje over van iemand anders. Ergens in de negen straatjes bijvoorbeeld, achter het Spui. Dat loopt tegenwoordig als een gek. Sylvia's shop, zoiets. Klinkt toch fantastisch?'
'Ik wil 't niet meer zoals het nu gaat. Ik wil verhuizen, naar een andere buurt, de kinderen naar een andere school. Mensen kijken me hier met de nek aan.'
'Ja, ja, met hun dikke nekken, maar wat kan jou dat nou schelen... Laat ze allemaal de klere krijgen! Een winkeltje. Dat lijkt me fantastisch. Echt wat voor jou.' Hij nam een laatste slok whisky. 'Morgen hebben we het er wel over. Ik ga naar bed.'
'Ik heb er finaal genoeg van,' zei Sylvia.
'O, wat wou je dan doen?' Het klonk bijna achteloos, alsof hij ervan uitging dat ze toch machteloos was. Hij trok zijn colbertje uit en nam nog een slok whisky.
'Als je zo doorgaat, dan is het voor mij helemaal afgelopen.'

Ze kon nauwelijks geloven dat ze het durfde te zeggen, maar toch ging ze door. 'Ik ga weg, ik trek de deur achter me dicht.'

Eddie keek haar verbaasd aan. 'Jij weg? Waar wou je naartoe? Jij gaat toch niet weg? Daar geloof ik niks van. Waar haal je je geld vandaan? Waar wou je wonen?'

'Dat zie ik dan wel weer.'

'En de kinderen?'

'Die gaan met me mee.'

'Mooi niet. Met wie heb je hier trouwens over zitten praten? Een of andere vriendin? Twee zielige vrouwtjes bij elkaar? Heeft dat wijf lekker zitten stoken? Rosalie? Of anders Floor misschien. Met haar zat je vroeger ook altijd te smoezen.'

'Helemaal niet... onzin. Ik heb haar trouwens al weken niet meer gesproken.' Sylvia bedacht meteen dat ze haar weer eens moest bellen. 'Je denkt zeker dat ik niks zelf kan verzinnen, dat ik daarvoor te onbenullig en te stom ben, dat ik daar een ander voor nodig heb.'

Eddie ging staan en maakte aanstalten om naar de gang te lopen.

Ze probeerde hem tegen te houden. 'Nee... Ik wil met je praten. Het kan niet langer zo. Ik kan hier niet meer tegen.'

'Je staat in de repeteerstand. Morgenochtend denk je er vast weer anders over... een leuk kledingzaakje. De nieuwste spullen. Doen we toch 'ns iets aan die textielhandel!' Hij lachte.

'Dit is niet om te lachen.' Ze pakte hem bij zijn overhemd.

'Nou effe niet moeilijk doen, hè?' Eddie probeerde zich voorzichtig aan haar greep te ontworstelen, maar ze hield stevig vast. Als ze hem nu losliet, dan raakte ze alles kwijt. Zwijgend stonden ze tegenover elkaar. Ze zag een ader kloppen op zijn rechterslaap. Met zijn ogen probeerde hij haar te bedwingen, maar ze gaf niet toe.

Toch was Eddie weer sterker dan ze dacht. Met een stevige ruk, waarbij ze stof hoorde scheuren, trok hij haar handen los.

'Moet je nou 'ns kijken,' zei Eddie. 'Dat overhemd helemaal naar de kloten! Heb je nou je zin?'

De bel leek scheller te klinken dan anders. Lang, een echt noodsignaal. Sylvia probeerde de droom waar ze middenin zat te laten lopen en keek op de wekkerradio. Kwart voor zes. Wie belde er in godsnaam 's morgens om kwart voor zes aan? Binnen een fractie van een seconde schoot de paniek door haar lichaam. Iets met Rosalie, met haar moeder? Nee, dan zou er worden opgebeld.

Het leek of Eddie doorsliep.

De bel klonk opnieuw, bijna dringender. Stel dat het ergste gebeurd was, dat een van de twee... Ze durfde de gedachte niet af te maken. Dan ging het niet via de telefoon, dan kwamen ze persoonlijk langs. Dus toch Rosalie of haar moeder? Een ongeluk, een overval... het hart van haar moeder? Of het waren mannen die Eddie hier op kwamen halen om het karwei ergens anders af te maken.

'Eddie, de bel,' fluisterde ze in zijn oor.

Er klonk alleen een licht gegrom van zijn kant.

Sylvia liet zich uit bed glijden. Eddie vroeg met een mompelende slaapstem wat ze ging doen. Ze trok haar ochtendjas aan, liep de trap af en maakte met zenuwachtige vingers de drie zware sloten open. Er stonden twee mannen voor de deur en op straat zag ze twee politieauto's.

'Wat... wat is er?' hakkelde ze.

Een van de twee mannen liet haar een stuk papier zien. 'Machtiging tot binnentreden in uw woning, mevrouw. Huiszoeking.'

Sylvia hoorde niets. 'Is het Rosalie? Een ongeluk? Nee... wat dan?'

'Mevrouw, sorry dat we u zo vroeg in de ochtend komen storen. Maar we willen nu graag met een aantal mensen naar binnen.'

'Maar waarom? Wat is er dan?'

Eddie stond nu achter haar, in een T-shirt en een boxershort. 'Wat heeft dit allemaal te betekenen?'

Hij kreeg het stuk papier voorgehouden en begon zacht prevelend te lezen. Sylvia ving een paar woorden op. 'Opsporingsambtenaar... Hulpofficier van justitie... Artikel 96, lid 2... doorzoeking ter inbeslagneming...' Daarna richtte Eddie zich weer tot de twee mannen voor de deur. 'Hebben jullie niet wat beters te doen? Er valt hier echt niks te zoeken.'

'Als dat zo is, dan zijn we gauw klaar.' De agent keek bijzonder wakker uit zijn ogen. 'De RC komt er zo aan.'

'RC?' vroeg Sylvia.

'De rechter-commissaris,' legde Eddie uit.

Yuri voegde zich nu bij hen in het halletje. 'Wat is er, pap?'

'O, niks, deze meneren vinden dat we zo'n mooi huis hebben, dat ze het graag even vanbinnen willen zien.'

Het was een onwerkelijk, bizar toneelstukje zonder tekst geweest. Met Eddie, Daphne en Yuri had Sylvia in de woonkamer gezeten. Ze mochten niet telefoneren of de computer gebruiken. Er ging iemand mee naar de hal toen Sylvia meldde dat ze naar de wc moest.

Vijf mannen stonden te wachten. Geen van hen zei iets, maar het was duidelijk dat ze zich ongemakkelijk voelden. Ze mocht Yuri niet naar school brengen. Iedereen moest in de kamer blijven, de kinderen ook. Het was alleen toegestaan om naar school te bellen om te zeggen dat de kinderen wegens omstandigheden later zouden komen.

Toen de rechter-commissaris eenmaal binnen was, begon de werkelijke huiszoeking. Vier mannen gingen alle kamers van het huis door, een vijfde bleef in de woonkamer. Zonder dat er iets gezegd werd, was duidelijk dat hij hen in feite bewaakte. Ze waren het langst bezig in het zogenaamde kantoortje van Eddie. In de keuken werd in de pannen en in de magnetron gekeken. In verschillende laatjes vonden ze bij elkaar enkele honderden euro's. In de huiskamer bladerde een man de fotoboeken door. Eddie had een trek van onaantastbaarheid op zijn gezicht. Kennelijk ging hij ervan uit dat ze het luikje in de stoppenkast niet zouden vinden.

Tegen halftien vertrokken ze. Ze namen een paar dozen met papieren mee, alle mobieltjes die in huis te vinden waren, en de computer. Yuri's PlayStation mocht gelukkig blijven staan. Eddie moest tekenen, wat hij glimlachend deed. 'Zo... tevreden?'

'Dat weten we nog niet.'

'Allemaal moeite voor niks,' zei Eddie. 'Er is vast een betere manier om het geld van de belastingbetaler uit te geven.'

'We zullen zien. Goed dat u zich druk maakt om de besteding van de inkomsten van de fiscus. Bedankt voor de medewerking.'

'Graag gedaan. Als het om politie of justitie gaat, dan werk ik altijd van harte mee, hè Syl?'

Sylvia reageerde niet.

Meteen toen ze weg waren, stond Eddie op.

Sylvia liep hem na tot in de gang. 'Wat ga je doen?'

'Ja, wat denk je dat ik ga doen? Met de andere jongens praten, natuurlijk. Ze zijn heus niet alleen hier geweest.'

'Maar wat had dit allemaal te betekenen? Is er een probleem?'

'Natuurlijk niet. Ze zijn een beetje wanhopig. Ze proberen ons ergens op te pakken, maar er is niks te vinden. Dat weet ik zeker.'

Sylvia wilde doorvragen, maar ze begreep dat Eddie niets meer los zou laten. 'Kom je vanavond eigenlijk weer thuis?' Ze moest het weten, nu ze eenmaal een besluit had genomen.

Via allerlei omwegen hadden ze met z'n vieren afgesproken in een café in Halfweg. Vanuit een telefooncel had hij Mo gebeld, die af en toe wat koeriersklusjes deed. Die was bij de anderen langsgegaan. Ja, de politie was bij Charly geweest, bij Oscar en bij Daan. Oscar had via via contact gehad met Herman, en die moest natuurlijk overal buiten blijven. Geen van hen zou ooit zijn naam noemen tegenover de recherche. Als die ermee op de proppen kwam, dan kende niemand hem.

Morgen zou er waarschijnlijk iets in de krant staan. Misschien vanmiddag al. Charly was al gebeld door een verslaggever, maar hij had alleen gezegd dat er sprake was van een misverstand. Ook toen die journalist gevraagd had of het om de liquidatie van Gijs Teerlink ging. Ze kenden Gijs, maar niemand wist gelukkig hoe goed. Toch moesten er mensen zijn die hun naam hadden genoemd, en de recherche hoopte natuurlijk twee vliegen in één klap te slaan: een moord oplossen en de drugshandel een gevoelige slag toebrengen. Maar het had ze niets opgeleverd. Als iedereen zijn mond dicht bleef houden, was er niets aan de hand.

Er was verder niets wat ze konden doen. Het leven ging door, de handel ging door, hopelijk iets beter toegedekt. Het enige probleem was mogelijk die in beslag genomen mobieltjes. Zo zou de politie achter allerlei nummers komen, maar als iedereen zijn mond hield, hoefde dat weinig te betekenen. Met de telefoon kon je niet voorzichtig genoeg zijn. E-mail, daar deden ze helemaal niet aan, bloedlink, zelfs een anoniem hotmailadres. Eddie was altijd jaloers geweest op Amerikanen met hun telefooncellen. Dat je daarin kon worden opgebeld, helemaal te gek! Jammer dat ze dat destijds niet in Nederland hadden ingevoerd.

Ze bestelden uitsmijters en bier. Ze praatten en ze lachten.

'Er rijden twee mannen in een auto,' zei Daan, 'en die worden 's nachts op een landweg aangehouden door de politie. Die agenten schijnen met een zaklantaarn de auto in. De bestuurder draait het raampje open en vraagt wat er aan de hand is. "We zoeken twee serieverkrachters," zegt die ene agent. Die man in de auto draait het raampje weer dicht en...'

'Hij geeft gas en rijdt weg,' vulde Oscar aan.

Daan schudde zijn hoofd. 'En die mannen in die auto overleggen. Uiteindelijk draaien ze het raampje weer open, en dan zegt die ene man: "Oké, we doen het."'

Tussen de bedrijven door vertelde Charly dat hij voor de twee bazen van DigiDeli een opdracht had gegeven.

'Een beetje netjes, hè?' vroeg Eddie.

'Ja, maar ze moeten het wel voelen. Wil je weten wie het gaat doen?'

Eddie schudde zijn hoofd.

Charly deelde nieuwe, veilige mobieltjes uit. Ze programmeerden elkaars nummer. Eddie nam zich voor om thuis het Wilhelmus er weer op te zetten als ringtone, zodra zijn computer terug was.

Tegen drie uur haalde Sylvia Yuri uit school. Vandaag moest het gebeuren, zeker na vanochtend. De hele buurt zou inmiddels op de hoogte zijn. Vanaf de vaste telefoon had ze naar haar moeder gebeld. Ze begreep niet wat Sylvia van plan was, maar na een geduldige uitleg leek het tot haar door te dringen. 'Ja, ja, ik versta je wel,' had ze gezegd, maar het klonk weinig overtuigend. Twee koffers en een tas stonden klaar in de kamer. Sylvia keek ernaar en kon het zich bijna niet voorstellen. De vraag was wat Eddie zou doen als hij nu binnenkwam.

Aan een van de koffers hing nog een labeltje van hun vlucht naar Aruba afgelopen zomer. Daar was Eddie voortdurend in de weer geweest met zijn mobieltjes. Soms dacht ze dat hij ermee zou gaan jongleren. Er was een schimmige man op bezoek gekomen, met wie hij enkele keren in hun hotelkamer bleef confereren. Als ze vroeg waar het over ging, kreeg ze de standaardreactie. Op het strand werd Eddie chagrijnig, omdat hij door de tropenzon verbrand was. Een keer, toen hij weer in het hotel gebleven was en pas tegen vier uur op het strand kwam, zat ze met een man te praten, een aardige Nederlandse toerist van een jaar of dertig die in z'n eentje vakantie vierde. De man had haar een drankje aangeboden en vertelde net over een duikcursus op Bonaire, toen Eddie verscheen. Foute boel. Hij had de man vernietigend aangekeken en was vlak naast Sylvia gaan zitten. Toen ze op hun hotelkamer waren, was zijn opgekropte woede pas echt naar buiten gekomen. 'Ik kan er niet even een uurtje tussenuit, en jij zit meteen weer met een andere kerel aan te pappen! Kom je bij mij soms zoveel tekort?' Het enige dat Eddie echt leuk had gevonden op Aruba, was om met Yuri of een enkele keer met Daphne op een jetski over het water te crossen. Dan was hij vrolijk, bijna uitgelaten, en deed hij haar weer denken aan de Eddie van vroeger, toen ze twintig was, de liefde ontdekte, het leven ontdekte. Zo anders dan Frans.

Ze keek op haar horloge. Twintig voor drie. De tijd kroop voorbij. Straks die PlayStation, want als die niet meeging, zou Yuri zich hopeloos vervelen. Ze had het apparaat al even van zijn plaats getild. Het gewicht viel mee.

7

Voor de ingang stond een man met de Straatkrant. Hij zag er heel wat netter uit dan zijn rafelige en muf ruikende collega bij de AH op het Museumplein. De schuifdeuren gingen traag en slechts voor een deel open, waardoor elke klant even oog in oog stond met deze Straatkrantverkoper, die iedereen hartelijk 'goedemorgen' wenste. Sylvia gaf hem een euro.

Ze had zin om een tijdje in de winkel rond te dwalen, alles in zich op te nemen, naar de mensen te kijken. Maar ze wilde niet te lang wegblijven, dus laadde ze haar wagentje haastig vol met de noodzakelijke boodschappen. Omdat ze hun komst had aangekondigd, was haar moeder niet verbaasd geweest. Ruzie had Sylvia als reden opgegeven, en daar had haar moeder blijkbaar genoegen mee genomen. Dagen alleen thuis en dan zomaar, vanuit het niets, drie logés, dat leek ze vooral gezellig te vinden.

Vanavond kookte Sylvia in ieder geval zelf. Morgen zouden ze wel weer zien. Vanuit haar huis had ze de nooduitgang genomen, zonder te weten waar ze terecht zou komen. Mogelijk als een waarschuwing voor Eddie, om te laten zien dat ze het serieus meende.

Het was niet te geloven. Niet meer dan een stuk of twintig woorden. Gewone woorden. Als je ze door elkaar gooide, stond er wartaal. Maar nu eigenlijk ook. Ze moest helemaal de weg kwijt zijn. Misschien had hij dat eerder moeten zien aankomen. Al die onvrede, maar hij had gedacht dat het alleen maar vrouwengezeur was, dat het vanzelf over zou gaan. Die ring, dat was natuurlijk een signaal. Op Vinkeveen was ze afwezig geweest, in de verte starend. Lekker moeilijk doen, dat was haar specialiteit, terwijl hij het haar juist makkelijk probeerde te maken. Even dacht hij aan Anouk. Gelukkig dat ze daar niets van wist. Anouk... misschien klopte het niet, maar hij kon haar moeilijk laten zitten omdat Sylvia zo ingewikkeld deed.

Hij pakte het briefje opnieuw en liet zijn ogen over het handschrift gaan, de ronde, enigszins kinderlijke letters. 'Eddie' stond er alleen maar boven. Onbestaanbaar. Dat ze hem dat juist nu had geflikt! Alsof er al niet genoeg shit op zijn pad lag. Het had verkeerd af kunnen lopen met die klojo's van de recherche. Niemand meegenomen, dus ze wisten niks. Daar waren ze het gisteren in Halfweg over eens geweest. Op dit moment geen vuiltje aan de lucht. Het kon van de kant van de politie net zo goed alleen een kwestie van bangmakerij zijn. We houden jullie in de gaten! Alsof ze dat al niet jaren wisten. Toch was het vervelend, want je kon nooit weten of iemand uiteindelijk zijn hart uit zou storten, misschien wel omdat hij een deal met de politie had en zo zelf de dans kon ontspringen.

Waarschijnlijk had Sylvia pas vanochtend het besluit genomen om weg te gaan. Aan de andere kant leek ze er de laatste weken naartoe te werken. Ik neem dit niet meer... ik accepteer dat niet meer... ik wil een ander leven. Makkelijk gezegd. Maar een ander leven kon hij zich niet voorstellen. Hij was begonnen op de havo, daarna had hij zich laten afzakken naar de mavo. Zijn ouders verlangden van hem een keurige baan op een kantoor, liefst bij de gemeente, en hadden hem ingeschreven voor een typecursus. Zelfs het mavodiploma bleek een brug te ver. De kleine straathandel in hasj niet, die was zeer bereikbaar met al die buitenlandse toeristen die naar Amsterdam kwamen voor een blowtje. Hij glimlachte even. Een mooie tijd, alles een avontuur, samen stappen met Frans, uitgaan, beetje blowen, beetje drinken. Of een beetje veel natuurlijk, als het zo uitkwam. En het kwam vaak zo uit, zeker in de tijd dat Frans nog niet met Sylvia ging, hoewel hij toen ook altijd al eerder de problemen dan de lol zag. Mooie dealtjes maakten ze, die alleen maar mooier werden toen ze aan een paar coffeeshops mochten leveren. Maar het grote geld kwam pas toen ze konden gaan importeren.

Eddie stak opnieuw een sigaret op. Sylvia had paspoorten en alles meegenomen, maar hij had het idee dat ze niet ver weg was. Het kwam erop neer dat ze was ondergedoken, en de vraag was waar. Hij wist wel een paar namen van vriendinnen, maar verdomde het om te bellen. Hoe je het wendde of keerde: ze zou terugkomen, goedschiks of kwaadschiks, daar was hij zeker van.

De telefoon ging over. Hij nam op, maar over de lijn klonk alleen geruis. Dat was het dus: geruis van de andere kant. Hij vloekte terwijl hij de hoorn neerlegde. Misschien was zij het geweest om te controleren of hij thuis was. Dat ze het in haar eigenwijze kop had gehaald om zomaar weg te lopen! En de kinderen meegenomen! Eén grote egotrip was het van d'r, en ondertussen maar klagen, terwijl hij juist zijn best deed om het haar naar de zin te maken.

De telefoon ging opnieuw over. Eddie nam op, en had al voor in zijn mond wat hij wilde gaan zeggen, omdat hij wist dat het Sylvia moest zijn. Wat heb je je nou weer in je hoofd gehaald...?

Een licht geknepen stem van de andere kant: 'Met Pieter.'

'Pieter?' Eddie wist wel wie het was, maar vroeg het voor de zekerheid.

'Ja, Pieter Maaswinkel.'

'Ik zie je morgenochtend op de gewone plek.' Die stomkop van een Maaswinkel. Thuis bellen, over de vaste telefoon! Begreep hij het nou nooit? Natuurlijk had hij niet kunnen bellen op het nieuwe nummer van zijn gsm, maar dit was helemaal stom. Zo'n man vroeg erom geript en belazerd te worden.

'Gewone plek?' vroeg Maaswinkel.

'Twee uur. Waar je de vorige keer je hand zo ongelukkig hebt bezeerd.'

'Dus dan gaan we...' begon Maaswinkel. Als hij zo doorlulde, kon hij de politie beter meteen het hele plaatje uitleggen.

Eddie verbrak de verbinding en schonk vanuit de fles die op tafel stond opnieuw whisky in zijn glas.

'Proost,' mompelde hij. 'Je hebt een goeie borrel verdiend.'

Het was niet eens zo beroerd om hier alleen te zitten. Een mogelijkheid om rustig over alles na te denken, zonder dat iemand aan zijn kop zeurde. Maaswinkel was een risico. Vijftig, en hij had zelf al betaald. Maar hij ging Maaswinkel niet financieren. Die zou op de een of andere manier met geld tevoorschijn moeten komen, anders waren zijn problemen heel wat groter dan dat lullige brandplekje op zijn hand. Op een van zijn twee nieuwe mobieltjes toetste hij het nummer van Anouk in.

Het duurde even voor er werd opgenomen. 'Hallo,' klonk het slaperig.

'Dag, schat, hoe is het met je?'

'Heel goed, maar nu niet meer, want je hebt me wakker gemaakt.'

Eddie lachte even. 'Ik wou dat ik bij je in bed lag. Lekker met je...'

'Maar ik wil slapen,' teemde Anouk.

'Ik zit hier in m'n eentje. In tien minuten ben ik bij je. Kunnen we iets gezelligs gaan doen.'

'Ik heb nu helemaal geen zin in iets gezelligs. Waarom ga je trouwens niet met je vrouw iets gezelligs doen? Of ben je helemaal alleen?'

Eddie meende Anouk heimelijk te horen lachen.

'Ja, ze is weg,' gaf hij toe. 'Ik ben alleen.'

'Nou, dat gebeurt mij zo vaak als jij niet op komt dagen.'

Hij zweeg en wachtte tot zij opnieuw begon te praten. Met Anouk duurde dat meestal niet zo lang. Nog kritiek ook, verdomme. Hij had een mooie flat voor haar gehuurd, vol gezet met mooie spullen, maar stank voor dank.

'Ben je d'r nog?' vroeg ze na een tijdje.

'Ja, wat dacht je anders?' Hij kon zijn woede alleen met veel moeite in toom houden.

'Je moet niet kwaad worden op mij als je me midden in de nacht wakker maakt. Dagen laat je niks van je horen, en omdat meneer zin heeft, moet ik zeker meteen klaarstaan.'

'Oké, oké.' Eddie had inderdaad zin in Anouk, heel veel, maar absoluut geen zin in meer problemen. 'Morgen bel ik wel. Ja?'

'Goed, ik ga weer slapen. Kusje.'

'Dag, schatje, slaap lekker.'

Hij liep naar zijn kantoortje om achter de computer naar wat porno te kijken, en zag de lege plek waar het apparaat had gestaan. 'Fuck!'

Sylvia luisterde naar de regelmatige ademhaling van Daphne. Het was in jaren niet gebeurd dat ze op één kamer sliepen. Dit was haar eigen oude slaapkamertje. Haar moeder had het net zo gehouden als het vroeger was. Foto's van Whitney Houston en Madonna aan de muur. Het raam en de deur in fel rood geschilderd. Ze lag in haar oude bed, Daphne op een luchtbed met een slaapzak eroverheen. Yuri sliep in het oude kamertje van Rosalie. Ze leken het alle twee spannend te vinden. Bovendien hadden ze onverwacht extra vrij van school.

Rond tien uur was Sylvia gelijk met Daphne naar bed gegaan, en als twee tieners hadden ze een tijdje met elkaar liggen praten. 'Waar ging die ruzie met papa dan over?' had Daphne gevraagd, en daar moest een warrige wereld van onzekerheden en twijfels achter liggen. Natuurlijk wist ze dat haar vader andersoortig werk had dan andere vaders, maar het leek of dat nooit een probleem voor haar was geweest. Aan tafel werd er niet over gepraat. Het lag volledig buiten het landschap van hun huiselijk leven. Haar vader was nu eenmaal vaak weg en had onduidelijk werk, dat wel veel geld opleverde. Ze moest ondertussen iets hebben opgevangen van wat er op school werd rondverteld. Daarbovenop kwam de huiszoeking van die ochtend. Zachtjes in het donker, alsof ze bang was te worden afgeluisterd, had Sylvia verteld over de handel waar Eddie bij betrokken was. Import, maar zeker niet van textiel. 'Is het dan gevaarlijk?' Daphnes stem had bang geklonken. 'Misschien.' 'Wil je daarom dat-ie ermee ophoudt.' 'Ja, daarom. Ik ben bang af en toe, maar ook omdat het... ik weet niet. Het klopt niet.' Daphne vroeg wat er dan niet aan klopte, en Sylvia zei dat ze dat later wel een keer zou uitleggen.

Morgenochtend zou ze de school bellen; ze had al bedacht wat ze zou zeggen: Daphne en Yuri konden de komende tijd niet naar school vanwege familieomstandigheden. De conciërge zou zeker niet doorvragen. Familieomstandigheden klonk voorlopig ernstig genoeg, en het klopte absoluut. Misschien zou ze morgen iets moeten doen met de kinderen. Lastig dat ze in dit stadsdeel geen parkeervergunning had voor haar auto. Tot nu toe had ze met haar chipknip al tientallen euro's betaald, maar misschien zou ze hem ergens moeten neerzetten waar parkeren gratis was.

Zo dwaalde ze in haar hoofd van haar auto naar Eddie, van Eddie naar de school, van de school naar een uitstapje (zoiets als het Dolfinarium, maar misschien was Daphne daar al te oud voor), van dat uitstapje naar de komende dagen, en van daar kwam ze weer terug bij Eddie. Die zat nu waarschijnlijk thuis, had haar briefje gelezen en was in alle staten. Nu was ze iets begonnen waarvan ze niet wist hoe ze ermee verder moest gaan, laat staan hoe ze het zou kunnen beëindigen. Daphne ademde rustig door. Boodschap: er is niets aan de hand, normaal blijven ademhalen. Sylvia draaide zich om in het bed, dat gemeen kraakte. Hier had ze ooit gevreeën met Eddie, terwijl haar ouders de deur uit waren en Rosalie in de woonkamer naar de televisie zat te kijken. Rosalie... misschien dat ze haar morgen zou bellen.

Eddie poetste zijn tanden, dronk twee glazen water en ging onder de douche staan. Beneden roosterde hij een paar boterhammen die hij met wat marmelade opat. Misschien dat ze straks al weer voor de deur stond. Eerst de kinderen naar school, en daarna terug naar huis. Hij zou niet kwaad worden, en begrip tonen. Natuurlijk is het af en toe moeilijk voor je, schat, dat is het voor mij ook. Samen komen we er wel uit, als we elkaar maar blijven steunen. Al die dingen die hij al zo vaak had gezegd, en die altijd resultaat hadden gehad.

Hij maakte koffie met de Senseo. Kwart over acht was het nu. Eigenlijk was hij veel te vroeg wakker geworden. Misschien dat ze met z'n drieën eerst hier langs zouden komen. Spullen ophalen en zo. Hij zou Yuri en Daphne een beetje knuffelen. Voorzichtig, alleen een arm om hun schouders. Misschien moest hij wat meer rekening met ze houden. Niet meer geforceerd meenemen naar Vinkeveen bijvoorbeeld, omdat hij dat nu eenmaal bedacht had. Dan kozen ze in dit soort situaties misschien voor hem in plaats van voor hun moeder. De kinderen hoorden bij hem, Yuri in ieder geval.

Bijna halfnegen. Elk ogenblik kon hij de sleutel in het slot horen. Hij zou zich beheersen, en niet uitvallen tegen Sylvia. Begrip, dat werd van hem verwacht, en dat zou hij tonen.

De bel van de voordeur klonk. Wat was dat voor onzin,

Sylvia hoefde toch niet aan te bellen?

Frans stond voor de deur.

'Wat kom jij doen?' Eddie keek naar beide kanten de straat in. Niemand te zien. Alleen een stuk verderop waren mensen met een verhuislift in de weer.

'Kan ik even binnenkomen?'

'Natuurlijk.'

Ze zaten in de kamer. Eddie vroeg of Frans koffie wilde. Die schudde zijn hoofd.

'Toch geen problemen?'

'Dat zou ik wel denken.' Frans keek verder zwijgend voor zich uit met ogen die weinig goeds beloofden.

Eddie weigerde om te vragen wat er aan de hand was.

'Verschaaf,' zei Frans ten slotte.

'Wat is er met Verschaaf? Die is toch gezellig te pakken genomen? Dat was de opdracht.'

'Ja, maar hij is verdomme finaal in elkaar geslagen. Hij ligt nu...'

'Jij hebt de opdracht gegeven,' onderbrak Eddie.

'Ja, maar weet je wat er gebeurd is? Die man ligt met een schedelbasisfractuur in het ziekenhuis!' Frans ging nu staan en torende boven Eddie uit. 'Op de intensive care nota bene. Dat was helemaal de bedoeling niet.'

Eddie had er een hekel aan omhoog te moeten kijken. 'Bedoeling... bedoeling... het is misschien een beetje uit de hand gelopen. Kan gebeuren.'

'Niet als je de goeie mensen inhuurt. Ik heb er verdomme zesduizend euro voor betaald en nou...'

'Dus die andere... hoe heet-ie ook alweer?'

'Boshuis,' zei Frans.

'Dus die Boshuis laten we maar lopen?'

Frans gaf geen antwoord. Hij pakte het pakje Marlboro van tafel en stak een sigaret op. 'Stel dat-ie het loodje legt... Verschaaf, bedoel ik. En ze gaan uitzoeken wie het gedaan heeft, dan komen ze bij mij uit. Hoeveel jaar denk je dat ik dan krijg? Vijf, acht, tien?'

'Ze komen nooit bij jou terecht, bij mij trouwens ook niet. Het is gegaan via Charly, en als je die al z'n nagels uittrekt, terwijl je tegelijkertijd 220 volt op z'n kloten zet, dan vertelt-ie nog niks.'

'Schedelbasisfractuur... intensive care... als-ie het al haalt, dan zit-ie misschien de rest van z'n leven in een rolstoel. Dit is echt geen geintje meer.' Frans klonk weer alsof elk moment tranen de overhand zouden kunnen krijgen.

'Zo was het ook niet bedoeld.'

Met die reactie leek Frans genoegen te nemen. Hij rookte bedachtzaam zijn sigaret, terwijl hij naar de grond staarde. 'En hoe is het met die zending?' vroeg hij, nadat hij de peuk had uitgedrukt.

'Goed, heel goed. In Zeebrugge is alles geregeld. Een containertje, verder niks aan de hand.'

'En de douane?' Frans klonk nu weer angstig.

'Dat heb ik je al verteld. Die is plat. Daar hebben we geen last van.'

'Nou lust ik wel een borrel,' zei Frans, terwijl hij zich, zonder om te kijken, op een stoel liet vallen.

8

Er was weinig publiek in het Dolfinarium. Een paar schoolklassen liepen over het terrein, één met zwakbegaafde kinderen, van wie sommigen in opperste verwondering, met open mond naar de zeehonden en zeeleeuwen staarden. Verder waren er een paar groepjes bejaarden, enkelen heel kwiek en anderen voorzichtig schuifelend, met een rollator of in een scootmobiel. Sylvia bedacht dat ze haar moeder misschien mee had moeten nemen op dit onverwachte uitstapje.

Terwijl Daphne een boek zat te lezen (heel toepasselijk: *Hoe overleef ik mijn ouders?*) had Sylvia met haar moeder zitten praten. Ja, ze begreep het allemaal, en ze wilde Sylvia graag helpen. Natuurlijk was het moeilijk, maar ze moesten samen de problemen aanpakken. Ze wist er alles van met Sylvia's vader. Misschien had ze het destijds niet goed gedaan, maar daar had ze juist van geleerd en Sylvia moest niet dezelfde fouten maken.

Ze keken naar de zeeleeuwen, die gevoerd werden.

'Rauwe vis, getverdemme,' zei Yuri, die als het om vis ging alleen de traktaties van Kapitein Iglo eetbaar vond.

Hoe overleef ik Eddie, dacht Sylvia, hoe overleef ik mijn huwelijk, hoe overleef ik mijn leven. 'Het is belangrijk dat jullie bij elkaar blijven,' had haar moeder gezegd, met een onwaarschijnlijk serieuze stem. 'Jullie moeten het weer met elkaar proberen. Na regen komt zonneschijn, geloof me nou maar.' Ze was altijd heel goed geweest in uitspraken die alles doodsloegen. Vanochtend had ze het verder de hele tijd over de kinderen gehad, over gebroken gezinnen, hoe zij ook in die situatie terecht was gekomen, kinderen die problemen kregen, ruzies, conflicten.

Een van de zwakbegaafde kinderen was lelijk komen te vallen, en huilde met vreemde, gierende uithalen. Yuri vroeg of ze straks nog naar de dolfijnenshow gingen. Daphne vertelde dat ze graag een keer met dolfijnen wilde zwemmen. Een leerling in haar klas had daar een spreekbeurt over gehouden. Ze hadden er ook een video over bekeken. 'Misschien dat papa...' Ze maakte haar zin niet af.

Ook bij de show bleven Sylvia's gedachten heen en weer schieten. Dit was niets, ze kon natuurlijk nooit bij haar moeder blijven. Die vond trouwens dat ze terug moest naar Eddie, liever vandaag dan morgen. 'Misschien dat-ie wel 'ns foute dingen doet...' 'Wel 'ns... wel 'ns?' had Sylvia tegengeworpen, maar haar moeder had dat genegeerd. 'In zijn hart is het een goeie jongen, dat weet ik. Ik heb jarenlang met z'n moeder in de klas gezeten. Niet echt een vriendin, maar we gingen wel met elkaar om. Ik weet nog heel goed hoe we...' En er kwam weer een verhaal dat Sylvia al vele malen had gehoord. Alles ging in de herhaling. En natuurlijk liep het uit op de tragische dood van Eddies ouders in hun stacaravan in de buurt van Garderen, hier dus niet ver vandaan. Een kacheltje dat niet goed was... koolmonoxidevergiftiging.

Eddie was bewust een klein halfuur te laat. Maaswinkel stond al te wachten en kwam met gehaaste stappen op zijn auto af.

'Je had toch gezegd tien uur?'

Maaswinkel rook als het ware naar angst. Eddie had de geur vaker opgesnoven.

'Herman...' Eddie keek Maaswinkel glimlachend aan. 'Ik moest effe met Herman praten, dat begrijp je wel.'

Maaswinkel zweeg. De naam alleen al moest hem bang maken. Natuurlijk had Eddie vanochtend Herman niet lastiggevallen met de betalingsproblemen van Maaswinkel. Herman had belangrijker dingen aan zijn hoofd met die berichten van de laatste tijd over al die vastgoedconnecties, afpersingen en bedreigingen. In een krantenartikel was zijn naam laatst genoemd. Sylvia had hem een paar maanden geleden voor 't eerst ontmoet op hun barbecue. 'Wat een aardige man,' had ze gezegd. Toen was hij zo stom geweest om het een en ander te vertellen over zaken waar Herman bij betrokken was, alsof de glorie van Herman ook een beetje op hem afstraalde.

'Vijftig,' zei Eddie, 'daar begint ondertussen rente bij te komen. Hoe langer je wacht...' Hij maakte een gebaar van vergeefsheid.

'Ik doe echt m'n best.'

'Ik vraag je om hier te komen, en je hebt niks te bieden. Wat denk je, dat ik niks te doen heb?'

Maaswinkel schudde zijn hoofd. Hij had een lange, dunne nek, waarop zijn hoofd een beetje leek te wiebelen, alsof het elk moment kon knakken.

'Dat had je verdomme wel meteen kunnen zeggen.'

'Ik hoopte... nou ja, ik dacht dat... eh,' hakkelde Maaswinkel, 'dat het misschien nog zou lukken.'

'En je huis?' suggereerde Eddie.

'Dat kan ik Andrea niet aandoen.'

Weer een vrouw die moeilijk deed. Wie had er geen last van? Eddie stak een sigaret op en blies de rook in de richting van Maaswinkel. Die trok meteen angstig zijn handen terug.

'Voor je handen hoef je niet bang te wezen,' zei Eddie. 'Als er nou wat gebeurt, dan denk ik dat je er minder makkelijk af komt. Zo'n ongelukje met die sigaret, dat was klein bier. Laat je hand 'ns zien.'

Maaswinkel hield zijn handen in de zakken van zijn jas.

'Wat is dat nou?' Eddie deed zich bozer voor dan hij eigenlijk was. 'Vertrouw je me soms niet meer?'

Weifelend haalde Maaswinkel zijn linkerhand tevoorschijn en toonde hem aan Eddie.

'Bijna niks meer van te zien.' Eddie glimlachte. 'Straks misschien een klein litteken. Zo erg is dat toch niet?'

Een reactie van Maaswinkel bleef uit.

Eddie boog zich met een onverwachte draai naar de man naast zich, en hield de brandende sigaret dicht bij zijn gezicht. 'Zo erg is dat toch niet, zo'n lullig klein littekentje?' herhaalde Eddie, tussen opeengeklemde tanden. Maaswinkel zou verdomme moeten boeten. Niet alleen voor deze foute deal, maar voor alles wat de laatste tijd mis leek te gaan, en het meest voor wat Sylvia hem had geflikt. Het liefst zou hij die angsthaas hier en nu volledig in elkaar rammen. Eddie keek even de andere kant uit, naar de McDonald's. Zomaar weggelopen met de kinderen! Hoe haalde ze het in haar hoofd? Wat moest hij tegen Charly zeggen, en tegen de anderen?

'Nee, zo erg is het niet,' zei Maaswinkel eindelijk. Hij had er zeker lang over na moeten denken; zijn stem trilde een beetje.

'Mooi... maar je gezicht hou je graag een beetje gaaf, zeker.' Eddie sloeg een montere toon aan. Steeds veranderen, wist hij. Van kwaad naar opgewekt, naar teleurgesteld, naar dreigend. Zo wist de ander nooit wat hij aan je had.

Maaswinkel knikte, terwijl hij zo ver mogelijk van Eddie af ging zitten.

'Heeft die Andrea van je waarschijnlijk ook liever. Kan ze nog met je voor de kramen langs.' Eddie greep Maaswinkel bij zijn jas en trok hem naar zich toe. Maaswinkel knipperde met zijn ogen alsof hij plotseling tegen de felle zon in keek. In zijn rechteroog was kennelijk een bloedvaatje gebarsten. De geur van angst was nu pure stank geworden. 'Je weet toch wat er met Timo is gebeurd? Met Timo Oosterling?'

Maaswinkel knikte nauwelijks merkbaar.

'Timo kon ook niet betalen... of hij wou niet betalen. Maar willen of kunnen maakt voor ons geen fuck uit, als de poen maar binnenkomt. En nou zit-ie dus in een rolstoel. Arme Timo, hartstikke zielig.'

'Maar ik probeer heus...'

'Ach man, sodemieter toch op, voordat ik echt kwaad word.' Eddie ontgrendelde de portieren. 'Oprotten. En de volgende keer moet ik geld zien. Begrepen?'

'Natuurlijk, Eddie.'

'Voor jou voorlopig meneer Kronenburg.'

Maaswinkel opende het portier, maar voor hij uit de auto kon stappen, had Eddie hem zo'n hardhandige duw gegeven, dat hij op het plaveisel van de parkeerplaats viel.

Sylvia keek met haar moeder naar *De Gouden Kooi*. Ze had al iets gehoord en gelezen over een vrouw die haar twee kinderen had achtergelaten. Een vriend zou voor ze zorgen, terwijl zij zo lang mogelijk in dat huis wilde blijven zitten. Totdat ze de hoofdprijs in de wacht had gesleept. Zo lang mogelijk blijven... je vrijwillig laten opsluiten... je twee kinderen achterlaten. Ze luisterde bijna niet naar het commentaar van haar moeder, die alle tv-programma's beschouwde als een aanleiding om ongeremd aan het woord te blijven.

Daphne zat mee te kijken. 'Lekker boeiend,' zei ze.

'Wat bedoel je, schat?'

'Het is een beetje debiel, oma. In zo'n huis met al die andere stomme mensen, en dan elke dag op tv.'

Tegen acht uur kwam Rosalie. Ze bleven half verplicht naar het journaal kijken, en dronken koffie. Daarna gingen ze naar buiten, wat hun moeder niet echt leuk leek te vinden.

In een café bestelden ze twee rode wijn. Sylvia vertelde over de huiszoeking.

'Je hebt één stap gezet,' zei Rosalie. 'Nou moet je doorgaan.'

'Ik weet niet. Misschien schrikt Eddie hiervan.' Sylvia wist dat ze zichzelf probeerde te overtuigen.

'Bitter... wrang,' zei Rosalie.

Even dacht Sylvia dat deze woorden ook op haar situatie sloegen, maar Rosalie had een slokje wijn genomen. 'Ik wil hem nog een kans geven,' zei ze.

'Hij heeft al tig kansen gehad, maar hij is...' Rosalie dempte haar stem, hoewel er geen mensen bij hen in de buurt zaten. 'Hij is een crimineel en hij blijft een crimineel, Sylvia. Dat wasie altijd al, maar jij hoopte dat-ie ermee zou stoppen. Maar mensen komen daar niet zo makkelijk uit, dat weet je best. Dat is hun leven. Ze kunnen zich niks anders meer voorstellen.'

'Maar misschien dat Eddie...' Sylvia maakte haar zin niet af.

'Dat Eddie wat?'

'Ach, laat maar.' Sylvia nam een slokje wijn. Doordrinken, wist ze, dan verdween die smaak die haar mond nu een beetje leek samen te trekken.

'Weet-ie eigenlijk dat je bij mam bent?'

'Ik denk 't niet. Anders had-ie al lang voor de deur gestaan.'

'En hoe lang wil je blijven?' vroeg Rosalie.

Sylvia haalde haar schouders op. 'Ik weet 't niet. Het is hopeloos. Ik kan niet naar hem terug, maar ik kan hier ook niet blijven. Ik zit helemaal klem.' De tranen waren niet meer te stuiten. Ze legde haar armen op de tafel en liet haar hoofd erop vallen. Haar glas viel en haar arm kwam in een vochtplas te liggen.

'Het glas is niet eens stuk,' zei Rosalie. 'Een goed teken volgens mij.'

Toen Sylvia weer een beetje was bedaard, en het tafeltje door de barkeeper was schoongemaakt, bestelden ze ieder nog een glas. Over Eddie hadden ze het niet meer. Rosalie vertelde over een man die ze had leren kennen, en met wie ze al een paar keer uit was geweest. Vorige week was hij een keer 's nachts bij haar gebleven. 'Echt fantastisch, zoiets heb ik nooit eerder meegemaakt.' Rosalie kreeg een kleur, die zelfs in het schamele licht van het café goed was te zien. 'Misschien wordt het echt wat.' Rosalie was nu begin dertig en nog altijd alleen.

Ze gingen naar buiten. De somberheid was omgeslagen in een raar soort vrolijkheid. Sylvia had zin om te rennen en te schreeuwen, maar hield zich in. Gearmd liepen ze over straat. Bij coffeeshop High Times bleef Sylvia staan.

'Wat is er?' vroeg Rosalie. 'Wil je naar binnen? Hier is Eddie toch zo'n beetje z'n... eh, z'n carrière begonnen?'

Sylvia keek door het raam. Achter de bar stond de grote, zware man met de paardenstaart. Verder was er niemand in de zaak. Ze vertelde Rosalie over hoe die patser haar had aangesproken.

Rosalie wenkte Sylvia. 'Kijk.' Ze wees naar een stapeltje bakstenen iets verderop, bij een huis dat werd gerenoveerd.

Rosalie pakte een steen. Sylvia volgde haar. De steen voelde lekker aan, ze woog hem in haar hand. Het was tijd om daadwerkelijk iets te doen, te zorgen dat er iets gebeurde. Ze stonden voor de coffeeshop, ieder een baksteen half achter de rug verborgen. Sylvia's hart bonsde bijna uit haar lichaam. Vaag konden ze zien hoe de man achter de bar bezig was zakjes met wiet af te wegen. Ze keken om zich heen. Geen enkele voorbijganger te zien.

'Ja, nu!'

Door beide ramen van High Times vloog een baksteen.

Een paar seconden bleven ze staan. Het geluid van glasgerinkel bleef even hangen voor het werd weggevaagd door bulderende vloeken. Ze renden de straat door, een hoek om, nog een hoek, een volgende straat. Toen bleven ze staan in een portiek, de hand voor hun mond om het lachen te dempen.

'Ik plas in m'n broek!' zei Sylvia. 'Ik hou 't niet meer.'

■

Eddie lag op zijn rug, Anouk boven op hem. Met haar heupen bewoog ze soepel heen en weer. Hij deed zijn best zich op haar te concentreren, op haar lichaam, haar borsten, de chocoladekleurige tepels, waarvan hij het eigenlijk altijd gek had gevonden dat ze niet naar chocola smaakten. Die zachte, maar dwingende verleiding in zijn lendenen, die naar zijn hele lichaam uitstraalde. Ja, die wilde hij blijven voelen.

Ze leek de laatste tijd wat voller en zwaarder te zijn geworden, maar misschien was dat verbeelding. Hij tastte naar haar borsten en ze boog zich iets naar voren, terwijl ze in een loom ritme bleef bewegen. Rond, en misschien iets te hard geworden, maar verdomd lekker. Binnenkort moest misschien haar neus aan de beurt komen. Aan Sylvia had hij ook voorgesteld wat geld te besteden om alles een beetje strakker te laten trekken, maar eigenwijs had ze zijn aanbod afgeslagen: 'Vind je me dan niet mooi genoeg meer?' Dat had hij meteen ontkend. Vanavond, terwijl ze met Rosalie de deur uit was, had haar moeder gebeld. Hij had al een flauw vermoeden dat ze daar zat, maar wilde voorlopig zelf niet de telefoon pakken. Haar moeder had een huilverhaal opgehangen over het huwelijk, hoe belangrijk het was, wat er met de kinderen zou gebeuren. Allemaal bullshit die hem gestolen kon worden, maar bij haar had het natuurlijk te maken met Sylvia's vader, die er vlak na de geboorte van haar zus Rosalie met een andere vrouw vandoor was gegaan. Hij scheen nu in Australië te wonen. Sylvia had hem nooit meer gezien, maar leek daar ook absoluut geen behoefte aan te hebben.

'Hé, wat gebeurt er nou?' Anouk stopte in haar bewegingen. 'Is het niet lekker meer? Doe ik het niet goed of zo?'

Hij voelde dat hij uit haar was gegleden, maar bleef haar borsten krachtig kneden.

'Mijn tieten zijn geen klei, hoor.' Ze gleed van hem af, en

probeerde met haar hand zijn geslacht te activeren.

Hij keek naar haar. Soms was ze Anouk en een moment later leek ze Sylvia. Lag hij met haar op haar oude tienerkamer, waar hij ook geen stijve kon krijgen, omdat haar zus achter een dun wandje zat, en het bed luid kraakte als ze bewogen.

Anouk boog zich voorover en begon te sabbelen, te likken en te zuigen, terwijl ze met haar hand bleef masseren. Tevergeefs.

'Laat maar,' zei Eddie. 'Het lukt vandaag niet.'

'Maar zo is het ook een lief klein jongetje,' zei Anouk, en ze sabbelde nog even door.

Sylvia was iets over zes wakker met een mossig gevoel in haar hele lijf, en een grauwsluier in haar hoofd. De goedkoopste rode wijn, ze had het kunnen weten. Daphne lag nog lekker te slapen. Sylvia stapte voorzichtig uit bed en bleef even bij haar kijken. Ze probeerde haar eigen trekken te ontdekken. Behalve wat enthousiasme over de onverwachte vrije dagen hadden Yuri en Daphne niet laten blijken wat ze van deze situatie vonden. Soms had ze de indruk dat Yuri zijn vader miste, maar op andere momenten scheen hem dat weer totaal niet te interesseren. Daphne was überhaupt vooral met zichzelf bezig. Haar uiterlijk leek ze steeds belangrijker te vinden. Gisteren had ze weer van alles gevraagd over make-up, en had ze, zogenaamd voor de grap, Sylvia's mascara geprobeerd. Nadat ze geplast had, kroop Sylvia weer in bed, maar slapen lukte niet meer, daarvoor werd haar hoofd te heftig bestormd door een kleine stormvloed aan gedachten, beelden, scènes.

Daphne werd tegen acht uur wakker.

Ze zeiden elkaar goeiemorgen. Het klonk bijna plechtig.

'Ik heb m'n boek uit.' Daphne wees naar het boek, op een kastje naast haar bed. 'Gisteravond uitgelezen.'

'Dan gaan we vandaag een nieuw boek kopen.' Leuk, vanochtend wat dingen kopen met de kinderen, en dan vanmiddag naar de kartbaan, vooral voor Yuri. Een paar maanden geleden waren ze er met z'n vieren geweest; toen vond Daphne het trouwens net zo spannend.

'Mag ik even bij jou in bed?' vroeg Daphne.

Sylvia was verrast. 'Prima.'

Daphne ging met haar warme meisjeslichaam zo dicht mogelijk tegen haar aan liggen in het smalle eenpersoonsbed.

Na het ontbijt trok Sylvia Yuri achter zijn PlayStation vandaan. 'We gaan een nieuw spel voor jou kopen. Weet je al wat je wilt hebben?'

'Ja, Scarface! Die is net nieuw.'

'Is dat niet zo'n schietfilm?' Ze herinnerde zich dat ze had zitten kijken met Eddie, die er enorm van had genoten. Al Pacino was een soort held voor hem.

'Ja, maar nou is het een game, echt supercool.'

Tegen tien uur gingen ze de voordeur uit. Sylvia zag de Lexus meteen, bijna voor het huis geparkeerd. Eddie stapte uit en hield het portier open, alsof het volstrekt vanzelf sprak dat ze met z'n drieën in zouden stappen.

9

'Misschien iets in de bewaking,' zei Eddie, 'of de beveiliging of zo.'

'Ik zie jou nog niet in zo'n uniform lopen.'

'Nee, natuurlijk niet. Daar heb je je personeel voor. Die moeten een diploma hebben.'

'Denk je dat zoiets lukt? Wie wil je dan beveiligen of bewaken? Er zijn toch al allerlei bedrijven die dat doen.' Sylvia probeerde niet te kritisch te zijn, maar had grote twijfels bij de vage plannen die Eddie naar voren bracht. Hij had geen opleiding gevolgd en vrijwel geen echte, officiële werkervaring. Wat heeft u de afgelopen tijd gedaan, mijnheer Kronenburg? Tja, vooral softdrugs ingevoerd en gedistribueerd, en nog wat andere spullen erbij. En de baas gespeeld van een zogenaamd bedrijfje dat textiel importeerde uit het Verre Oosten. Heeft u ook referenties? Ja, die heb ik wel, maar die mensen willen zich liever niet bekend maken.

Sinds drie dagen woonde ze weer in de Van Eeghenstraat. Op de stoep voor haar moeders huis had ze gezegd dat ze alleen meeging als er iets drastisch zou veranderen. Dat had hij beloofd. 'Ik weet het,' had hij gezegd. 'Het moet anders. Dat begrijp ik heus wel. Echt, dat ga ik ook doen.' Eddie op z'n liefst. 'Maar jullie moeten wel terugkomen.' Er zat volop sentiment in zijn stem, alsof hij haar direct huilend in zijn armen zou willen sluiten. Ze twijfelde of ze hem kon geloven, maar tegelijk was het of ze klem zat, en een forse ruzie op de stoep was het laatste dat ze wilde. De bemoeizuchtige buurvrouw van haar moeder zat al voor het raam. Yuri en Daphne hadden met schuwe, gegeneerde blikken toegekeken. Zonder verder veel woorden was Sylvia in de auto gestapt. De kinderen hadden zwijgend achterin gezeten. De lucht in de auto trilde van de spanning, ondanks de luchtige toon die Eddie probeerde aan te slaan toen hij vroeg hoe het bij oma was geweest. Toen ze eenmaal thuis waren, bleven ze omzichtig om elkaar heen draaien. De volgende dag gingen de kinderen weer naar school. Over Daphnes slaapfeestje hadden ze het niet meer gehad. Voor haar verjaardag was Sylvia met Daphne in de stad wezen shoppen. Ze hadden een broek gekocht en een nieuw mobieltje dat nog meer kon dan het vorige. Thuis had Daphne meteen een serie foto's gemaakt. Yuri had toch Scarface gekregen.

'Misschien is het lastig om ertussen te komen,' zei Eddie nu, 'maar ik heb verschillende relaties, die ik...'

'Maar van die relaties van jou moet je het volgens mij bij dit soort dingen niet hebben,' onderbrak Sylvia.

'Dat kan kloppen,' gaf Eddie met een lachje toe. 'Wil je nog koffie?'

'Nee, dank je.'

Eddie ging naar de keuken, waarschijnlijk om voor zichzelf koffie te maken. Een week geleden zou hij haar min of meer hebben gecommandeerd. Als ze nu alleen was, leek het soms of ze helemaal niet weg was geweest. De dagen dat ze bij haar moeder had gebivakkeerd, leken er tussenuit geknipt en de tijd ervoor en erna aan elkaar geplakt. Er ontbraken simpelweg drie dagen. Maar het leek erop dat de drie dagen bij haar moeder een positief effect hadden gehad, alsof Eddie echt was wakker geschud en besefte dat het zo niet langer kon. Aanvankelijk was ze bang geweest dat hij zich aangebrand en agressief zou gedragen, maar het tegendeel was het geval.

Eddie kwam de kamer in met koffie. 'Hè, ik heb zin in een sigaret. Nou ja, kan wel effe wachten.' Hij borg zijn pakje Marlboro weg. 'Anders misschien iets in de horeca... een café, een restaurant.'

'Zolang het maar geen coffeeshop is.' Ze glimlachte om hem te laten merken dat dit niet serieus was bedoeld.

'Nee, natuurlijk niet. Een coffeeshop, ik moet er niet aan denken. Nee... een leuk, modern café ergens in de stad, dat lijkt me wel wat. Kan ook een eetcafé zijn.'

'En moet jij daar dan altijd...?'

'Ja, en jij moet koken. Nee, geintje... Als ik eenmaal... als *we* eenmaal zo'n zaak hebben, dan laat ik het iemand pachten of zo.'

'En dat geld daarvoor, hoe kom je daar dan aan?'

Hij keek haar ernstig aan. 'Ik heb nog het een en ander te goed. Er moet nog aardig wat binnenkomen.'

Eddie haalde zijn pakje Marlboro weer tevoorschijn, maar bleef het in zijn hand houden. 'Probleem is alleen dat het officieel moet met zo'n aankoop. Dat kan natuurlijk wel via een hypotheek op de Bahama's of zo.'

'De Bahama's?'

'Ja, mijn geld... ik bedoel ons geld gaat daarnaartoe, en wij krijgen zogenaamd een hypotheek van die bank, waarover we alleen rente betalen. Met hun geld kopen we dan zo'n horecatent. Allemaal legaal. Dat doet iedereen. Wat dacht je hoe iemand als Herman al zijn aankopen regelt?' Eddie stond op. 'Ik moet even weg... een paar dingen doen. Is dat oké?'

'Natuurlijk.'

'Ik kan niet alles zomaar uit m'n handen laten vallen zeg maar. Dan ga ik echt problemen krijgen. Met Charly, met Daan... Voor Frans moet ik nog wat doen.'

'Maar is dat...?' begon ze.

'Echt alleen maar wat dingen afhandelen.' Hij gaf haar een zoen. 'Tegen een uur of zeven ben ik terug. Misschien kunnen we in de stad gaan eten als je geen zin hebt om te koken.'

Eddie stapte in zijn auto. Voor hij wegreed, stak hij een sigaret op. Diep inhalerend probeerde hij zijn hoofd weer op orde te krijgen. Een café... een restaurant... drankvergunningen... pachters... allemaal ellende. Hij vloekte. Misschien dat ze erin zou trappen, als hij zei dat hij het op alle mogelijke manieren geprobeerd had, maar dat het was mislukt. Geen zaak, geen deal, geen geld. Sylvia kende verdomme iedereen, ze wist veel meer dan ze zich realiseerde. Vroeger was hij veel te open geweest, misschien om een beetje stoer te doen. Zodra ze bij hem wegging, kon ze van alles aan iedereen vertellen, ook aan zijn concurrenten. Of bij de recherche, als die haar onder druk zou zetten. De rechter kon er niks mee, maar het zou een enorme berg shit betekenen. Pure shit, en hij zat er middenin. Daan, Charly en Oscar zouden het niet op prijs stellen, en Herman al helemaal niet. Als je bij Herman uit de gratie was, kon je het schudden. En dan ging het hard, heel hard.

Eddie reed de Van Eeghenstraat uit, draaide de Cornelis Schuyt op en sloeg rechtsaf de Willemsparkweg in, die overging in de Koninginneweg. Hij stopte voor het rode licht bij het Valeriusplein. Verdomd, die Chrysler Voyager zat al de hele tijd achter hem. Op de Cornelis Schuyt had hij hem al gespot.

Bij het groene licht deed Eddie even of hij rechtdoor ging, maar hij sloeg snel rechtsaf en koos daarna de eerste straat links. De Chrysler reed zo'n twintig meter achter hem, en deed geen enkele moeite om te verbergen dat hij Eddie volgde. Halverwege de Sophialaan schoot Eddie in een lege plek tussen een lange rij geparkeerde auto's in de hoop dat de Chrysler door zou rijden, maar die kwam naast hem staan. Een man met sluik zwart haar en een zonnebril op zat achter het stuur. Hij keurde Eddie geen blik waardig. Naast hem een donker sportschooltype met een kaalgeschoren hoofd. Ze deden niets, maar hadden de auto van Eddie klem gezet. Stom, dat hij hier was gaan staan.

Eddie stapte uit zijn auto, liep naar de Chrysler en tikte tegen het raampje van de bestuurder. Die draaide het open en keek Eddie vragend aan.

'Waarom rijden jullie achter me aan?'

'O, doen we dat dan?'

De kale donkere man grijnsde even, terwijl hij met een tandenstoker in zijn mond bleef pulken.

'Ja, dat weet je verdomd goed. Waarom staan jullie anders hier?'

'Ja, waarom? Misschien omdat we dit een leuke buurt vinden.'

'Gelul.' Eddie overwoog om verder te gaan lopen. Achter hem kwam een andere auto tot stilstand. Er stapte een kleine, gedrongen man uit, die hij al eens eerder gezien meende te hebben. Voor Eddie kon besluiten wat hij ging doen, had de man hem bij een arm gegrepen, die hij achter op zijn rug draaide, zo ver dat die arm bijna uit de kòm schoot en de pijn door zijn lichaam bliksemde. Eddies vloek bleef binnensmonds.

Het slot van het achterportier van de Chrysler klikte open. 'Instappen,' zei de man. 'We gaan een stukkie rijden.'

'Zullen we de stad nog even ingaan?' vroeg Rosalie.

Sylvia haalde haar schouders op. ''k Weet niet. Ik heb niet zoveel zin. Misschien kunnen we straks ergens lunchen.'

'Laten we een broodje kroket gaan eten. Of mag jij dat niet? Te veel calorieën, te veel vet, te veel koolhydraten, er is altijd wel iets te veel.'

'Dan neem ik een salade.'

'Kan ook,' gaf Rosalie toe. Het bleef even stil. Toen stelde ze de vraag waar Sylvia al een tijdje op wachtte. 'Maar... eh, hoe gaat het nu met jullie?'

'Eddie weet dat-ie moet veranderen. Het is toch een beetje een schok... een klap voor hem geweest, maar dat zei ik volgens mij al over de telefoon. Hij dacht altijd dat ik toch wel bleef, wat-ie me ook flikte, maar nou is-ie daar niet meer zo zeker van.'

Rosalie knikte.

'Maar goed,' ging Sylvia door, 'veranderen, dat doe je niet van de ene op de andere dag.'

'En Eddie zeker niet.'

Rosalie liep mee naar de keuken. 'Dat Eddie wat anders wil gaan doen, is dat serieus?'

'Ja, volgens mij gaat-ie 't echt proberen.'

'Is 't niet een beetje naïef om dat te denken?' Rosalie keek haar zus aan alsof ze medelijden met haar had.

'Misschien, maar wat moet ik anders?' Sylvia pakte de twee kopjes espresso en liep naar de kamer. 'Vertel 'ns. Laatst met die man, waar je het over had, hoe is dat eigenlijk verder gegaan?'

Rosalie boog even haar hoofd, en keek Sylvia toen aan. Die had de indruk dat de ogen van haar zus enigszins vochtig waren.

'Vertel... wat is er?'

'Hij was... ik bedoel, hij ís getrouwd. Daar had-ie niks van gezegd. Hij zei dat-ie gescheiden was, een heel ontroerend verhaal, over een vrouw die hem op een lullige manier had laten zitten. Dat probeerde-ie achter zich te laten... zoiets. Het hele profiel dat-ie op die site had ingevuld, daar klopte niks van. Stom van me. Met open ogen ben ik erin gelopen.'

'Hoe kwam je er dan achter?'

'Hij was weer bij me blijven slapen, en 's ochtends, toen-ie onder de douche stond, toen ging z'n mobiel. Nou ja, ik nam op... had ik misschien niet mogen doen, maar toen kreeg ik z'n vrouw...' Rosalie begon zachtjes te huilen.

Sylvia ging naast Rosalie zitten en sloeg een arm om haar heen. 'Wat ontzettend naar voor je.'

Na een paar minuten herstelde Rosalie zich. 'Die vrouw belde dus... en wat ik helemaal ontzettend kut vind, die heette Roos... Roos nota bene! Maar die dacht dus dat-ie ergens in een hotel zat voor een conferentie van z'n werk. Er was nog een raar misverstand, want zij... die Roos dus, dacht eerst dat ik zeg maar van de receptie van het hotel was.'

'Hij heeft je dus belazerd... bedrogen.' Sylvia schudde haar hoofd.

'Ja, en weet je wat nog het stomste was? Dat ik zijn mobiel had opgenomen, dat leek-ie erger te vinden dan dat hij me had voorgelogen.'

Terwijl zijn drankje voor Eddie werd neergezet, ging Charly bij hem aan het tafeltje zitten.

'Is er wat?' vroeg Charly.

'Hoezo?'

'Je kijkt zo raar, net of d'r ergens stront aan de knikker is.'

Twee blunders. Eerst de auto op een verkeerde plek ingeparkeerd en daarna niet opgelet of ze misschien met twee auto's waren. Stom! Alsof-ie een beginneling was. Kon-ie beter niet aan Charly vertellen. 'Nee, niks aan de hand. Tenminste...' Hij dronk van zijn whisky. Nam een tweede slok. De weldadige warmte verspreidde zich vanuit zijn slokdarm en zijn maag door de rest van zijn lichaam. 'Nou ja, ik heb contact gehad met Marvin...'

'Marvin?' Charly schoof iets naar voren op zijn stoel. 'Marvin zelf?'

'Mannetjes van Marvin... we moeten van die pillen afblijven, zeiden ze, dat is hun markt.' Eddie probeerde het relaxed te vertellen, een stuk relaxter dan de hulptroepen van Marvin dat hadden gedaan. Ze waren inderdaad een stukkie gaan rijden, een kort stukkie. Op een parkeerterrein bij Sportpark Ookmeer waren ze gaan praten. Tot nu toe was alles keurig verdeeld.

Import en export, wiet, hasj, coke, wit en bruin, xtc. Maar die xtc, dat was de markt van Marvin, en daar moesten Eddie en consorten met hun poten van afblijven. 'Ik zal er 'ns over denken,' had hij gezegd. De man met het sluike haar en de zonnebril had het woord gedaan. 'Dat denken van jou moet dan wel een beetje snel gaan, en Marvin gaat ervan uit dat je een verstandige beslissing neemt.' 'Zoals?' 'Dat hoeven wij toch niet voor je uit te tekenen? Marvin vertrouwt erop, anders moet hij misschien onaangename maatregelen nemen.' Eddie had gevraagd wat hij zich daarbij moest voorstellen. Ze hadden alleen een beetje gelachen, maar een antwoord kwam er niet. Daarna was hij keurig teruggereden naar de Sophialaan, en bij zijn auto afgezet. 'Service van de zaak,' had de man met de zonnebril gezegd.

'Zonde om die boten leeg terug te laten varen,' zei Charly.

'Mijn idee.'

'Dus wat doen we?'

Eddie stak een sigaret op, blies de rook uit. 'We gaan gewoon door. Marvin heeft een grote bek, en die jongens van hem, die hebben heel veel naar Amerikaanse films gekeken, maar volgens mij doen ze geen fuck.'

'Marvin had effe kunnen bellen. Doe voor mij maar een bacootje,' zei Charly tegen de kelner.

Eddie snoof even. 'Hij denkt zeker dat het meer indruk maakt om een paar van die jongens op ons af te sturen. Hij had bijvoorbeeld hier langs kunnen komen. Vorige week heb ik hem nog gezien, maar geen woord. Een smile van hier tot Tokyo op die rare boerenkop van hem, dat was alles.'

Charly knikte begrijpend.

'Oké, ik moet weer 'ns weg. Andere business. Trouwens die container naar Zeebrugge, dat gaat goed? Alles nog altijd safe?'

Charly nam een slokje van zijn rum-cola. '*No problem.*'

Eddie keek op zijn horloge. Kwart over drie. 's Middags vond hij het meestal niet zo prettig om naar Anouk te gaan, maar de avonden probeerde hij zoveel mogelijk thuis door te brengen. Goed voor de sfeer. Samen een beetje tv-kijken. Hij dronk een borrel, rookte buiten een sigaret, Sylvia nam een glas wijn. Ergens tussen elf en twaalf gingen ze naar bed. Gisteren hadden ze wat luie seks gehad. Daarna had ze in zijn armen doorgepraat over een restaurant. Toen had ze het ook nog over een kapsalon gehad. Maar hij zag haar niet werken in zo'n salon, net zoals vroeger. Nee, zo'n kapperszaak gaf een stoot ellende en het leverde veel te weinig op.

Hij parkeerde op de Rooseveltlaan. Voor deze buurt had hij ook een parkeervergunning. Door Charly geregeld. Kostte maar een paar honderd euro. Die mensen van de gemeente hadden zo'n lullig loontje, dat ze alle kansen benutten om wat bij te verdienen.

Een klein uur geleden had Eddie zijn komst aangekondigd. Meestal lag Anouk dan al in bed als hij binnenkwam of ze hing in een dun, niksig dingetje of alleen wat lingerie op de bank, maar nu had ze haar kleren aan.

Eddie omhelsde haar. 'Alles goed, schat?'

Ze knikte.

'Wil je soms ergens naartoe, dat je aangekleed bent. Ik heb niet veel tijd, hoor.' Bovendien, hij probeerde zich zo weinig mogelijk met Anouk in openbare ruimtes te vertonen. Je wist nooit wie je tegen het lijf liep, zeker overdag niet.

'Ga zitten,' zei ze.

Het klonk verdomd ernstig. Misschien wilde ze van hem af. Of ze had een ander. Wie? Wie was het? Hij zou hem godverdomme...

'Ga nou zitten. Je staat daar maar.'

Eddie liet zich op een stoel vallen, haalde een sigaret uit zijn pakje en stak hem op.

'Ik moet je wat vertellen. Ik... eh, ik heb... ik bedoel, ik ben... nou ja.' Ze lachte een beetje zenuwachtig en sloeg daarna bijna zedig haar ogen neer.

Het kostte Eddie moeite om niet tegen haar uit te vallen. 'Wat is er? Wat heb je?' zei hij afgemeten.

Ze zweeg en keek hem alleen maar aan.

'Een ander?' vroeg hij. 'Heb je een ander?'

'Natuurlijk niet. Doe niet zo gek.'

Eddie hield het niet meer. Het liefst had hij haar stevig beet gegrepen en flink door elkaar gerammeld. 'Maar wat is er dan?'

'Ik ben zwanger.' Anouk liet Eddie een langzaam doorbrekende, maar stralende glimlach zien. 'Al ruim drie maanden.'

10

'Kijk, hier hoorde ik iemand over vertellen.' Ze stonden dubbel geparkeerd op de Ceintuurbaan, en Eddie wees naar een café-restaurant. Er hing een 'TE KOOP'-affiche achter een vuil geworden raam. Dit was de derde keer dat hij zo'n ritje maakte met Sylvia. Zo zou ze in ieder geval de indruk krijgen dat hij serieus bezig was met hun gezamenlijke plannen.

'Zullen we even gaan kijken?' vroeg Sylvia.

Eddie zuchtte. 'Ik moet nog ergens anders naartoe, en ik kan hier trouwens nergens parkeren. Ik zal eerst die makelaar 'ns bellen. Moet ik je terugbrengen naar huis?'

'Ik ga er hier wel uit. Dan loop ik even ik naar de Cuyp. Vind ik leuk om weer 'ns overheen te gaan.'

'Heb je geld bij je?' Eddie tastte naar zijn binnenzak en haalde er een pakje in elkaar gevouwen briefjes van vijftig euro uit, en plukte er tien van af. 'Hier, als je nog wat wilt kopen.'

'Ik heb genoeg bij me.' Ze gaf hem een zoen.

Anouk was weer helemaal aangekleed, alsof ze zich kuiser wilde voordoen nu ze zwanger was. Toen hij binnenkwam, was haar omhelzing echter hartstochtelijker dan normaal. Hij kreeg de indruk dat ze zich voor eeuwig aan hem wilde vastklinken. Ze zoende hem, streelde zijn haar, drukte haar lichaam hard tegen het zijne.

Eindelijk deed ze een klein stapje naar achteren, en keek hem glimlachend aan. 'Ik ben zo blij dat je er weer bent. Ik heb je gemist.' De glimlach veranderde in een wat overdreven pruilgezicht, met een naar beneden getrokken onderlip. 'Vier dagen... je bent zomaar vier dagen weggebleven!'

'Sorry, maar ja, veel te doen... druk, je weet wel.'

Toen hij op de bank ging zitten, kroop ze naast hem en legde haar hoofd op zijn schouder.

'We moeten toch nog 'ns praten,' begon Eddie.

'Natuurlijk, schat.'

'Misschien moeten we... ik denk dat...' Hij viel weer stil. De vorige keer had hij er meteen over moeten beginnen, en het goeie moment was nu gepasseerd. De vier dagen bedenktijd die hij had genomen, was te veel geweest. Het was net als met een deal waarover je eigenlijk meteen moest beslissen: als je dat niet deed, kostte het later verdomd veel moeite om alles toch rond te krijgen.

'Wat denk je?' Ze zoende hem in zijn nek, beet even licht in een oorlelletje. Geen prettig gevoel.

'Dat je zwanger bent, dat is... Dat hadden we toch niet van tevoren bedacht. Ik bedoel, jij regelde dat, die... eh, anticonceptie.'

'Misschien heb ik dat dan niet helemaal goed gedaan.' Het klonk luchthartig, alsof de consequenties eigenlijk niet zoveel voorstelden. Ze ging weer met haar hand door zijn haar.

Eddie deed zijn uiterste best om zijn ergernis te beteugelen. Hij schoof een stukje bij Anouk vandaan, maar ze liet zich opnieuw tegen hem aan vallen. 'Wat heb je dan niet goed gedaan?' vroeg hij.

'Dat maakt toch niet meer uit, Eddie.'

'Nou ja...' Hij duwde haar een stukje van zich af, wat ze nauwelijks leek te tolereren, en stak een sigaret op. 'Waarom heb je zo lang gewacht om het me te vertellen? Je had het toch direct kunnen zeggen?'

'Ik wou het zeker weten.'

Hij reageerde niet meteen. Ze wou het zeker weten...? Ze wilde het houden, dat was het. Hoe langer de zwangerschap, des te moeilijker werd een abortus waarschijnlijk. 'Je kunt het volgens mij nog best weg laten maken.' Het leek hem het beste om het zo direct mogelijk te zeggen.

'Wat?'

'Je kunt het nu nog weg laten maken.'

Ze schudde haar hoofd.

'Schat, ik ben getrouwd. Met Sylvia heb ik al twee kinderen.'

'Ja, dat heb je vaak genoeg verteld als je weer 'ns niet op kwam dagen of niks wilde afspreken.'

Eddie besloot hier niet op in te gaan. 'Wíj tweeën kunnen niet samenwonen. Ik zou het wel willen, maar het kan niet. En dan zit je hier alleen met een kind, dat wordt toch niks?'

'Waarom wel met Sylvia twee kinderen en geen kind met mij?' Anouk zat nu rechtop. De bliksem straalde uit haar ogen.

'Ik ben nou eenmaal met haar getrouwd.'

Het was of ze hem niet had gehoord. 'Je houdt dus meer van haar dan van mij.'

'Natuurlijk niet. Daar gaat het helemaal niet om, Noekie.'

'Je wilt me niet meer, Eddie. Ik heb een kind van je, hier, in m'n lichaam, in m'n buik. Dat is iets van ons samen, dat hebben wij gemaakt! Dan heb ik eindelijk iets samen met jou, iets voor ons tweeën. Dat laat ik nooit van m'n leven weghalen.'

'Maar zoals 't ging, was het toch perfect tussen ons.' Eddie vloekte inwendig, maar hij probeerde rustig en overtuigend te spreken. 'Je maakt het nu alleen maar ingewikkeld.'

'Je houdt helemaal niet van me.' Ze zat nu te snikken. Dat verdomde laatste redmiddel van vrouwen. Als ze niet gelijk kregen, begonnen ze te janken. Tranen in plaats van argumenten.

'Ik hou wel van je, Noekie, echt wel.'

'Je hebt me alleen maar om mee naar bed te gaan.' Anouk

huilde nu met lange, gierende uithalen. Na een tijdje kon ze weer iets zeggen. 'Je hebt me alleen maar om mee te neuken, als het je uitkomt... als je toevallig tijd voor me hebt of zin in me hebt, en verder niks, helemaal niks.' Ze kwam wankelend overeind en verdween met onvaste passen in haar slaapkamer.

Eddie keek de kamer rond. Nu zou hij moeten besluiten of hij haar zou volgen. Of hij haar zou troosten en zich neerleggen bij wat onvermijdelijk leek. Hij kon haar niet dwingen om het weg te laten halen. Nog een kind, en dan bij Anouk... Alles werd hopeloos ingewikkeld.

Anouk had de deur van de slaapkamer open laten staan. Vanaf de bank kon Eddie zien hoe ze zich snikkend voorover op het bed had laten vallen. Toen wist hij het zeker: ze probeerde hem te chanteren met dat kind. Bewust had ze zich zwanger laten maken. Ze was erop uit geweest om hem voor het blok te zetten.

De telefoon ging over.

'Spreek ik met de moeder van Yuri Kronenburg?'

'Is er iets met hem?' Met moeite slaagde ze erin de woorden uit haar luchtpijp te persen.

'Nee, niet ernstig,' klonk het van de andere kant. 'U hoeft niet te schrikken. Hij is niet gewond of zo. Maar ik zou graag willen dat u even naar school kwam. Straks misschien. Zou dat kunnen?'

'Met wie spreek ik dan?'

'Met Laurens... Laurens Volmer, sorry dat ik dat niet gezegd heb. Ik ben de directeur.'

Auto-ongelukken, ernstige valpartijen, een brand, gillende ambulances, rennende artsen, infusen, beelden uit ER, een Belgische ziekenhuisserie, alles schoot in een paar seconden door Sylvia's hoofd, ondanks Volmers geruststellende woorden.

'Kunt u dan straks even op school komen? Ik wil graag iets met u bespreken.'

'Dat is goed. Yuri heeft toch geen ongeluk gehad of zo?'

'Nee, dat zeker niet. Maar ik zie u straks? Zullen we zeggen om twee uur?'

Het was nu kwart over een. Ze liep door het huis, verplaatste een stoel, zette hem weer terug, bladerde even door de krant, maar slaagde er niet in veel te begrijpen van wat er stond. Verkiezingen, hypotheekrenteaftrek, AOW... er drong niets tot haar door. In de slaapkamer bracht ze nieuwe make-up aan. Nog maar vijf over halftwee. Irina was vanmorgen geweest en alles in huis was brandschoon. Als ze ging lopen, was ze mooi op tijd bij de school.

Nadat ze had aangebeld, kwam de directeur zelf naar de deur. Hij gaf haar een hand.

'Wat is er?' vroeg ze. 'Wat is er met Yuri?'

'Komt u even mee?'

Ze liepen door de gang van de school. Sylvia hoorde geroezemoes en daarbovenuit een paar heldere kinderstemmen. Er lag een jas op de grond, die Volmer opraapte en aan een haak hing.

'Zo, komt u binnen, gaat u zitten. Iets drinken?'

Sylvia schudde haar hoofd.

'Tja... het is allemaal niet zo leuk. Hoe moet ik het zeggen?' Volmer keek om zich heen alsof hij hoopte dat er iemand kwam om hem bij te staan. 'Nou ja, hij moest met Rogier wat opruimen in de bibliotheek. Toen heeft hij Rogier op de uitkijk gezet, en is hij de jassen in de gang afgegaan. Twee portemonnees en wat los geld heeft-ie eruit gehaald. Een collega, Erna, kwam net haar lokaal uit en die heeft hem betrapt.' Volmer pauzeerde even, terwijl hij Sylvia fronsend aankeek. 'Hier zijn we niet echt blij mee, dat begrijpt u wel. Pure diefstal.'

Sylvia verborg haar gezicht in haar handen.

Ze hoorde hoe Volmer naast haar kwam staan. 'Een glaasje water?'

'Nee, dank u. Het gaat wel weer.' Ze ademde een paar keer diep in en uit.

Volmer ging achter zijn bureau zitten. 'We zullen hier verder geen werk van maken, maar u beseft natuurlijk dat we dit niet kunnen tolereren.'

'Dank u. Ik begrijp het niet... Yuri...'

'Voor ons als school is dit niet prettig. Slecht voor de sfeer... over zoiets wordt gepraat... door de kinderen, door de ouders. Die van Rogier zullen het zeker niet op prijs stellen, dat Yuri hem bij zoiets betrokken heeft. Dief en diefjesmaat, daar komt het toch op neer.'

'Yuri heeft nooit iets gestolen,' zei ze, 'thuis ook niet. Het is helemaal niks voor hem. Eigenlijk is het een hele lieve jongen.'

'Maar hij heeft iets gedaan wat absoluut niet door de beugel kan. Laatst al een vechtpartij, nota bene met dezelfde Rogier. Ik weet niet of het door Yuri's achtergrond komt, maar...'

'Zijn achtergrond?' Sylvia keek Volmer onderzoekend aan.

'Nou ja... eh, wij horen weleens iets.'

'Wat hoort u dan?'

'Laten we zeggen dat er geruchten gaan over Yuri's vader. Geen positieve geruchten, dat is duidelijk, over de manier waarop hij... eh, waarop hij zijn geld verdient.'

Bijna tegen haar zin voelde ze zich geroepen om Eddie te verdedigen. 'Hoe bedoelt u?' vroeg ze scherp.

'Moet ik het werkelijk nog verder uitleggen? Het is toch alleen maar pijnlijk als ik het moet hebben over zogenaamde illegale praktijken. Dat willen we liever...'

'Yuri's vader is geen directeur bij Philips en hij heeft geen mooie baan op het hoofdkantoor van een bank, maar hij heeft nooit in de gevangenis gezeten, als u dat soms bedoelt,' onderbrak Sylvia. 'Hij is nooit veroordeeld, nooit verdachte geweest, dus ik weet niet waar u het over heeft. Dit is niks anders dan roddel... zwartmakerij, dit hoef ik niet te accepteren!'

Volmer schraapte zijn keel. 'Goed, laten we dit onderwerp afsluiten. Ik wilde alleen zeggen dat ik me zorgen maak om Yuri. Het is mede onze taak om kinderen op het juiste spoor te houden, en dat kan alleen als dat van huis uit ook gebeurt.'

De directeur kwam achter zijn bureau vandaan en liep met Sylvia mee naar de deur.

'Ik kom er wel uit.' Ze negeerde Volmers uitgestoken hand.

Toen Yuri en Daphne naar bed waren, was ze er tegen Eddie over begonnen, maar het was net of hij met zijn gedachten ergens anders was. 'Het waait wel over,' had hij gezegd. Alles wat ze zei, leek bij hem over en weg te waaien. Stof in de wind, meer was het niet. Ze had voorgesteld de kinderen op een andere school in te schrijven, en volgens Eddie moest ze dat dan maar doen. 'Interesseert het jou niet?' Ja, natuurlijk wel, maar hij had het nu te druk, en zij zou dat best in haar eentje kunnen afhandelen.

Gelukkig had ze die middag Madeleine niet onder ogen hoeven komen, maar rond vier uur had die opgebeld. Zelden had Sylvia zo'n moeizaam telefoongesprek gevoerd. Zelf had ze benadrukt dat het alleen maar twee jongens waren die elkaar een beetje hadden opgejut. 'De een wilde niet onderdoen voor de ander.' Maar Madeleine was het daar niet mee eens. Volgens haar had Yuri het initiatief genomen, en was Rogier alleen een meeloper geweest. Yuri had hem eigenlijk gedwongen. 'Ik wil niet dat Rogier nog langer omgaat met je zoon. Dat heb ik hem verder verboden.'

Sylvia keek op de televisie naar een programma waarin de woonkamer van mensen een complete *makeover* kreeg in hun afwezigheid. Een interieur met veel frutsels, schilderijen en lampjes was strakgetrokken alsof er een plastisch chirurg aan de gang was geweest. Twee muren waren cyclaamkleurig geschilderd. 'Ja, heel apart,' zei de vrouw toen ze voor het eerst weer in haar kamer stond, maar je zag de pure paniek in haar huilerige ogen. Haar man – zo te zien een goeie lobbes – legde een hand op haar schouder. 'Als je er eenmaal aan gewend bent, dan zal je zien hoe mooi je het vindt.' Maar Sylvia wist dat sommige dingen nooit wenden. Ze werden alleen maar erger.

Tegen elf uur ging ze naar boven. Eddie bleef beneden omdat hij iets moest uitzoeken. Ze had niet gevraagd wat dat was, omdat hij toch al een gespannen indruk maakte.

Langer dan normaal bleef ze in de badkamer. Ze bekeek haar lichaam van alle kanten, probeerde het verval en de achteruitgang in beeld te krijgen. Je moest eerst weten wat er aan de hand was voor je er iets aan kon doen. Ze ging op de weegschaal staan: 61 kilo. Het lukte maar niet om onder de zestig te komen. De computer was terug en gister had ze weer eens op internet gekeken. *Slimming drops*, dat leek haar wel wat. Ze had een deel van de tekst uitgeprint, en pakte de papieren uit haar eigen 'slankkastje' zoals ze dat noemde en las de tekst nog eens door. 'Slimming drops is dusdanig samengesteld dat uw energieniveau op peil blijft, terwijl uw spijsvertering en calorieverbranding continu worden gestimuleerd, waardoor u ongemerkt afslankt.' Zo'n flesje kostte bijna negentig euro. Maar Julia Roberts was er tien kilo door kwijtgeraakt, en Sean Connery zeventien volgens de informatie op de website.

Sylvia bestudeerde het profiel van haar lichaam opnieuw in de lange spiegel op de deur van de badkamer. Ze probeerde haar buik iets in te trekken terwijl ze haar adem inhield. Toen ze weer uitademde, verscheen er iets over haar eigen beeld heen. De contouren van Yuri kwamen langzaam opzetten, Eddie pakte hem stevig bij een arm en zei hem iets. Yuri knikte. Hij begreep het kennelijk. Auto's die over straat scheurden. Politie... media. *Hart van Nederland*. Een fotootje van Yuri, dat onverwachts tot leven kwam.

Sylvia sloot haar ogen en tastte naar haar kamerjas. Toen ze op de gang stond, ging de straatdeur open en dicht. Ze bleef even staan en hoorde daarna de stemmen van Eddie en Charly.

Mensen zoals Charly, daar zou Eddie niet meer mee om moeten gaan. Dit moest eindelijk eens een keer afgelopen zijn.

Even twijfelde ze, maar toen ging ze de trap af naar beneden, haar kamerjas dichttrekkend. Voor de deur van de huiskamer bleef ze staan, omdat ze twijfelde aan het vervolg. Eddie de les lezen, Charly het huis uit werken? Of misschien alleen een scène maken.

Ze kon Eddie horen lachen. 'Nee, Frans heeft niks in de gaten. Straks is die container zomaar leeg.'

Het bleef even stil in de kamer. Sylvia wist ongeveer wat de inhoud van die container moest zijn. Frans had er iets mee te maken, haar oude vriend, de cd-koning. Daarom was hij natuurlijk laatst hier geweest. Dat bezoekje was niet zomaar voor de gezelligheid.

'Dat heb je dus in Zeebrugge geritseld?' vroeg Charly.

'Natuurlijk, dat heb ik je toch al verteld. Geen enkel probleem.'

'En het is zijn risico?'

'Ja, dat heb ik met hem afgesproken, want hij weet 't: hoe groter zijn risico, des te hoger zijn winst. Maar ja, jammer als zo'n container geript wordt. Kunnen wij ook niks aan doen. Wij staan machteloos!'

Weer gelach, nu van alle twee. Sylvia wilde zich al terugtrekken.

'En waar zijn die spullen nu naartoe?'

'Dat hebben ze in België geregeld, zunne... Doorverkocht naar Frankrijk. Lille, geloof ik. Heeft toch aardig wat opgeleverd. Effe pissen.'

Sylvia vluchtte naar boven voor Eddie de gang op kwam.

11

Na dat ene telefoontje had Sylvia de moeder van Rogier niet meer gesproken. Op het schoolplein had ze haar steeds weten te ontlopen, waarbij ze één keer een boze, wegdraaiende blik opving. Met Yuri had ze een serieus gesprek gehad. Ze kon er niet goed achter komen of hij zich schuldig voelde en spijt had. 'Ik zal het niet meer doen,' zei hij op stugge toon, zijn ogen naar beneden gericht. Het was niet duidelijk wat hij wist van de activiteiten van Eddie, en ze durfde er niet op in te gaan. Maar altijd was er de vrees dat hij Eddies kant zou kiezen; de jongen die zijn vader ziet als het voorbeeld dat hij zou moeten en willen navolgen. Zo vader, zo zoon. Misschien zat het al in zijn karakter, en werd dat door Eddie versterkt. Als het op deze manier ging en Yuri ook nog verkeerde vrienden kreeg, wie weet wat haar dan allemaal te wachten stond. Als ze maar even doorfantaseerde, zag ze haar zoon voor de kinderrechter staan of opgenomen worden in een of andere jeugdinrichting. Alles moest ze eraan doen om dat te voorkomen. Maar wat? Hoe?

Ze had met een paar scholen in de buurt gebeld, maar die vroegen eerst waarom ze nu, een paar maanden na het begin van het schooljaar, zo'n verandering wilde. Waren er soms problemen? Konden ze bij de huidige school van haar kinderen informatie opvragen? Sylvia had gezegd dat ze zich alleen wilde oriënteren. Hier, in deze buurt, leverde haar zoektocht waarschijnlijk niets op. Een echte, radicale verhuizing, dat was het enige dat zou helpen. Weg. Weg van hier. Vooral weg van Eddie. Maar als ze eraan dacht wat ze daarvoor moest doen, sloeg de angst haar om het hart. Een ander huis, werk, geld, verdeling van hun spullen, afspraken over een omgangsregeling.

Vanochtend had ze de meeste herfstkleren opgeborgen, en een paar truien en broeken uit de kast getrokken. Eén broek kwam gekreukeld tevoorschijn. Ze pakte strijkplank en strijkijzer, hoewel ze ook aan Irina kon vragen om het te doen. Met de bout in haar handen kroop er een gewelddadige fantasie haar hoofd binnen. Eddie lag op bed te slapen, zich nergens van bewust. Langzaam en geluidloos sloop ze dichterbij, stond naast hem, hief de strijkbout omhoog, met de punt naar beneden. Ze werd bang van zichzelf.

Om alles kwijt te raken, had ze zich op de sportschool zwaar afgebeuld op de crosstrainer. Het was dodelijk saai en vooral dodelijk vermoeiend, maar het moest. Van wie wist ze niet, maar het moest. Ze zat nu thuis met een glas Spa, een kommetje magere kwark en een mandarijn. Eddie was weer de deur uit. Ze had hem gevraagd over het pand op de Ceintuurbaan, maar hij was er niet aan toe gekomen, veel te druk.

De telefoon ging.

'Hallo.' Ze had al jaren geleden van Eddie geleerd om niet meteen haar naam te noemen.

'Met Floor. Ben jij 't, Sylvia?'

'Ja, natuurlijk. Hoe gaat het ermee?' Meteen voelde Sylvia zich schuldig dat ze zo lang geen contact had gezocht.

Floor vertelde over de zaak, die goed liep, maar waar ze haar handen vol aan had, vooral nu een van haar kapsters ontslag had genomen omdat ze verhuisd was naar Utrecht. Eigenlijk geen tijd om na te denken over Johan. Die woonde nu ergens in Groningen met zijn nieuwe vriendin.

'Ik moet gauw 'ns bij je langskomen,' zei Sylvia. 'Kunnen we een beetje bijpraten.'

'Goed idee. Waarom kom je morgen niet?'

'Doe ik. Ik heb toch tijd genoeg.'

'Gezellig. Hoe gaat 't eigenlijk met jou? De laatste keer dat ik je sprak... je weet wel, we zijn toch naar de Bijenkorf geweest, toen had je het over al je problemen met Eddie, met wat-ie... nou ja.'

Sylvia begon over de kinderen, over hun school, de judolessen van Yuri, het ballet van Daphne, over Eddie die het heel druk had.

Floor onderbrak haar. 'Ja, dat zal allemaal best. Maar ik vroeg hoe het met joú ging.'

'Maar dat kan verdomme helemaal niet!' zei Frans met een jankerige stem. Zo treurig had Eddie hem nog nooit gezien. Als hij erg zijn best deed, zou hij bijna medelijden krijgen.

'Het kan dus wel. Die dingen gebeuren soms.' Eddie hield Frans zijn pakje Marlboro voor, maar die schudde zijn hoofd. 'Ik heb 't je duidelijk genoeg verteld. Het risico was voor jou, dat wist je.'

'Fuck... fuck... fuck.' Frans sloeg bij elke 'fuck' met zijn vuist keihard op het dashboard. 'Jij had gezegd dat het safe was.'

'Ja, maar niet honderd procent. Het is nooit honderd procent in deze business. Dat hoef ik voor jou toch niet meer uit te tekenen.'

Frans hield de handen voor zijn gezicht. Eddie meende hem te horen huilen.

'*You win some, you lose some.*' Eddie stak een sigaret op.

Frans wreef over zijn ogen en haalde zijn neus op. Hij vloekte. 'Wat moet ik nou? Hier had ik alles op gezet. Dit moest een grote klapper worden, dit was mijn kans, mijn enige kans, mijn laatste kans. Ik heb alleen maar schulden, verder niks.' De stem van Frans werd steeds wanhopiger, zijn mond stond in een vreemde grimas. 'En jij hebt het verknald! Jij hebt het hartstikke verkloot!'

'Ik? Natuurlijk niet. Ik vind 't hartstikke lullig voor je, maar je wist waar je aan begon. Je kent deze handel.'

Het was of Frans hem niet wilde horen. 'Eerst die hufters van DigiDeli, en nou jij.'

Eddie acteerde verontwaardiging. 'Ik?'

'Ja, jij.'

'Hé, wacht 'ns effe, je gaat hier niet zomaar mij een beetje zitten beschuldigen. Ik heb geprobeerd jou te helpen, en dat is niet gelukt... jammer.'

'Jammer... jammer? Ik ben kapot, man, failliet... niks meer, geen cent... afgelopen!'

'Hoe kon ik nou weten dat die shit zou worden geript?'

Het bleef even stil. 'Ga je er wat aan doen?' Er klonk een sprankje hoop door in de stem van Frans.

'Tja, wat kan ik doen? Natuurlijk heb ik hier en daar gevraagd, een paar mensen onder druk gezet. Ook in Zeebrugge, natuurlijk, maar die stomme Belgen weten geen moer.'

'Ik móét dat geld terug hebben.'

'Ga 't dan maar zoeken. Ik heb alles al geprobeerd.'

'Tsjeses... hoe moet ik het tegen Annemiek vertellen?' Weer die snik in de stem van Frans.

'Wist ze dat je hiermee bezig was?' vroeg Eddie.

'Nee, natuurlijk niet. Jij vertelt dit soort dingen toch ook niet aan Sylvia?'

Eddie schudde zijn hoofd.

'En hierover?' Frans haalde even zijn neus op. 'Je hebt haar toch niet over deze deal verteld, dat ik klem zat, dat ik moest investeren?'

'Nee... heeft ze niks mee te maken. Dat zijn haar zaken niet... nooit geweest ook.'

De tranen liepen Frans over de wangen. Er kwam nu een gierend geluid bij. 'Annemiek!' Het klonk als een schreeuw van wanhoop. 'Hoe moet het nou verder?'

Dit was typisch Frans. Vroeger kon hij ook al zo dramatisch doen, maar Eddie had nooit begrepen hoe een man zich op deze manier kon laten gaan.

Sylvia probeerde tevergeefs over de auto's voor haar te kijken wat er aan de hand was. Kwart over tien. Ze had Floor al gebeld dat ze later zou komen. Naast haar stond een Lexus, net zo een als die waarin Eddie reed. Er zat een keurige zakenman achter het stuur. Zo zou Eddie ook moeten worden. Hij had haar weliswaar bezworen dat hij bezig was alles af te ronden, maar dat deed hij nu al drie, vier weken, en ondertussen leek er niets te veranderen.

Ze drukte het gaspedaal weer in. Af en toe kwamen er onduidelijke telefoontjes. Soms moest Eddie 's avonds de deur uit, 'om iets te doen', zoals hij altijd zei. Op de radio werd 'Crazy' gedraaid, de zomerhit die ze in augustus op Aruba tientallen keren had gehoord. 'Maybe I'm crazy,' zong ze mee. 'Maybe you're crazy, maybe we're crazy.'

Opnieuw stonden ze stil. Ze vroeg al niet eens meer wát hij dan moest doen. Deals natuurlijk, transporten, overdracht van geld. Eén keer was zij met geld naar Luxemburg geweest, toen Eddie helemaal tegen zijn gewoonte in met een zware griep in bed lag. Het was zo simpel als wat, en toch was ze bij de beide grensovergangen bang geweest dat er zomaar een douanier voor haar op zou duiken, waarna de auto zou worden doorzocht. Mevrouw, waar komen deze stapels bankbiljetten vandaan? Wat was u daarmee van plan?

Er kwam voorzichtig beweging in de rij auto's. Al dat geld... Het was onmogelijk dat het voor altijd goed bleef gaan, maar los daarvan: ze wilde het niet meer. Het beeld van die moeder met haar overleden zoon schemerde weer voor haar ogen. En Yuri die thuis opgehaald werd door de politie. Hij keek nog even om terwijl hij in de politieauto stapte.

Ze voelde een lichte schok, en stond stil. Een botsing. Klein, maar onmiskenbaar. Uit de oude Opel voor haar stapte een man, wiens blonde krullen wild heen en weer woeien in de heftige herfstwind. Hij liep naar de achterkant van zijn auto en schudde zijn hoofd, terwijl hij naar de bumpers leek te kijken. Sylvia sloot haar ogen. Zo stom om niet op te letten. Dit waren juist de situaties waarin dit soort achterlijke botsingen ontstonden. Debiel, mam! Dat zou Daphne zeggen, en ze had nog gelijk ook.

Sylvia stapte uit en probeerde zich op voorhand te wapenen tegen een scheldpartij. De man bleef staan kijken. Hij was een jaar of vijfendertig en droeg een spijkerbroek en daarboven een trui.

'Ik rij een klein stukje naar voren,' zei hij, 'dan kunnen we de schade wat beter bekijken.' Achter hen klonk getoeter. De man maakte een gebaar van 'rustig maar'.

Sylvia bleef staan, terwijl de Lexus naast haar langzaam optrok. De bestuurder had zijn raampje naar beneden gedaan en riep lachend: 'Vrouwen en auto's, het blijft een moeilijke combinatie!'

De man uit de Opel stond weer naast haar. 'Alleen de bumper. Verder niks aan de hand.'

'Moeten we geen formuleren invullen?'

'Heb je nog je no-claim?'

Ze knikte.

'Dan is het onzin.' Hij ging met zijn hand over een licht gedeukt stukje bumper. 'Het was alleen een klein kusje. Maar de volgende keer beter opletten.'

Ze reden in traag tempo verder, Sylvia achter de Opel. Eindelijk passeerden ze het ongeluk dat de file had veroorzaakt: één auto tegen de vangrail in de middenberm en een andere dwars op de weg daar weer tegenaan. Overal op het asfalt gebroken glas. Er stond al een ambulance, en Sylvia zag in een flits iemand achter het stuur van een van de gekreukelde auto's.

Ruim een halfuur te laat was ze bij Floor. Die stond een klant te knippen en knikte even naar Sylvia. Ze dronk koffie en keek wat in de bladen die op het tafeltje lagen. Misschien had ze deze sfeer, waarin ze een aantal jaren gewerkt had, gemist. Toen Daphne geboren werd en Eddie toch voldoende geld inbracht, was ze ermee opgehouden. De geluiden, de geuren van de kapsalon. Stemmen, een gesprek, gelach. In de *Viva* stond een artikel over vrouwen die vertelden over het moment dat ze 'de ware' tegenkwamen. Sylvia bladerde verder naar een stuk over argumenten voor vrouwen om hun baan op te zeggen. 'Echt geen baas meer hebben, blijkt net zo fijn als je zou denken.'

Floor rekende af met de klant en kwam naar Sylvia. Ze omhelsden elkaar.

Floor hield Sylvia een stukje bij zich vandaan en keek haar onderzoekend aan. 'Is er iets? Is er soms iets gebeurd of zo?'

'Nee, hoezo?'

'Sorry hoor, maar je hebt er weleens beter uitgezien volgens mij.'

'Nou ja, onderweg hiernaartoe had ik een kleine botsing,' zei Sylvia. 'In een file, heel stom natuurlijk. Maar niet ernstig, alleen een klein deukje in de auto. Zelf heb ik niks, en die ander ook niet.'

'Zijn we niet duidelijk genoeg geweest?'

'O ja, absoluut, van de eerste tot de laatste letter.' Eddie keek Marvin aan. Ze zaten in het café van het Marriott Hotel aan de Nassaukade, de vaste *hangout* van Marvin. Die paste slecht in deze omgeving, met zijn sjofele colbertje over een verbleekt houthakkersoverhemd. Eddie wist dat hij afgetrapte schoenen droeg onder een vaalgrauwe spijkerbroek, die al maanden geen wasmachine meer vanbinnen moest hebben gezien. Marvin... de naam deed misschien anders vermoeden, maar zijn gezicht leek op dat van een boerenknecht door zijn vlassig rooie haar, de waterige, blauwe ogen en de blosjes op zijn wangen. Alsof hij zo onder de koeien vandaan kwam en de mestgeur nog van hem af zou kunnen wasemen. Om het beeld compleet te maken, rookte hij zware shag. Van het buideltje dat voor hem op tafel lag, draaide hij nu een dunne, spijkerharde sigaret.

'Nou, als het zo duidelijk is,' zei Marvin, 'dan begrijp ik niet waarom je nog altijd op die markt bezig bent. Dat is toch zo?'

Eddie vroeg zich af hoe Marvin dat wist. Charly zou zijn mond houden, en voor Oscar en Daan stak hij ook zijn hand in het vuur, beide handen als het moest. Misschien had Marvin contact gehad met die Engelsen in Harwich. Het was in ieder geval zinloos om te ontkennen. 'Ja, klopt.'

'Dat betekent dat je op onze markt komt. Zomaar... ongevraagd, geen enkele uitnodiging, en dat is niet de bedoeling.' Marvin keek Eddie glimlachend aan. Zijn rode konen glommen bijna. 'Ik zou zeggen: schoenmaker, blijf bij je leest. Dat lijkt me goed voor je gezondheid.'

'Er is niks mis met m'n gezondheid. Nu niet en straks niet. Het is niet zo dat jij alles kunt bepalen.' Eddie had besloten om het hard te spelen. Als hij ooit verder wilde in deze wereld – en hij wilde niets liever –, dan moest hij nu niet terugtrekken. Marvin was gewend om te bluffen, maar Eddie zou zich niet laten kennen.

'O, is dat zo?' Marvin leunde nu weer ontspannen naar achteren. 'Goed om te horen, zeker van jou.'

Eddie dronk het laatste slokje koffie en stond op. 'Dan zijn we, geloof ik, uitgepraat.'

'Misschien. Misschien zijn woorden niet genoeg en moeten we het op een andere manier oplossen.' Marvin drukte zijn sigaret uit. 'Dit laat ik niet zomaar gebeuren. Het is slecht voor de business. Straks denkt de eerste de beste boerenlul dat-ie me zomaar kan piepelen.'

'Tot ziens, en bedankt voor de koffie.' Dat van die boerenlul vond Eddie wel leuk.

'Ik ga ervan uit dat je je eigen koffie betaalt.'

'Misschien heb ik daar net genoeg geld voor.' Eddie strooide wat kleingeld op het tafeltje.

Gisteren was het helemaal fantastisch geweest. Echt de goeie, ouwe tijd. Sylvia zat in de stoel en Floor was met haar haar bezig. Net zoals vroeger. De een had genoeg aan een half woord van de ander. Eigenlijk kende ze dat gevoel alleen met Floor en misschien met Rosalie, maar dan altijd minder. Floor had haar zaak, waar ze keihard voor werkte. Natuurlijk was het een enorme klap geweest toen Johan een ander bleek te hebben, maar ze had de salon nog, die was haar vaste basis. Ze had een forse lening afgesloten, maar het lukte financieel net. Ze kon voor zichzelf zorgen, voor zichzelf opkomen, daar had ze Johan niet voor nodig.

Tegen één uur waren ze ergens gaan lunchen. Daar had Sylvia alles eruit gegooid: haar onvrede, haar woede, maar ook haar angst en haar problemen met Eddies activiteiten. Eerder hadden ze altijd zoveel mogelijk om het onderwerp heen gecirkeld, misschien omdat het te pijnlijk was, maar nu leek het onontkoombaar. 'Hij zegt dat hij iets anders gaat doen, ander werk, maar ik geloof er niks van.' Floor had haar voorgehouden dat ze dat niet moest accepteren: 'Stel een ultimatum. Tot hier en niet verder.' 'Maar wat als hij er toch mee doorgaat?' Volgens Floor bleef er voor Sylvia dan maar één mogelijkheid over. 'Bij hem weggaan, bedoel je?' 'Ja, natuurlijk.' Sylvia vertelde over de drie dagen bij haar moeder. 'Misschien was dat een soort proefperiode,' had Floor gezegd. En toen wist ze het ook: een valse start was het geweest, misschien moest de echte wedstrijd nog beginnen.

De bel ging.

Sylvia schrok op en bleef even voor zich uit staren. Nadat de bel nog een keer gegaan was, liep ze naar de straatdeur en deed die zo ver open als de ketting toeliet. Er stond een vrouw op de stoep die ze niet kende; ze zag eruit als iemand die mannen vroeger een stuk of een spetter, en tegenwoordig een bimbo zouden noemen. In ieder geval had ze haar lippen laten doen, zag Sylvia in één oogopslag.

'Dit is toch het huis van Eddie Kronenburg?' De vrouw keek haar met grote, vragende, uitbundig opgemaakte ogen aan.

'Ja, van de familie Kronenburg,' zei Sylvia.

'Er staat niks bij de bel.'

'Waar komt u voor?' Sylvia voelde hoe een kleine kiem van wantrouwen in haar groeide.

'Ik zou even met je willen praten.'

'Praten... waarover?' Sylvia's nieuwsgierigheid won het voorlopig van haar tegenzin.

'Over Eddie.'

'Over Eddie?' Een buurvrouw kwam langslopen. Het was niet handig om dit gesprek zo bijna op straat voort te zetten.

'Ja, over Eddie en over jou... en over mij, natuurlijk.' De vrouw lachte een rij tanden bloot alsof ze een rol speelde in een tandpastacommercial. Toch leek ze vooral bloednerveus.

'Kom dan maar even binnen.' Ze deed de deur van de ketting en ging de vrouw voor naar de woonkamer.

'Laat ik me even voorstellen. Ik ben Anouk.'

Ongevraagd ging Anouk zitten op een van de lage stoelen. 'Het is een beetje moeilijk om te zeggen, maar ik... eh, ik heb... nou ja.' Ze maakte een gebaar van machteloosheid.

Sylvia had een vage notie van de kant die dit uit zou gaan. Natuurlijk veronderstelde ze dat Eddie een enkele keer vreemd was gegaan. Al die mannen en al die los-vaste verhoudingen, al die vrouwen die om hen heen cirkelden. Een paar jaar geleden had Eddie een keer bekend dat hij met een andere vrouw naar bed was geweest, nadat ze er iets over had gehoord van Esther. Een vergissing, had hij gezegd. Een feestje, te veel gedronken, en van het een kwam het ander. Het speet hem verschrikkelijk. Daarna had ze een paar keer de indruk gehad dat hij met een ander had geslapen, maar als ze erover begon, ontkende Eddie categorisch. Hij met een ander? O nee. Zij, Sylvia, was voor hem de enige, de ware.

''k Heb een relatie met Eddie,' mompelde Anouk.

'Hè?'

Anouk herhaalde haar woorden, nu iets beter gearticuleerd.

Sylvia kon alleen maar voor zich uit kijken.

'Al bijna een jaar,' ging Anouk door. 'Ik vind dat jij het moet weten. Daarom ben ik hier. Ik weet van jou, dus moet jij ook van mij weten. Lijkt me eerlijk.'

'Donder op,' zei Sylvia. De aanwezigheid van deze vrouw in haar eigen huis werd haar ineens te veel. De lucht die ze uitademde kwam uit haar binnenste, die had ze in haar longen verwarmd, en die bracht ze hier naar buiten om de atmosfeer te verpesten. Sylvia kreeg het benauwd als ze eraan dacht.

'We kunnen er toch over praten!'

Sylvia schudde haar hoofd. 'Oprotten... nu meteen.'

'Maar ik vind dat je ook moet weten dat ik zwanger ben... ik ben zwanger van Eddie. We krijgen samen een kind.'

12

De hele dag had Sylvia aan niets anders kunnen denken, haar hoofd zat er barstensvol mee, leek ervan over te stromen. Ze had geen boodschappen gedaan en was bijna vergeten om Yuri van school te halen. Gelukkig moest ze Daphne naar balletles brengen, en terwijl ze in de wachtruimte met een bekertje koffie zat, verdrongen de beelden van de vrouw elkaar weer. Maar niet alleen die van Anouk, vooral Anouk met Eddie, ook met een baby erbij, een knus en gelukkig trio. Eddies werk, de manier waarop hij zijn geld verdiende, voor haar en de kinderen, maar waarschijnlijk ook voor Anouk. Sylvia balde haar vuisten, keek naar haar vingers, waaruit het bloed was weggetrokken. Ze zagen er grauw uit alsof ze vuile handen had. Die zou ze houden, zolang ze zich in deze toestand bleef schikken. De koffie werd koud. Iemand moest haar aanstoten toen de les was afgelopen.

Thuis dronk ze een paar glazen water. Tegen zes uur bedacht ze dat ze de hele dag, na vanmorgen een appel, niets had gegeten. Toch leek ze bijna te moeten overgeven. Een paar keer probeerde ze Eddie te bereiken op het mobiele nummer dat ze van hem had, maar hij nam niet op en ze werd niet doorgeschakeld naar de voicemail. Ze had het al opgegeven, toen hij belde om te zeggen dat hij onverwachts nog ergens naartoe moest, en dat hij vanavond pas later thuis zou komen.

'Ik moet met je praten,' zei Sylvia.

'Daar heb ik nu echt geen tijd voor.'

Zonder hem er iets over te vragen veronderstelde ze dat hij die avond naar Anouk zou gaan. Al die avonden dat hij had gezegd te moeten werken, al die keren dat hij pas diep in de nacht in bed schoof, en misschien ook die onverwachte reisjes naar België of Engeland, waar hij 'voor zaken' heen moest. 'Het is belangrijk,' zei ze. 'Het gaat over ons.'

Dat wekte kennelijk niet zijn nieuwsgierigheid. 'Vanavond, als ik thuiskom, maar dat kan laat worden.'

'Nee Eddie... nu!'

'Luister, Syl. Ik heb nu echt geen tijd. Vanavond... ik zal zorgen dat ik niet te laat ben.'

'Verdomme, Eddie, je moet...'

De lijn was dood. Minutenlang bleef ze met de hoorn in haar hand zitten, tot hij bijna tussen haar vingers vandaan gleed.

Ze liet pizza's bezorgen voor de kinderen. De woorden van Floor echoden door haar hoofd. Toen Daphne en Yuri eenmaal naar bed waren, ging ze op de bank liggen. Ze had nog niet besloten wat ze zou doen. Dat hing ook van Eddies reactie af. Misschien was het niet waar, wat die Anouk gezegd had. Misschien was het een zielig, hysterisch mens dat Eddie vaag kende, en dat zo probeerde wat aandacht te krijgen. Sylvia deed haar uiterste best om het dunne vlammetje van de hoop wat meer op te laten flakkeren, maar dat leek onbegonnen werk. De vrouw was weggegaan toen Sylvia haar het huis uit probeerde te schreeuwen. Ze had iets gezegd over verstandige mensen, die op een volwassen manier dit soort dingen oplosten.

Langzaam zakte ze weg in een onrustige slaap. Hijgend en bezweet werd ze wakker na een droom waarvan ze zich alleen vaag iets kon herinneren. Ze had in ieder geval voor haar leven moeten rennen. Het duurde enkele minuten voor ze weer rustig kon ademen. Kwart over een, Eddie was nog altijd niet thuis.

Sylvia haalde een fles witte wijn uit de keuken, schonk een glas in en zette de televisie aan. Eerst keek ze naar een herhaling van het nieuws. Daarna zapte ze door naar Teleshop. Met fitnessapparatuur, speciale frituurpannen, uitbouwserres, digitale fototoestellen, push-upbeha's, weer fitnessapparatuur, pakken dieetvoeding en een nieuw type sapcentrifuge probeerde ze zich te verdoven. En met wijn. Ze schonk een derde glas in, dat ze met haastige slokken opdronk, alsof ze nog snel ergens naartoe moest.

Twintig over twee. Misschien bleef Eddie bij haar. Misschien lagen ze nu met elkaar te vrijen. Of hij zat naast haar met een hand teder op haar buik. Sylvia bestudeerde het etiket van de fles: Chablis. Eddie deed het niet voor minder. De alcohol leek haar niet te raken; haar geest bleef compleet helder, ze zag alles scherp voor zich.

Ze werd wakker omdat Eddie tegen haar arm tikte. 'Wat doe je nou, schat? Waarom lig je niet in bed?'

Licht kreunend kwam ze overeind.

Eddie pakte de bijna lege fles van het tafeltje. 'Je hebt gedronken. Laten we naar bed gaan, het is al drie uur geweest.'

'Waar was je?' vroeg ze.

Hij reageerde niet.

'Waar?' Ze schreeuwde nu bijna.

'Met Charly naar Breda, als je het zo graag weten wilt.'

Dit was natuurlijk een leugentje. Weer zo'n verhaal over een afspraak met Charly ver buiten de stad. Gegarandeerd was hij bij die opgepimpte hoer van hem geweest. Maar die had waarschijnlijk niet verteld dat ze zich hier vertoond had, anders zou Eddie zich nu anders gedragen. 'Waar in Breda?' vroeg ze. 'Bij wie?'

Eddie keek haar aan of hij met een dreinend kind te maken had. 'Bij Bas Hertelink. Je kent hem niet. Wil je het adres, zijn telefoonnummer?'

'Wat doet die Bas Hertelink? Waarom moesten jullie daarnaartoe?'

Eddie ging nu pas zitten, naast haar op de bank. 'Die man heeft vier zaken in Breda, en in de rest van Brabant begint-ie ook een poot aan de grond te krijgen. En wij gaan hem leveren. Hij wordt, zoals-ie dat zelf noemt, onze regionale agent.' Eddie schonk de laatste wijn in een glas, dronk dat in een paar teugen op en pakte een sigaret.

'Mag ik er ook één?'

'Maar je rookt al langer dan drie jaar niet meer!'

Zonder te antwoorden haalde ze een sigaret uit het pakje en stak hem aan. Heerlijk, die gore smaak in haar mond. Die kon haar niet smerig genoeg zijn. 'Volgens mij ben je bij Anouk geweest,' zei ze.

'Wat? Bij wie?'

'Je hoorde me wel. Volgens mij ben je bij Anouk geweest, je neukvriendinnetje, die hoer met die opgeblazen lippen.' Ze drukte de sigaret zo krachtig mogelijk uit, alsof ze de asbak door het glazen tafelblad wilde duwen.

'Anouk? Ga weg, zeg, dat stelt helemaal niks voor.'

In één vloeiende beweging kwam Sylvia overeind, dook boven op Eddie, en begon met haar vuisten op zijn schouders, zijn borst en zijn armen te timmeren, tot hij haar in een ijzeren greep omklemde.

'Ben je nou helemaal hartstikke gek geworden?'

Toen hij haar losliet, viel ze willoos op de bank. Eddie kwam overeind en boog zich over haar heen. Ze schopte naar hem, maar miste zijn been ruimschoots.

'Waar ben je eigenlijk mee bezig?' vroeg hij.

'Waar ben jíj mee bezig?' Ze keek naar hem; zijn gezicht was vervormd in een vreemde, onnatuurlijke grijns.

'Jij haalt je van alles in je kop,' zei Eddie, 'allemaal onzin. Ik zie die Anouk af en toe. Dat is begonnen toen jij zo nodig naar je moeder moest. Had je maar niet weg moeten gaan.' Hij keerde haar zijn rug toe en liep naar de gang.

In een wilde opwelling kwam Sylvia overeind en sprong op zijn rug, met haar armen om zijn hals geslagen. 'Je liegt, je liegt dat je barst!'

Eddie slingerde haar van zijn rug. Met haar rechterheup sloeg ze tegen een stoel voordat ze, kermend van de pijn, op de grond viel.

'Dat heb je er nou van,' zei Eddie. Hij liep naar de drankkast en schonk zich een glas whisky in. 'Altijd dat stomme gedoe van je. Probeer ik dingen een beetje goed te regelen en dan...'

'Regelen, regelen,' jankte ze, terwijl ze nog op de grond lag. 'Met die Anouk van je heb je het zeker ook goed geregeld voor als ze een kind krijgt, jullie liefdesbaby.' Het woord, daar walgde ze van; het idee, daar ging ze helemaal van over haar nek.

Eddie verslikte zich in zijn whisky. Hoestend ging hij op de bank zitten. 'Godverdomme.'

Sylvia ging zitten. Haar lichaam deed overal pijn, maar het concentreerde zich in haar rechterheup. 'Ze is hier geweest.'

'Wat?'

'Ze is hier geweest, ze heeft alles verteld... dat ze al bijna vier maanden zwanger is. Jullie hebben al veel langer een relatie. Weer zo'n kutsmoes van je om te zeggen dat je pas met haar wat begonnen bent toen ik weg was, toen ik gevlucht was.'

Eddie dronk van zijn whisky en stak een sigaret op. Ze kon zien hoe het broeide en borrelde in zijn hoofd.

'Hoe ga je dat eigenlijk doen?' vroeg ze, met een opgelegde, veel te zorgeloze klank in haar stem. 'De halve week hier en de rest van de week bij haar en de baby? Was je zoiets van plan?'

Eddie antwoordde niet.

'Ik accepteer het niet, als je dat maar weet.'

'Wat wou je dan doen?'

'Ik wil dat je haar nooit meer ziet, dat je straks niks meer met haar te maken hebt, en zeker niet met dat kind van haar, met die baby. Nooit meer, hoor je dat? Nooit meer!' Ze schreeuwde de laatste woorden uit.

'De kinderen liggen te slapen,' zei Eddie.

'O, nou zeker bezorgd om de kinderen. Weten die meteen dat ze er een halfbroertje of halfzusje bij krijgen. Chill, vet cool, hartstikke leuk, vooral voor mama.'

Eddie dronk de laatste teug whisky uit zijn glas en stond op. 'Morgen hebben we het er wel over. Er valt met jou nou toch niet meer te praten.'

'Nee? Valt er met mij niet meer te praten? Nou, er valt met mij verdomd goed te praten. Ik zie het allemaal nog heel helder... een stuk helderder dan jij in ieder geval.'

Eddie keerde haar zijn rug toe.

'Hoeveel betaal je eigenlijk voor die hoer van je?'

Eddie draaide zich weer om. 'Ze is geen hoer. Wat moet je eigenlijk met die asbak?'

Sylvia liet de zware, kristallen asbak die ze kennelijk gepakt had, op het tafeltje vallen. Er schoot een ster in de glazen plaat.

'Moet je nou kijken wat je doet.' Eddie wees naar het beschadigde tafelblad. 'Dat kost een smak geld.'

'Hoeveel heb je al betaald voor de plastisch chirurg? Heeft ze ook haar tieten laten doen? Vast wel.'

'Voorlopig ben jij nog nooit wat tekortgekomen,' zei Eddie. 'Ik heb altijd voor geld gezorgd, veel geld, maar bij jou is het nooit goed, jij hebt altijd wat te mekkeren en te klagen. Daar word ik helemaal gestoord van.' Hij liep de gang in. Sylvia hoorde hem de trap op gaan.

De matras op het logeerbed was verdomme te zacht. Eddie draaide zich op zijn rechterzij, maar binnen een paar minuten voelde het net of er een rare kronkel in zijn lichaam zat. Shit, wat had Noekie gedaan! Stomme muts. Het was nergens voor nodig. Misschien waren het die hormonen, een soort drang die ze niet had kunnen weerstaan, en die haar naar de Van Eeghenstraat gedreven had.

Hij ging op de rand van het bed zitten. Het was niet uitgesloten dat het allemaal heel weloverwogen en gepland was, en dat er geen sprake was van een spontane opwelling. Misschien had ze bewust een risico genomen. Er waren nu voor hem twee mogelijkheden. Of hij liet haar zitten, omdat Sylvia dat eiste, of hij ging van Sylvia af en Anouk had hem helemaal voor zichzelf. Waarschijnlijk gokte ze op dat laatste. Daarom was ze natuurlijk zwanger geworden en daarom was ze ook naar de Van Eeghenstraat gekomen: in de hoop dat Sylvia hem zou dumpen. Eigenlijk had hij willen wachten tot morgenochtend, maar hij pakte zijn mobieltje en toetste haar nummer in. Eerst dat van haar vaste telefoon, maar die werd niet opgenomen. Daarna probeerde hij haar mobiel.

'Hallo,' klonk het slaperig, nadat het toestel een paar keer was overgegaan.

'Ik ben 't, Eddie.'

'Eddie... Hoe laat is 't? Shit, bijna halfvijf! Waarom bel je zo laat? Ik lag net lekker te slapen.'

'Je bent hier geweest... je hebt met Sylvia gepraat.'

'Ja, ik vond dat ze het moest weten.'

'Dat was toch nergens voor nodig!'

'Ik wist van haar en dus moest zij ook weten van mij. Ik wist van jullie kinderen, dus dan moest ze ook van ons kind weten. Zo simpel is dat.'

Simpel... simpel. Hij was een paar seconden sprakeloos. 'Maar het is hier thuis nu een bak vol ellende,' zei hij ten slotte, 'helemáál niet simpel, echt dikke shit, dat kan ik je wel vertellen. Ik lig hier nu in het logeerkamertje en...'

'Je had toch naar mij kunnen komen?' Haar stem had die kirrende en tegelijk zwoele ondertoon, die hem meteen in zijn onderbuik raakte. 'Het was toch lekker vannacht? Daar hadden we best mee door kunnen gaan. Als ik aan jou denk, krijg ik zo weer zin.'

Eddie zuchtte.

'Wat is er?' vroeg Anouk.

''t Is echt oorlog. Je had niet hier moeten komen, en zeker niet vertellen dat je zwanger bent. Syl viel me bijna aan. Ze ging echt helemaal over de rooie.'

'Dat ze zo hysterisch doet, dat is mijn schuld toch niet?'

Eddie stak een nieuwe sigaret op en blies de rook uit. Even zag hij zich op een vrijdag naar Anouk spoeden, die hem al opwachtte met een baby in haar armen, een huilende baby waarschijnlijk. Na het weekend terug naar de Van Eeghenstraat, en over de welkomstwoorden van Sylvia dacht hij maar liever niet na. Bij Sylvia blijven en tegelijk doorgaan met Anouk, zou dat mogelijk zijn?

'Hallo, schat, ben je er nog?'

Ze had Yuri naar school gebracht en tegen de conciërge gezegd dat ze vanmiddag niet haar werk in de bibliotheek kon komen doen. Omdat ze naar de dokter moest, had ze verzonnen. De man keek haar aan alsof hij haar niet geloofde. Vermoedelijk had hij ook allerlei verhalen gehoord en uiteraard wist hij wat Yuri onlangs had gedaan. Ze had wat boodschappen in huis gehaald. Op het schoolplein had ze de blikken van een paar ouders genegeerd. Of eigenlijk keken die ouders van haar weg, maar daar ging het juist om. Eddies auto stond voor de deur. Waarschijnlijk lag hij boven in bed. Gelukkig had hij al bedacht dat zij hem niet in hun slaapkamer zou kunnen dulden. Sylvia deed alles met koele, afgepaste bewegingen. Haar heup was nog altijd een beetje pijnlijk. Vanochtend zat er een blauwe plek. Ze maakte een cappuccino en ging die in de kamer opdrinken, haar oren gespitst. In de krant stond vooral verkiezingsnieuws.

Enkele politici wilden de boerka verbieden. Als de buurt het wist van Eddie en die vrouw, dan zou ze zelf in zo'n tent met kijkgleuf over straat willen gaan.

Eindelijk hoorde ze hem naar beneden komen. Hij ging naar de keuken. De ijskast ging open en dicht, er klonk wat gerommel, geluid van een mes op een bordje, de Senseo. Daarna bleef het een tijdje stil. Misschien zou hij in de keuken iets eten en drinken, en daarna zo de deur uit sluipen, de lafaard. Ze ging hem niet achterna. Nooit van haar leven.

Ze zat met de krant in haar handen net te doen of ze las toen hij met een beker koffie de kamer binnenkwam. Hij ging tegenover haar op de bank zitten. Ze deed alsof ze verdiept was in de krant en niet had opgemerkt dat hij nu ook in de kamer was. Eddie dronk van zijn koffie. Sylvia dacht zijn slikbewegingen te kunnen horen.

'Ik weet dat het lullig voor je is, maar het is nu eenmaal gebeurd,' zei Eddie na een tijdje.

Ze haalde haar schouders op en sloeg een pagina van de krant om, zodat ze bij de sport terechtkwam. Alleen de naam Van Basten drong tot haar door.

'Het is mijn schuld, dat weet ik. Ik had het niet moeten doen.'

Sylvia ging met haar ogen over de pagina. Een grote foto van een Surinaamse voetballer met een vrolijk, glimmend gezicht.

'Jezus... je kan toch wel wat zeggen.'

Niks. Verdomme, ze had hem straal genegeerd, alsof hij lucht voor haar was. Maar dat kon ze niet maken, dat pikte hij niet. In zijn achteruitkijkspiegeltje zag hij Maaswinkel parkeren. Die bleef in zijn auto zitten. Eén ding was in ieder geval goed gegaan vandaag. Volgens Charly had Keulen zonder problemen betaald. Morgen zou het geld binnenkomen. Voor een volgende zending wilden ze er coke bij. Hij had het met Charly over alle voor- en nadelen gehad. Wat hij Frans had voorgehouden, gold zeker hiervoor: meer risico betekende meteen meer winst. De coke kon in dezelfde container als de hasj. Het paste in zijn strategie. Als hij nu niet zou doorstoten, bleef hij een kleine krabbelaar. Het huis in de Van Eeghenstraat was belangrijk geweest, destijds misschien te groot en te duur voor zijn status, maar nu zou hij laten zien dat hij het waard was. Hij had het in zich om de top te bereiken, daar was hij van overtuigd.

Maaswinkel maakte geen aanstalten om uit zijn auto te stappen.

Het Wilhelmus klonk uit Eddies mobiel.

'Hallo.'

'Met Marvin.'

'Hoe kom je aan mijn nummer?'

'Dat doet er nou niet toe. Het enige wat ertoe doet, is dat je met je poten van mijn handel afblijft.'

'Ik dacht dat we in een vrije wereld leefden,' zei Eddie.

'Je hebt gehoord wat ik zei?'

'Oké, ik zal erover nadenken.'

'Doe dat wel gauw,' zei Marvin.

Eddie zag hoe Maaswinkel uitstapte en in de richting van de Lexus liep. Hij drukte het gesprek weg.

Steunend en zuchtend schoof Maaswinkel op de stoel naast die van Eddie.

'Problemen?'

Maaswinkel knikte. Zijn nek stak nog schrieler uit de open boord van zijn overhemd dan de vorige keer. Het leek of hij had geslapen in het morsige pak dat hij droeg.

'Vast niet zoveel als ik.' Eddie had er meteen spijt van dat hij dat had gezegd.

13

Sylvia zat met Yuri en Daphne te ontbijten. Voor de kinderen had ze een eitje gekookt. Ze plaagden elkaar een beetje, maar het bleef binnen de perken. Vanochtend zou elke ruzie een directe aanslag op haar zenuwen betekenen. Omdat Daphne de pindakaas niet wilde geven, pakte Yuri haar mes af.

'Stom joch,' zei Daphne.

'Trut.'

Daar bleef het gelukkig bij.

Eddie kwam de keuken in, gekleed en wel. Ook vannacht had hij in de logeerkamer geslapen. Zij was rond tien uur helemaal in elkaar gestort, en had haar bed opgezocht. De rugleuning van een stoel had ze onder de klink van de deur geschoven, zodat die niet open kon. In een film had ze dit een vrouw een keer zien doen. De indringer kwam toen door het raam binnen, meende Sylvia zich te herinneren, maar dat was voor Eddie onbereikbaar. Voor de zekerheid had ze gecontroleerd of het dicht was. Ze werd tegen twaalf uur wakker toen er aan de deur van de slaapkamer werd gemorreld. 'Syl,' klonk het gedempt vanaf de gang. 'Sylvia... kom op nou. Doe 'ns open.' Eddie had zijn heil opnieuw moeten zoeken in het logeerbed.

Nu stond hij bij het koffieapparaat, en maakte een cappuccino. 'Jij ook?' vroeg hij Sylvia.

Ze reageerde niet.

Eddie ging aan de tafel zitten, pakte een boterham en belegde die met kaas. 'Zo, Yuri, hoe is het met judo?'

Yuri hield een onbegrijpelijk verhaal over nieuwe worpen die hij had geleerd. 'En als dat goed gaat, mag ik volgende maand examen doen voor de blauwe band.'

'Heel goed,' zei Eddie. 'Wanneer heb je weer les?'

'Vanmiddag.'

'Zal ik je dan brengen? Dan kan ik zien hoe je vooruit bent gegaan.'

Yuri reageerde enthousiast. Sylvia stond op en liep naar boven om zich verder aan te kleden. Elke toenadering tussen Yuri en zijn vader vond ze verdacht, maar tegen deze afspraak zou ze niets in kunnen brengen.

Ze stond net in haar ondergoed toen Eddie de slaapkamer binnenkwam. Verdomme, de deur niet afgesloten met de stoelleuning.

'Moet het nou zo gaan?' vroeg Eddie.

'Ik ben me aan het aankleden, en ik zou het prettig vinden als je me niet stoorde.'

'Voor de kinderen is het toch belachelijk als je zo doet.'

Ze kon er duizend-en-een dingen tegen inbrengen. Als ze alleen maar haar mond opende, haar lippen en kaken van elkaar deed, zouden de argumenten naar buiten stromen. Lava... een vulkaan waar gloeiendhete, giftige lava uit naar buiten golfde. Uit de kast pakte ze een spijkerbroek en een makkelijke trui.

Eddie bleef toekijken terwijl ze haar kleren aantrok en achter haar make-uptafel ging zitten. Ze bracht alleen een beetje mascara en wat lippenstift aan. Toen ze langs Eddie naar de deur wilde lopen, ging hij voor haar staan.

'We kunnen toch als normale mensen met elkaar praten?'

Ze sloeg haar blik naar de grond.

'Moet ik soms smeken of je weer een beetje normaal tegen me kan doen?' ging hij door.

Hij wist heel goed wat ze wilde. Nee, wat ze eiste. Hij zou volledig moeten breken met Anouk, voor altijd. Maar de vraag was of hij dat wilde. En bovendien, zou hij dan op voorhand moeten breken met dat kind dat ze zou krijgen? Sylvia keek hem even aan, met de kilste blik die ze voorhanden had. Eddie wilde natuurlijk dat zij zich door zijn verzachtende praatjes weer liet lijmen. 'Ga 'ns opzij. Ik moet Yuri naar school brengen.'

Toen Sylvia terugkwam, stond hij haar midden in de gang op te wachten, maar ze had hem geen blik waardig gekeurd, laat staan dat ze met hem had willen praten.

In de auto naar de judoles had Eddie enkele pogingen gewaagd om Yuri uit te horen over Sylvia, maar hij was weinig toeschietelijk. 'Is mama tegen jullie net zo chagrijnig?' had hij gevraagd. Nee, daar had Yuri niets van gemerkt. 'Tegen jou dan wel?' was Yuri's reactie. 'Nou, ongelooflijk. Heb je dat niet gezien? Ze zegt geen stom woord.'

Eddie keek om zich heen naar een paar andere ouders, alleen maar moeders, die met hem zaten te wachten tot de les was afgelopen. Er waren waarschijnlijk ook enkele ouders van Yuri's school bij. Toen ze naar binnen gingen, zei Yuri, naar een jongen met zijn moeder wijzend: 'Die zit ook bij me in de klas.' De vrouw had Eddie opzichtig genegeerd.

Het was een fraai gezicht, al die kinderen in hun witte judopakken, die een worp oefenden. Bam... bam... steeds als er een gegooid werd en op de mat terechtkwam. Aan het eind van de les zaten ze op hun knieën, met hun rug tegen de muur. De trainer voor hen, een wat gedrongen man met kort stekeltjeshaar. Ze moesten een klein ritueel afwerken. De trainer zei iets wat Eddie niet kon verstaan; het klonk als Japans of zoiets. Daarna boog hij, met zijn hoofd bijna tegen de mat. De kinderen volgden hem en renden daarna naar de kleedkamer. Eddie zag hoe de jongen die bij Yuri in de klas zat, zijn been uitstak, zodat hij erover struikelde. De jongen lachte en sprintte naar de uitgang van de zaal, waarbij hij langs de wachtende ouders kwam.

Eddie greep hem beet. 'Wat deed je daar?'

'Niks!'

'Niks? Zal ik ook een keertje niks doen bij jou?' Hij schudde de jongen stevig door elkaar.

'Hé, mijnheer, laat u m'n zoon los!' De moeder van de jongen keek hem giftig aan.

'Je mag hem wel 'ns wat beter opvoeden, dat rotjoch!' Eddie gaf de jongen een forse duw, zodat hij struikelend voorover viel.

De trainer kwam er nu bij staan. 'U bent de vader van Yuri? Als hij problemen heeft met andere kinderen, dan meldt u dat bij mij. Ja?'

Eddie reageerde niet. 'Kleed je aan,' zei hij tegen Yuri, 'dan gaan we zo naar huis.'

Aan de overkant bij de uitgang van de sportschool stond iemand te bellen. Eddie meende hem te herkennen, maar een naam wilde niet aan de oppervlakte komen. De man liep door zonder om te kijken. Eddie speurde naar twee kanten de straat af omdat er iets in de lucht leek te hangen. Spitsuur. Veel verkeer van links en van rechts. Tientallen fietsers, die tussen de auto's laveerden.

Toen ze in de Lexus zaten, vroeg Eddie hoe de jongen heette die Yuri had laten struikelen.

'Onno.' Yuri bleef strak voor zich uit kijken.

'Als-ie zoiets nog 'ns flikt, dan moet je...'

'Ik wil niet dat je zo doet, dat je ruziemaakt als ik erbij ben... dat is stom.' Yuri had tranen in zijn ogen.

'Ik bedoelde het goed. Ik wou je alleen maar helpen.' Eddie sloeg een arm om Yuri's schouder en trok hem naar zich toe. 'Kom op, hé. Er was helemaal niks aan de hand.' Hij voelde de stugheid in Yuri's lichaam. 'Je deed het goed met judo. Jij wordt echt een vechtertje, je vaders eigen vechtertje.'

'Het gaat bij judo niet om vechten, dat zegt Gerard ook altijd.'

Gerard was de trainer, wist Eddie. 'Oké, oké.' Hij startte de auto en voegde zich in het verkeer, dat aanvankelijk voorbij kroop.

Ze reden nu over de Overtoom, naast de Lexus een scooter met twee mannen erop, allebei een integraalhelm op hun hoofd. Ze bleven naast hem rijden, ook toen hij iets versnelde. De vage dreiging verdikte zich. Zijn keel werd droog. Hij hoestte en slikte, en keek opzij naar Yuri.

Die had kennelijk ook iets in de gaten. 'Wat is er, pap?'

'Niks,' bracht hij moeizaam uit, 'helemaal niks.'

Verderop was het stoplicht. Als hij het haalde, zou hij verder kunnen scheuren over de trambaan. De scooter reed nog altijd naast hem. De mannen leken geen acht op hem te slaan. Even overwoog hij om hen met een onverwachte zwenking van de weg te rijden. Zijn handen voelden klam. Hij veegde zijn rechterhand droog aan zijn colbert. Het stoplicht stond op groen; hij zou het kunnen halen. Shit, oranje! Twee auto's voor hem, die makkelijk door konden rijden. Dan zou hij daarachter net over de kruising kunnen glippen en linksaf de Eerste Constantijn Huygensstraat in. De seconden rekten zich uit tot minuten. Het duurde eeuwen. Hij blikte even naar links. De twee mannen leken geen aandacht voor hem te hebben. Misschien haalde hij zich dingen in zijn hoofd die nergens op sloegen. Toevallig mensen die gelijk op met hem reden, en dezelfde kant uit moesten. Twee mannen op een scooter, daar was niets bijzonders aan.

Het Golfje voor hem remde keurig, en het licht sprong op rood. Met zijn vuist sloeg hij op het stuur. 'Klootzak!'

Yuri zei iets, maar Eddie hoorde het al niet meer. Hij zocht naar een uitweg, maar hij stond hopeloos klem. Terwijl eerder alles tergend traag was gegaan, voltrok elke handeling zich nu razendsnel. De man achterop stapte van de scooter en haalde iets uit zijn binnenzak.

'Duiken!' riep Eddie, maar hij wist niet of zijn stem nog geluid voortbracht. 'Laag!' Hij probeerde zich over Yuri heen te laten vallen, maar werd gehinderd door de veiligheidsriem.

Er klonken twee knallen, die zijn trommelvliezen bijna lieten exploderen. Een scherpe pijn trok door zijn linkerarm. Hij keek eerst naar rechts en zag de grote angstogen van Yuri, en daarna naar links. De man sprong achter op de scooter, die meteen wegscheurde, en voor de wachtende auto's rechtsaf sloeg.

Kwart voor zes. Eddie had allang met Yuri terug moeten zijn. Sylvia ergerde zich aan Daphne die naar de tv zat te kijken, en alleen een paar keer opstond om mee te dansen met de schaars geklede vrouwen op het scherm, van wie er enkelen in een paar scènes vrijwel het gehele beeld vulden met hun ritmisch schuddende billen.

Een bang vermoeden bekroop haar. Eddie had Yuri meegenomen, misschien naar Anouk. Hij hield Yuri bij zich, als een soort garantie. Ze zouden pas weer samen terugkomen als Sylvia haar verzet opgaf.

'Hè, mam, ga 'ns zitten! Waarom loop je aldoor heen en weer?'

'Yuri is er nog steeds niet.'

'Misschien hebben ze pech,' veronderstelde Daphne. 'Een lekke band of zo.'

'Dan had papa wel gebeld.'

Sylvia schoof het gordijn iets open en keek naar buiten. Het was begonnen te regenen. Misschien hadden ze een ongeluk gehad... een klein ongelukje, maar het duurde flink lang voordat het was afgehandeld. Niks aan de hand... een paar krassen, een deukje. Maar dan had Eddie ook gebeld. Ze ademde diep in en uit, en weerstond de aanvechting om het nummer van de judoschool in te toetsen.

Daphne stond op en bewoog sexy met haar heupen op het bonkende ritme van de muziek. Ze zong mee. 'Got you in my arms, baby, got you in my life.'

'Zet dat geluid wat zachter, alsjeblieft!'

Tien voor zes. Er was iets aan de hand, dat kon niet anders. Voor de tweede keer toetste ze Eddies nummer in. Opnieuw geen reactie. Hij was hem gesmeerd, samen met haar kind, met Yuri. Waarschijnlijk hoopte Eddie in hem een bondgenoot te vinden. Stel dat Yuri nu bij die vrouw in de kamer zat... Flessen cola, bakken chips... Sylvia wist niet eens waar ze woonde.

Ze dronk een glas water in de keuken. Natuurlijk, ze kon toch proberen om Yuri te bellen. Stom dat ze daar niet eerder aan had gedacht. Eigenlijk mocht hij zijn mobieltje niet bij zich houden als hij naar judo ging, maar ze wist dat hij dat gebod soms overtrad.

'Hallo.'

'Ben jij dat, Yuri? Wa... waar zijn jullie?' Ze struikelde bijna over haar woorden. 'Waarom zijn jullie nog niet thuis? Wat hebben jullie...?'

'We zijn in het ziekenhuis,' onderbrak hij haar.

'Wat?' Ze gebaarde Daphne om de tv uit te zetten, maar die leek haar niet te begrijpen. Met haar hand over het mondstuk zei ze: 'Uit... zet die tv uit, onmiddellijk!'

Gekwetst staarde Daphne haar aan. Ze draaide het geluid weg.

'In het ziekenhuis... de VU.'

'Wat is er dan met je? Wat heb je?'

'Niks, er is niks met me.' In Yuri's stem klonk opwinding en sensatie door. 'Ze hebben alleen papa geraakt. Die is nou bij de dokter.'

'Papa geraakt? Hoezo dan? Is het erg?'

Yuri vertelde hortend en stotend wat er was gebeurd. Ze stonden te wachten voor het stoplicht. Mannen op een scooter naast hen. Geschreeuw van Eddie. Twee enorme knallen. Eddie in zijn arm geschoten. Verschrikkelijk veel bloed. In een paar minuten politie erbij. Met een ambulance naar het ziekenhuis. De kogel moesten ze eruit halen of zo... Yuri wist het niet precies.

'En jij hebt niks?'

'Nee, helemaal niks.' Het klonk bijna trots.

'Wat verschrikkelijk voor je, dat je d'rbij was, dat zoiets gebeurde.'

'Ik vond 't vet spannend.'

Sylvia moest even naar adem happen voor ze vroeg waarom Yuri niet eerder had gebeld.

'Ik mocht niet bellen van papa. Hij zei dat-ie het zelf het beste uit kon leggen.'

Rond negen uur werd Yuri thuisgebracht.

'In een politieauto,' zei hij trots, alsof hij gehoopt had dat zijn klasgenoten hem zo hadden gezien, 'maar de sirene en de zwaailichten wilden ze niet aandoen.'

Sylvia nam hem gevangen in haar armen. Als alles maar een klein beetje anders was gegaan, dan was Yuri nu... Wanneer ze er alleen al aan dacht, werd het haar te veel. Nu was één kogel in Eddies bovenarm terechtgekomen, en een tweede in de rug van de bestuurdersstoel. Een kleine afwijking, iemand die verkeerd richtte, en haar zoon, net tien jaar en een heel leven voor zich, was kansloos neergeschoten. Hij probeerde zich uit haar armen te bevrijden, maar ze bleef hem vasthouden, knuffelen, ruiken en voelen. Nooit zou iemand hem van haar af kunnen nemen, en zeker Eddie niet.

Ze bestelde Thais eten en keek naar Yuri, terwijl hij met Daphne zat te praten over wat er was gebeurd. Hij vertelde het alsof het over een spannende wedstrijd ging bij judo. Zijn ogen lichtten op, zijn wangen kleurden rood.

Nadat het eten was bezorgd, zaten ze met z'n drieën rond de tafel. Sylvia wist dat ze honger moest hebben, maar ze voelde het niet. Om niet uit de toon te vallen, nam ze een paar kleine hapjes van haar kip met gember en groente.

'Ik ben benieuwd of papa daar bij de politie eten krijgt,' zei Yuri. 'Anders barst-ie natuurlijk van de honger.'

'Hij krijgt vast wel wat.' Sylvia zei het zo neutraal mogelijk. De kans bestond dat ze hem langer zouden vasthouden, misschien ook vannacht, morgen... Ze wist niet hoe lang dat kon zonder aanklacht. Hij was in dit geval tenslotte geen dader, maar slachtoffer. Deze schietpartij was natuurlijk niet zomaar een incident, en zeker geen vergissing. Nu wist ze zeker wat ze al een aantal weken vermoedde: Eddie was helemaal niet opgehouden met zijn zogenaamde werk, maar zat er nog altijd middenin. Al een paar keer had ze geprobeerd om het met hem daarover te hebben, maar dat was steeds mislukt. Nooit tijd, altijd iets anders te doen, morgen misschien, hij was net bezig, had een afspraak, iemand zat op hem te wachten. Dat praten over de aankoop van een café of een restaurant of eventueel een winkeltje was alleen bedoeld om haar aan het lijntje te houden. En dan die Anouk, de baby die op komst was. Maar wat er nu gebeurd was, ging pas echt alle perken te buiten. Eddie was een grens overgestoken, een grens die ze misschien nooit duidelijk had getrokken, maar waarvan ze wist dat hij bestond. Dat haar kinderen gevaar liepen, kon ze nooit accepteren.

Daphne lachte.

'Wat is er?'

'Je zit nou al een paar minuten met een hap eten op je lepel voor je uit te staren! Het is zo'n stom gezicht!'

'Had je die mensen al 'ns eerder gezien?'

Eddie schudde zijn hoofd.

'Iemand herkend?'

'Hoe kan je nou iemand herkennen met een integraalhelm op zijn kop.'

'Wat denk je, probeerden ze je uit te schakelen?' De rechercheur die zich had voorgesteld als Waldhoven, keek hem vriendelijk aan, alsof hij alleen maar een vrijblijvende vraag stelde over een alledaags onderwerp. Waldhoven... Eddie had nooit eerder van hem gehoord. Waarschijnlijk een nieuweling in dit team. Met zijn collega, Brandsma, had Eddie een paar jaar geleden een keer gepraat.

'Dat moet je hun vragen,' zei Eddie.

'Dan moet jij ons eerst vertellen wie het waren.'

'Ik zou het niet weten.'

'Geen enkel idee?' vroeg Brandsma. 'Kan ik me niet voorstellen.'

Eddie haalde zijn schouders op. Het was duidelijk dat ze niks wisten, en via hem kwamen ze er zeker niet achter.

'Met wie werk je de laatste tijd?'

'Met wie? Hoe bedoel je? Ik heb m'n bedrijf.'

'Ja, dat weten we,' zei Waldhoven. Hij keek in een paar papieren. Eddie vroeg zich af wat daarin stond. 'East-West Textile Company... klinkt heel serieus.'

'Misschien waren het Chinezen,' veronderstelde Brandsma met een lachje.

'Ja, misschien wel.' Eddie voelde de licht zeurende pijn in zijn linkerarm. Volgens de arts was het 'een mooie wond'. Hij was alleen plaatselijk verdoofd geweest, en had kunnen zien hoe ze met zijn arm bezig waren. Nu hing diezelfde arm in een smetteloos witte mitella, die een leuk zustertje voor hem had omgedaan. Ze had vriendelijk naar hem gelachen en hem het idee gegeven dat ze best iets met hem zou willen. Vanuit het politiebureau had hij met Sylvia gebeld. 'Ik weet alles al van Yuri,' was haar reactie. Hij had proberen uit te leggen dat het waarschijnlijk een vergissing was, maar ze verbrak de verbinding.

Brandsma leunde over de tafel en verscherpte zijn toon. 'Laten we elkaar geen mietje noemen Kronenburg. We weten in welke handel jij zit...'

'O ja? Als je het zo goed weet, dan moet je...'

Brandsma negeerde hem. 'Daan Kalkmeijer, Charly van der Berg, Oscar Tavalo... dat soort jongens zijn jouw maatjes, jouw *partners in business*, en daarboven hebben we Herman, zogenaamd jullie *Godfather*. Die komt nog wel een keer aan de beurt. Charly en Oscar hebben al 'ns gezeten, en heus niet omdat ze door het rooie licht zijn gereden. Tot nu toe ben jij de dans ontsprongen, maar we hebben het idee dat iemand anders vindt dat het al te lang heeft geduurd. Wie is het volgens jou?'

'Geen idee.' Eddie kon er maar één bedenken: Marvin. Maaswinkel was er te schijterig voor, te klein, te bang. Het moesten jongens van Marvin zijn geweest. Ze hadden raak kunnen schieten, maar waarschijnlijk wilde Marvin alleen een waarschuwing afgeven.

'Een concurrent?' ging Brandsma door. 'Een medewerker die je niet hebt betaald? Iemand die voor zichzelf wil beginnen, en de pest erover in heeft dat jij het meeste van de poen pakt? Zeg het maar.'

'Ik zou het niet weten.' Eddie veronderstelde dat ze hem heel snel moesten laten gaan. Geen aanklacht, geen overtreding, geen bewijs, niks.

Brandsma en Walraven bleven een tijdje doorvragen. Soms vriendelijk, dan weer dreigend. Ten slotte gaven ze het op.

'En waar is m'n auto?'

'Die ben je nog een tijdje kwijt. Onderzoek, dat begrijp je wel.' Brandsma wees op Eddies arm en zei grijnzend: 'Je kan nu trouwens toch niet achter het stuur.'

De taxi zette hem af voor zijn huis. Alles was donker, geen licht achter de gordijnen. Hij begreep het onmiddellijk.

'Nog een prettige avond,' zei de taxichauffeur.

Eddie had zin om hem een klap op zijn bek te geven.

Hij deed de voordeur open. De leegte kwam hem onstuitbaar tegemoet.

14

Ze zat nog altijd met Floor te praten. Haar zenuwen stonden op scherp, alsof ze in de startblokken stond voor een hardloopwedstrijd. Eén knal en ze zou wegsprinten. Nee, daar nu niet aan denken. Morgenochtend moest ze fit zijn, maar nu was slaap verder weg dan ooit. Yuri die thuis werd gebracht door de politie, en vanaf dat moment terug en soms weer vooruit: Yuri in de auto naast Eddie, de schoten, de mannen op de scooter ernaast. Ook terwijl ze hier zat te praten, zag ze de scènes voortdurend voor zich, soms in wisselende volgorde, zelfs de geluiden kon ze horen. Schoten, gierende banden, politiesirenes, steeds maar weer.

Halftwee. Zo'n vier uur geleden was ze nog in Amsterdam. Na hun Thaise maaltijd was ze naar boven gegaan en had ze met Floor gebeld. Sylvia had geprobeerd het uit te leggen aan Yuri en Daphne. Hier in Amsterdam waren ze niet meer veilig, dat was vanmiddag pijnlijk duidelijk geworden. Yuri begreep het, hoewel hij af en toe leek te denken dat hij in een game had meegespeeld. Later zou ze wel vertellen wat er verder aan de hand was. Uit hun ogen sprak naast onbegrip ook het idee van avontuur. Ze hadden koffers en tassen gepakt, en voor elf uur zaten ze in de auto. Sylvia had haast gemaakt, want Eddie kon elk moment voor hun neus staan.

'O ja,' zei Sylvia, 'wat ik nog helemaal niet verteld heb, dat was toen de politie laatst kwam om huiszoeking bij ons te doen, van boven tot onder, ze hebben echt alles overhoopgehaald.'

'En hebben ze wat gevonden?' vroeg Floor.

'Nee, volgens mij niet. Er lag niks waarmee ze Eddie zouden kunnen pakken.' Ze vertelde niet over het geld, waar de politie ook naar op zoek leek. Altijd die enorme pakken contant geld, en meestal in briefjes van vijf, tien of twintig. Een keer had ze een kast in Eddies zogenaamde kantoor opengemaakt op zoek naar zoiets onbenulligs als een rolletje plakband, en toen waren er een paar dikke bundels biljetten uit gevallen. Al dat geld, het kwam van onderaf, van de straathandel, de kleine verkoop in de coffeeshops, en via een tussenstation arriveerde het bij Eddie of Charly. Ze had Eddie verschillende keren horen vloeken om al die stapels bankbiljetten. Toen ze al met z'n drieën in de auto zaten, was ze nog teruggegaan en had een oude rugzak van Daphne gepakt. Met een wild kloppend hart, alsof ze elk moment betrapt kon worden, had ze in de stoppenkast het stukje vloerkleed weggetrokken, het luikje daaronder opengemaakt, en de stapels bankbiljetten in de rugzak laten verdwijnen. Het was de rugzak waarop Daphne de naam Eastpak had veranderd in Lastpak, zoals veel van haar klasgenoten hadden gedaan.

'Wat zit je dromerig voor je uit te kijken?' zei Floor.

'Stel...' Sylvia durfde het amper te zeggen. 'Stel dat de politie iets had gevonden, en dat het genoeg was om hem te arresteren, genoeg voor een rechtszaak, zodat-ie...'

'Zodat-ie wat?'

'Dat-ie veroordeeld werd. Dan ziet Eddie misschien dat het zo niet verder kan.'

'Dus dat-ie in de gevangenis zeg maar een ander mens zou worden? Geloof jij het?'

Sylvia wilde het graag geloven, bijna tegen haar eigen intuïtie in. 'Misschien... misschien dat-ie verandert. Hij zegt dat-ie heel veel van ons houdt.'

'En die andere vrouw dan?' schamperde Floor. 'Is dat ook omdat-ie zoveel van jullie houdt? Anouk heette ze toch?'

Sylvia knikte.

'Ik ga maar 'ns naar bed,' zei Floor. 'Je vindt 't wel?'

Na een paar minuten ging Sylvia naar het kleine zijkamertje, waar Floor een luchtbed had neergelegd en een slaapzak. Primitief, maar ze wilde nu niet anders. Misschien was het beter om zich direct op de harde vloer uit te strekken. Toen ze eenmaal lag, leek het of ze wakkerder was dan daarvoor. Morgen moest er van alles worden geregeld. School voor de kinderen, om mee te beginnen. En daarna? Het liefst zou ze hier in dit kamertje blijven, om zo lang mogelijk te kijken naar dat vergeelde affiche van een triatlon in Almere. Ze deed haar handen voor haar ogen in een poging om de tranen terug te duwen.

Mislukt... alles was mislukt. Ze had het met Floor over de hele optelsom gehad. Het zogenaamde werk van Eddie, al z'n leugens daarover, toestanden met de kinderen op school, die verschrikkelijke Anouk, en vandaag de schietpartij. Als je het achter elkaar vertelde, leek het onwerkelijk, een fantastisch, maar gruwelijk verhaal. Dan was het voor haarzelf onbegrijpelijk dat ze alles zo lang had geslikt. Ze moest Eddie volledig wegvlakken uit haar leven. Maar dan bedacht ze weer dat Eddie niet iemand was die zich makkelijk liet verwijderen. Ze had het hem een keer als halve grap tegen Charly horen zeggen: '*Nobody fucks with* Eddie Kronenburg.'

Wat Eddie eenmaal in zijn kop had, liet hij niet meer los. Ze belandde nu weer in een discussie met hem, waarin ze fluisterend haar argumenten onder woorden bracht. Je hebt me bedrogen. Je liet je bedriegen, antwoordde Eddie dan, je wou eerst niet eens weten wat ik deed. Maar toen wou ik dat je ermee ophield. Het geld, daar was je niet vies van, net zomin als van een mooi huis, vakanties, sieraden, noem maar op. Ik accepteer het niet meer. Maar ik pik het niet dat je zomaar verdwijnt, met de kinderen nog wel. Ik wil het niet meer, Eddie, ik wil niet dat mijn kinderen zo opgroeien, dat ze gevaar lopen. Ik laat je niet los, Syl, dat weet je. Ik laat je nooit gaan, voegde hij eraan toe. Alsof ze dat al niet jaren wist.

Haar adem ging gejaagd door haar keel, net of iemand haar daadwerkelijk op de hielen zat en zij zich uit de voeten probeerde te maken. Ze liep hier door de straat, deze suffe, lange straat, waar nooit iets zou kunnen gebeuren. Zijn auto kwam de hoek om. Hij stapte uit, ze probeerde te vluchten, maar haar benen weigerden dienst. Met een brede grijns op zijn gezicht kwam Eddie dichterbij. Dat betekende niet dat hij vrolijk was of dat hij het leuk vond. Nee, hij lachte haar uit: hoe kon ze zo naïef en zo stom zijn om te denken dat ze op deze manier kon ontsnappen?

Ze zat nu rechtop, ademde enkele keren diep in en liet de lucht zo langzaam mogelijk weer uit haar longen ontsnappen. Het halfdonkere kamertje werd overzichtelijk. Ze klampte haar blik vast aan een oude stoel, een overbodige schemerlamp, een boekenkastje. Dat waren tenminste eenvoudige zekerheden. Voorlopig geen Eddie, maar ooit zou hij haar weten te vinden.

Met een klap liet ze zich terugvallen op het luchtbed, waardoor ze even op en neer bewoog. Als op een zacht deinende zee... Ze dreef weg, weg van alle toestanden, weg van het dodelijke gevaar.

Eddie was om ongeveer kwart over zes al wakker. Niemand, niets, geen geruststellende ademhaling rechts van hem, geen warme slaapgeur, geen licht kreunend geluidje. Hij schopte het dekbed van zich af, maar trok het daarna weer over zich heen, ging op zijn buik liggen met zijn hoofd onder het kussen, terwijl hij zijn pijnlijke arm zoveel mogelijk probeerde te ontzien. Met een scherpe punt werd erin gestoken, en de pijn verspreidde zich over zijn arm, tot in zijn vingers. Mooie wond! Stelletje klootzakken.

Hij werkte zich behoedzaam op zijn rug. De eerste paar dagen mocht hij de arm nauwelijks gebruiken. Autorijden was verboden, had de dokter gezegd. Moest Charly hem maar rijden. Vannacht tegen één uur was hij met een taxi van het hoofdbureau naar huis gereden. Hij zou nu naast Anouk kunnen liggen, ze zou hem kunnen verzorgen, maar dan zette hij misschien iets in werking dat hij niet wilde. Ze zou hem helemaal claimen. Elke dag Anouk, altijd Anouk, absoluut geen aantrekkelijk idee. Nu wist ze trouwens nog nergens van. Ze zou gegarandeerd over haar toeren raken... compleet hysterisch.

Voorzichtig schoof hij naar de rand van het bed. Zijn hoofd duizelde van de halve fles whisky die hij leeg had gedronken. Licht wankelend kwam hij overeind. Nu even lekker met zijn volle gewicht op die arm vallen, dat zou goed helpen. In de spiegel keek hij naar zijn grauwe gelaat. 'Rotkop,' mompelde hij.

Onder de douche deed hij zoveel mogelijk zijn best om het verband rond zijn arm niet nat te laten worden. Een meevaller: het was zijn linkerarm. Beneden maakte hij koffie en smeerde een boterham. Het ging allemaal zo onhandig als de pest, maar gelukkig waren er losse plakjes kaas. Het leek stiller in de keuken dan anders wanneer Sylvia met de kinderen naar school was. De stilte was dieper. Ook van buiten drong geen enkel geluid door. Hij opende de deur naar de tuin. Vogels hielden zelfs hun snavel.

Misschien zou Sylvia straks zomaar in huis staan. Sorry, misverstand. Doet het pijn? Wacht, ik zal je helpen. De kinderen op school. Hij zou een goed gesprek met Yuri hebben als die weer thuiskwam.

Alle onzin vloekte hij luid en duidelijk weg. Ze waren ergens anders. Sylvia was pleite... Ze was opnieuw voor hem op de vlucht, nu misschien wel voorgoed. Voor de zoveelste keer probeerde hij haar tevergeefs te bereiken op haar mobiele nummer. Hij dronk een tweede kop koffie. De mist in zijn hoofd trok langzaam op.

Geen seconde dacht hij dat ze daar was, maar hij belde toch haar moeder. Het was een nederlaag om naar Sylvia te moeten vragen.

'Nee, Sylvia is hier niet,' zei de krakende ouwewijvenstem. 'Is ze dan niet thuis?'

Nee, natuurlijk niet, stomme trut, anders zou ik toch niet bellen? Hij kon maar net de aanvechting onderdrukken om haar dat toe te voegen. 'Nee, ze is weg, en ik weet niet waarheen.'

'Misschien dat ze over een uurtje weer thuis is. Of vanmiddag later.'

Eddie zuchtte diep. 'De kinderen zijn ook weg.'

'Yuri en Daphne?'

'Ja, wie dacht je anders?'

'Nou ja...'

'Weet jij waar ze naartoe zijn? Misschien een vriendin of zo?'

'Tja...' Er klonk een tijdje geruis over de telefoon, alsof dat het geluid was dat de traag werkende hersens van Sylvia's moeder voortbrachten terwijl ze zocht naar een naam, naar een adres. 'Ik zou het niet weten,' zei ze ten slotte. 'Ze is in ieder geval niet hier. Misschien weet Rosalie iets.'

Zonder er verder een woord aan te verspillen verbrak Eddie de verbinding.

Op het vaste nummer van Rosalie kreeg hij de voicemail. Op haar mobiele nummer nam ze wel op. Nee, ze had geen flauw idee waar Sylvia was, en ze moest nu verder met haar werk. Eddie meende iets triomfantelijks in haar stem te horen. Hij vroeg haar hem te bellen als ze iets wist. 'Ik ben ongerust, en Yuri en Daphne zijn tenslotte ook *mijn* kinderen.'

'Helemaal goed dat je je verantwoordelijkheid als vader zo serieus neemt.'

'Wat bedoel je?'

'Moet ik dat nog uitleggen?' vroeg Rosalie.

'Bel me als je wat weet.'

Tegen zijn gewoonte in maakte hij een derde kop koffie. Charly, Oscar of Daan hadden zich niet gemeld. Dat moest betekenen dat ze nergens van wisten. Lagen misschien in hun nest of hadden de krant nog niet gelezen. *De Telegraaf* zou het zeker melden. Plotseling was hij nieuwsgierig naar hoe hij zou zijn aangeduid. Eddie K. of Eddie Kronenburg? Zou er iets bij staan over criminele connecties? Bevriend met mensen die ooit veroordeeld waren... in verband gebracht met handel in verdovende middelen... verkeert in criminele kringen?

Hij haalde de krant van de mat en bladerde er zenuwachtig doorheen, terug naar de eerste pagina's. Ja, op pagina 3. Even trok er een trotse tinteling door hem heen: hij stond in de krant! Maar het was een berichtje van niks. 'Woensdagmiddag is bij een schietpartij de 34-jarige Eddie K. gewond geraakt. Over de oorzaak tast de politie in het duister. Mogelijk is er een verband met eerdere liquidaties in het hoofdstedelijke criminele milieu.' Mogelijk een verband... ja, ja. Eddie ging ervan uit dat het alleen maar een waarschuwing was geweest. Niks liquidatie... onzin. Ze stonden naast hem, en de man met het pistool had hem dwars door zijn kop kunnen schieten. Waarschijnlijk was die arm niet meer dan een ongelukje geweest, en waren beide kogels bedoeld voor het interieur van de auto.

Maaswinkel... misschien was die toch uit zijn eigen schaduw gestapt, en had hij meer gedurfd dan waar iedereen hem toe in staat achtte, simpelweg vanuit pure, onversneden wanhoop. De zweterige angsthaas die veranderd was in een riskante durfal. Maar dan zou Maaswinkel zich moeten melden, die zou hem op een of andere manier moeten laten weten dat het een waarschuwing was geweest.

Eindelijk kreeg hij Charly aan de telefoon. Eddie vertelde zo kort mogelijk wat er was gebeurd. 'Het staat vanochtend in de krant.'

'Wie?'

'Ze hebben geen visitekaartje afgegeven.'

'Wie denk je?' vroeg Charly.

Voor hij kon antwoorden klonk de deurbel. 'Even kijken, er wordt gebeld.' Met zijn mobieltje in zijn hand liep hij de gang in. Misschien was het Sylvia... met de kinderen. Nu al spijt van hun desertie? Hij kon hen niet eens omhelzen met zijn gewonde arm. Maar het zou ook de definitieve afrekening kunnen zijn. Eén man die het karwei kwam voltooien. Neergeschoten op de stoep van zijn eigen huis. Shit. Hij liep weer naar de kamer, trok het gordijn een klein stukje opzij en keek naar buiten. Voor de deur stond een man die een enorme fruitmand torste. Op straat stond een klein bestelautootje van een bezorgdienst dubbel geparkeerd. Eddie twijfelde. Hij beschreef de situatie voor Charly, terwijl hij weer naar de gang liep.

'Je kan jezelf niet eeuwig opsluiten,' zei Charly. 'Vandaag of morgen moet je toch de deur uit, dus ik zou kijken als ik jou was.'

Eddie legde het mobieltje op een gangtafeltje en deed voorzichtig de deur open, bijna alsof hij verwachtte dat er meteen een bom zou ontploffen, maar dat leek onmogelijk vanwege die bezorger met een supermand vol vitamine C. Of zou die mand een explosieve verrassing bevatten? De jongen zag er onschuldig, bijna verlegen uit.

'Wat kom je doen?' vroeg Eddie.

'Ik moe... moe... moet dit hier a... a...'

'Afgeven,' gokte Eddie. Hij deed de deur iets wijder open en speurde de straat naar beide kanten af. Niemand te zien.

'Zal ik het even bi... binnen n... n... neerzetten?'

'Oké.' Eddie begreep niet waarom hij dit toestond, maar het

was de enige mogelijkheid om dit cadeau in huis te krijgen.

De jongen stond in de gang. 'Verder?'

'Nee, dank je, zo is het goed.'

'Bè… bè… bent u gevallen?' De jongen wees naar Eddies arm.

'Zoiets, ja.'

Toen de jongen weg was, las Eddie het kaartje. 'Van harte beterschap, Marvin' stond erop.

15

Die ochtend vroeg, toen ze na een onrustige nacht wakker was geworden, had Sylvia onmiddellijk aan Eddie gedacht, alsof hij het haar persoonlijk influisterde: gewond, alleen thuis, met die arm, onhandig, misschien veel pijn, dus heel erg beklagenswaardig. Ze zag hem door het huis lopen, wankelen, zich vastgrijpend aan een stoel of een tafel. Misschien had hij verzorging nodig of moest iemand hem helpen met het aantrekken van zijn kleren. Maar al snel verdreef ze het licht schurende schuldgevoel. De kans was groot dat hij bij die Anouk in bed lag, dat zij hem als een liefdevolle verpleegster vertroetelde.

Aan hun houding te merken waren Daphne en Yuri weer vervuld van het idee dat er een onverwachte, nieuwe vakantieperiode was aangebroken. Ze ontbeten met z'n vieren. Floor ging tegen halfnegen naar haar salon. Het leek Sylvia geweldig om zo'n soort verplichting te hebben. Jarenlang was ze vrij geweest. Eigenlijk had Eddie haar vrij gehóúden, onder de voorwaarde dat ze in huis alles regelde en als het nodig was voor Daphne en Yuri zorgde, dat ze altijd voor hem klaarstond, op alle mogelijke manieren.

Een school, een inkomen, huisvesting... Op een gegeven moment zou ze zich hier moeten inschrijven. Ze hoefde er niet eens over na te denken, en wist het in één keer absoluut zeker: nooit meer zou ze teruggaan naar Eddie. Dat hoofdstuk, of eigenlijk die hele reeks hoofdstukken, was voorgoed afgesloten. Híj had het boek met een enorme klap dichtgeslagen. Bij de echtscheiding zouden de kinderen zeker aan haar worden toegewezen. Maar nu leek het haar het beste om uit de buurt van Eddie te blijven. Ze kende zijn onredelijke driftbuien, zijn agressie, en de manieren waarop hij altijd alles in zijn eigen voordeel wist om te buigen.

Daphne en Yuri bleven lezen, naar de mp3-speler luisteren, tv-kijken of met de PlayStation spelen, terwijl Sylvia de deur uit ging. Ze gokte erop dat ze niet naar de Van Eeghenstraat zouden bellen om Eddie te vertellen waar ze waren ondergedoken. Ze hadden toegezegd hun mobieltjes niet op te nemen als ze werden gebeld.

Nog geen vierhonderd meter van het huis van Floor stond een school, een degelijk, kleurig, nieuw gebouw, met afbeeldingen van grote letters en cijfers die in de gevel waren verwerkt. Taal en rekenen zouden gegarandeerd voldoende aandacht krijgen. De lessen waren al begonnen. Achter de ramen waren kinderen in groepjes over schriften en boeken gebogen, een leerkracht liep door de klas, twee leerlingen zaten voor een computerscherm. Alleen maar geruststellende beelden, daar klampte ze zich aan vast.

Hoewel ze het gevoel had daarmee de normale gang van zaken op de school te verstoren, belde Sylvia toch aan. Een vrouw van een jaar of veertig deed de deur open. Ze keek vriendelijk. 'Waar komt u voor?'

'Zou ik de directeur van de school kunnen spreken?'

De vrouw glimlachte. 'Dat ben ik. Waar gaat 't over?'

'Zou ik misschien even binnen kunnen komen?'

'Goed, ik heb het afschuwelijk druk, want onze conciërge heeft zich vandaag ziek gemeld en ik verzui... ik verdrink in het papierwerk, maar oké.'

Ze zaten in een kamer met een bureau, een tafel met een

computer en drie metalen kasten. Op het bureau lagen enkele enorme stapels papieren, die eruitzagen alsof ze bij het geringste tikje zouden gaan schuiven.

'Wat is het probleem?' vroeg de vrouw.

Sylvia legde uit dat ze gevlucht was uit Amsterdam, en voorlopig met haar twee kinderen hier in de buurt bij een vriendin woonde. 'En het zou fantastisch zijn als ze hier naar school konden gaan.'

Het schoolhoofd, dat zich had voorgesteld als Amira Blok, liet Sylvia zonder haar te interrumperen uitpraten en staarde daarna nadenkend voor zich uit. 'Gevlucht,' zei ze ten slotte. 'Dat klinkt tamelijk heftig. Waarom, als ik vragen mag?'

Sylvia had de vraag verwacht. 'Hij kon zijn handen niet thuishouden.'

'Misbruik?' vroeg het schoolhoofd.

'Nee, hij sloeg. Niet de kinderen, maar mij.'

'Marvin dus,' zei Charly, 'de schoft, de proleet... die boerenhufter met z'n karnemelksepapharses.'

De superfruitmand stond pontificaal op de tafel, waar Charly hem had neergezet. Hij pakte er een banaan af, pelde hem, nam een hap, maar gooide het restant weer terug boven op het andere fruit.

Eddie stak een sigaret op.

'Wat gaan we nou doen?' vroeg Charly.

'Het lijkt me niet handig om door te gaan met de handel van Marvin. Ik heb geen zin in meer gaten in m'n lijf.'

'Misschien bluft-ie. Misschien durft-ie helemaal niet verder te gaan. Marvin heeft een grote waffel, maar het is de vraag of-ie waar kan maken wat-ie zegt.'

'Ik heb er geen behoefte aan om daarvoor als proefkonijn te dienen.' Eddie stak zijn ingepakte arm een stukje omhoog. 'Dacht je dat ik dit leuk vond? Misschien dat jij je voor de verandering aan kan bieden als schietschijf. Is weer 'ns wat nieuws.'

Charly maakte een dempend gebaar met zijn hand. '*Easy, easy*. Ik zorg ervoor dat Marvin te weten komt dat we die handel skippen. Oké?' Hij wees naar de sigaret in Eddies hand. 'Sylvia niet thuis?'

Eddie nam nog een haal van zijn sigaret en drukte hem daarna uit. 'Nee, Syl is er niet. Ze is weg, met de kinderen.' Misschien was het beter geweest om het voor zich te houden, maar hij had het idee dat hij het kwijt moest.

'Weg? Wat bedoel je?'

'Verdwenen... vertrokken.'

Charly keek hem aan met een blik van diep ongeloof. 'Waarom?'

'Om wat er gebeurd is, natuurlijk. Die huiszoeking... die schietpartij... alles.'

'Ook door Anouk?'

'Ja, ik denk 't.'

'Daar wist Syl dus ook van?'

Eddie vertelde met gezonde tegenzin het verhaal van Anouk, die hier aan de deur was gekomen en Sylvia had ingelicht over haar zwangerschap.

Charly begon te lachen. 'Zwanger? Verdomd, heb je d'r met jong geschopt? Dat wist ik niet eens. Hoe heb je dat nou kunnen doen, man?'

Eddie haalde zijn schouders op. Zijn hand tastte even naar de wond. Ja, de pijn was er nog. Op dit moment was dat geruststellend om te voelen, een plek waar alle pijn zich concentreerde.

'Ik heb 't je vaak genoeg gezegd.' Charly stak een waarschuwende wijsvinger omhoog. 'Je kan wel buiten de deur neuken, maar nooit te lang met hetzelfde wijf. Die begint zich dan wat in d'r kop te halen, en dan moet jij...'

'Ja, zo is het wel genoeg,' onderbrak Eddie, 'en doe die vinger maar weg. Jij hoeft mij niet te vertellen wat ik moet doen of wat ik moet laten. *Fuck you, man*. Toen jij met die Babette dat geintje had, daar heb ik toen toch ook niks van gezegd?'

'Nee, maar eh...'

'Nou, zeik dan niet. Jij nog koffie?'

'Een biertje graag. Ik sterf van de dorst. Gisteravond te veel gezopen, maar dat zei ik geloof ik al.'

'Pak het zelf maar. Je weet waar het staat.'

Charly stond in de deuropening een blikje bier leeg te klokken. Met de rug van zijn hand veegde hij het schuim van zijn mond, daarna liet hij een zware boer. 'Hè, hè... Dat had ik effe nodig. Waar is ze eigenlijk naartoe?'

'Sylvia? Weet ik niet.'

'Hoe lang blijft ze weg?'

'Moet je aan haar vragen.'

'Denk je dat ze terugkomt? Hier, bij jou?'

Eddie haalde zijn schouders op. Hoe kon hij een antwoord geven als hij er geen benul van had? Verdomme, alleen maar vragen. Een teringzooi, dat was het. Een godvergeten teringzooi, waar hij meer dan genoeg van had. Charly had mooi praten. Die was niet getrouwd, die had geen kinderen. Tenminste, niet dat Charly daarvan op de hoogte was.

Charly keek Eddie aan alsof hij een zielig schepsel voor zich had, zo'n beetje vergelijkbaar met een op straat gezette hond die naar het dierenasiel moest, verregend, hongerig en bang. 'Jij laat je wijf met je kinderen weglopen, je weet niet waar ze zit, of ze nog terugkomt... Dat is godverdomme ook nog 'ns een keer hartstikke link, man. Dat besef je toch wel?'

Ja, Eddie wist het, en Charly hoefde hem dat niet driftig en eigenwijs nog een keer in te wrijven. Je stond absoluut voor lul als je vrouw je had laten barsten. En ze had alles bij zich wat belangrijk was: de kinderen, en vooral alle informatie. De vraag was natuurlijk of ze haar mond zou houden. Stel dat Waldhoven en Brandsma haar wisten te vinden en met haar zouden gaan praten. Zolang ze hier woonde, zou ze haar mond houden. Maar als ze eenmaal zogenaamd zelfstandig was, wat gebeurde er dan? De laatste tijd had hij haar zo weinig mogelijk verteld, maar dan nog wist ze van alles. Ze kende iedereen, was op de hoogte van het geld, van de zogenaamde textielimport, zijn contacten met Herman. Het duizelde hem even. Zijn keel voelde droog aan. 'Pak ook maar een biertje voor mij.'

Charly kwam met twee blikjes uit de keuken. 'Het bier is meteen op. Je zal boodschappen moeten doen. Weet je hoe dat moet?'

Eddie voelde een bijna niet te bedwingen behoefte om de grijns van Charly's gezicht te vegen.

Nog altijd leek het een beetje op vakantie, en zij waren de enigen die ervan konden profiteren. Ze zaten in de Burger King bij het station. De kinderen, die al een paar keer iets hadden gezegd als 'hè, lekker niet naar school' of 'die anderen zitten nou taal te doen', aten patat en een hamburger. Ze prikte in een salade zonder dressing. Ze had net verteld dat ze morgen weer naar school zouden gaan. 'Vlakbij, hartstikke makkelijk. Jullie kunnen ernaartoe lopen. Ik hoef niet eens mee, Yuri.' Het had niet veel enthousiasme losgemaakt. Sylvia vroeg zich af wanneer ze zou vertellen dat dit geen tijdelijke voorziening was. Een nieuwe stad, een nieuw leven, een nieuwe toekomst, ver weg van alle ellende en al het gevaar in Amsterdam. Vanochtend had Eddie haar al een paar keer geprobeerd te bellen en hij had drie sms'jes gestuurd, maar ze had alle berichten weggedrukt. Misschien moest ze een nieuw toestel aanschaffen met een nummer dat hij niet kende.

Yuri wees Daphne op een onwaarschijnlijk dikke man die een grote berg junkfood zat weg te schrokken. Hij stopte een handje frites in zijn mond, nam meteen een reuzenhap van een hamburger, en begon direct daarna uit zijn halve-literbeker cola te drinken.

'Die barst straks nog uit elkaar,' fluisterde Yuri.

Daphne giechelde.

'Helemaal in stukjes,' ging Yuri door. 'Die vliegen hier zo door de Burger King heen.'

Daphne kreeg de slappe lach.

Yuri wist dat hij er nog een schepje bovenop moest doen. 'Dan zit iedereen hier onder de smurrie.'

Daphne kwam nauwelijks meer bij. Uiteindelijk leek ze zichzelf weer in de hand te hebben, maar dan keek ze naar de nog altijd bunkerende man en begon ze opnieuw te lachen.

Na een paar minuten maakte Sylvia er een eind aan, vooral omdat ze de indruk had dat de man het in de gaten begon te krijgen, toen Yuri bolle wangen opzette en de restanten van Daphnes eten met grote snelheid in zijn mond ging proppen. Haar auto stond op een parkeerterrein, en ze liepen door een winkelstraat naar de salon van Floor, een paar honderd meter verderop. De meeste zaken die ze in Amsterdam zou zoeken, waren hier ook. Misschien ontbraken alleen een paar winkels uit de PC Hooft of de Van Baerle, maar die kon ze uitstekend missen als ze haar luxeverleden echt van zich af wilde schudden. Geen maaltijden meer van de catering, maar op z'n hoogst een pizza van Domino. Kleren van de H&M, schoenen van Manfield. Vanochtend, toen ze met uitzicht op het kleine tuintje van Floor koffie zat te drinken, had ze het allemaal bedacht, had ze alles ingekleurd.

Daphne hield haar staande voor de etalage van Zara. 'Kijk, mam, die broek is mooi. En dat hesje!'

'Ja, heel mooi. Over een paar dagen gaan we hier nog wel 'ns winkelen.'

In een zijstraat, waar verderop een paar cafés waren, stonden ze voor een groot raam: 'FLOOR'S HAIRSTYLING – VOOR HEM EN

HAAR'. Floor praatte tegen een vrouw die in de stoel zat. Sylvia kon haar lippen zien bewegen. Terwijl ze om de vrouw heen danste, was Floor bezig het haar te knippen. Sylvia voelde het in haar eigen vingers. Zij was het zelf die daar stond met kam en schaar. Het ging haar makkelijk af, alsof de routine haar nooit had verlaten. Ach, je praatte wat... over het weer, over iets wat de vorige avond op de televisie was geweest, over de komende of de vorige vakantie – afhankelijk van welke het dichtst bij was. Alles onschadelijk en overzichtelijk, maar wel prettig. Het gesprek dreef verder, en zij liet zich meevoeren. Sommige klanten waren bekend. Die wilden juist door jou worden geholpen. Hoe gaat het er nou mee? En met de kinderen? De tijd vloog om.

'Mam!' Daphne trok aan haar arm. 'Wat gaan we nou doen?'

Sylvia keek haar dochter aan alsof ze van een andere wereld kwam.

'Of moeten we hier soms de hele tijd blijven staan?'

'Wie is daar?' klonk het door de intercom.

'Ik ben het, Eddie.' Het was zijn bedoeling geweest Charly te vragen om hem te vervoeren, maar hij had even geen zin in meer cynische opmerkingen. De taxi waarmee hij zich had laten brengen, stond nu nog te wachten, omdat hij onaangekondigd naar de Wolkenkrabber was gegaan. Anouk bleek thuis te zijn, dus Eddie gebaarde dat de chauffeur kon vertrekken. De straatdeur sprong open.

Anouk stond hem voor de deur van haar appartement op te wachten. Ze droeg een strakke broek en een diep uitgesneden truitje. Tussen haar borsten bungelde een sieraad, waarvan Eddie de prijs niet vergeten was. Anouks ogen werden groot toen ze de verbonden arm in de mitella zag. 'Wat is er gebeurd?'

Eddie zei niets, drukte alleen een zoen op haar mond en stapte naar binnen.

Ze trok aan zijn goede arm. 'Eddie! Wat is er met je arm?'
Ineens voelde hij een diepe vermoeidheid, die het bijna onmogelijk maakte om iets te zeggen. Hij strompelde de woonkamer in. Anouk bleef haar vragen herhalen. Op de bank waren verschillende kledingstukken, kranten en tijdschriften verspreid. Eddie keek of hij die ergens anders kon deponeren, maar de twee luie stoelen en de lage tafel lagen ook vol. Met een breed gebaar van zijn rechterarm veegde hij wat spullen van de bank. 'Effe zitten.'
Anouk schoof naast hem en sloeg een arm om hem heen.
'Au! Kijk uit!'
'Ben je gevallen of zo? Is-ie gebroken?'
Eddie schudde zijn hoofd. Waarom was hij hier eigenlijk naartoe gegaan? Misschien omdat alleen maar alleen was. 'Nee, een ongeluk.'
'Maar wat voor ongeluk dan?'
Eddie vertelde haperend over het schietincident, de rit naar het ziekenhuis en het verhoor door de politie.
'Wat erg voor je, wat verschrikkelijk! Je had dood kunnen zijn, en dan had ik...' Ze begon zachtjes te snikken.
Een jankende vrouw... Daar had Eddie nu helemaal geen behoefte aan. 'Ik ben niet dood,' zei hij. 'Ik ben nog lang niet dood.'

De kinderen waren naar bed, en Sylvia zat met Floor op de brede bank in de achterkamer. Ze dronken rode wijn. Zuid-Afrikaanse, kwam bij de VOMAR vandaan, een aanbieding, maar de smaak was redelijk. Sylvia zou morgen kunnen beginnen in de salon. Er was werk genoeg, zeker met de feestdagen voor de deur. Bovendien, laatst was er toch iemand weggegaan, die parttime werkte? Floor had nog geen nieuwe kapster aangenomen, en de leerling kon ze niet alles laten doen. Na december zouden ze het verder bekijken. Als alles tot rust was gekomen, kon Sylvia nieuwe plannen maken.

'Je moet kijken hoe het bevalt,' zei Floor. 'Misschien wil je op een gegeven moment terug naar Amsterdam.' Ze leek even te aarzelen. 'Misschien wel naar Eddie.'

'Dat is afgelopen... finito, voorgoed.' Sylvia nam een slokje wijn. 'Als ik weer denk aan Yuri in die auto, dan...' Ze sloot even haar ogen en schudde met haar hoofd, alsof ze daarmee haar donkerste gedachten kwijt kon raken.'Ik wil niet dat mijn kinderen opgroeien en denken dat het normaal is om zo je geld te verdienen. Alles wat Eddie uitvreet, zoals laatst met Frans, je kent hem nog wel van vroeger, dat wil je gewoon niet weten.'

'Frans? Jouw Frans?'

Ze knikte. Als er iemand wist van Frans, dan was het haar oude vriendin Floor. Sylvia vertelde het verhaal over de manier waarop Eddie Frans geld afhandig had gemaakt.

'Daar zou je mee naar de politie kunnen gaan.'

'Het zou kunnen, ja, maar ik doe het niet. Dat kan ik niet maken. Hij blijft toch de vader van mijn kinderen.'

Eddie belde weer met Rosalie. Nee, ze had geen benul waar Sylvia was. Het klonk oprecht en eerlijk, maar Eddie geloofde haar niet. Sylvia had haar waarschijnlijk in vertrouwen genomen. Rosalie had hem vroeger niet gemogen en ze mocht hem overduidelijk nog altijd niet. Daar had hij zich nooit ene moer van aangetrokken, maar nu kwam het hem slecht uit.

'Is ze dan nog altijd weg?' vroeg Rosalie zoetsappig.

'Ja, als je wat van d'r hoort, bel je me dan even? Kan ik op je rekenen?'

'Sylvia kan op me rekenen,' zei Rosalie.

Eddie zat met een tutende telefoon in zijn hand. 'Stom kutwijf.'

Hij probeerde zich andere vriendinnen van Sylvia voor de geest te halen, maar er schoot hem geen naam te binnen. Dan Sylvia nog maar een keer. Shit, weer de voicemail. Hij sprak een bericht in.

Anouk had met hem mee naar de Van Eeghenstraat gewild. 'Om je te verzorgen,' had ze gezegd. Daar was hij niet op in gegaan. 'Blijf dan hier,' stelde ze voor. Dat aanbod had hij ook afgeslagen. Toen hij de deur uitstapte, had ze hem bijna niet los willen laten. Eddie schonk een dubbele Johnny Walker in en stak een sigaret op. Sylvia... Hij zou haar vinden, als het vandaag niet was dan was het morgen. Hij móést haar vinden, en hij zou haar terugbrengen, terug naar hier, waar ze thuishoorde.

16

Het begon al bijna een prettige en geruststellende gewoonte te worden: 's morgens om halfacht opstaan, douchen, make-up, kleren aan, Yuri en Daphne wakker maken, ontbijten, kinderen naar school, en dan met Floor in de auto naar de salon. Ze had moeten wennen aan nieuwe modellen en nieuwe manieren om te knippen, maar de techniek die ze ooit had geleerd, was niet weggezakt. Behalve op woensdag werkte ze tot twee uur en ging dan met een bus naar huis om daar op tijd te zijn voor de kinderen. Daarna was het meestal tijd voor boodschappen bij de VOMAR, een paar honderd meter bij hun huis vandaan. Boven de winkel was een sportschool gevestigd. Als ze in deze buurt bleef wonen, kon ze daar weer iets aan haar conditie gaan doen. Voor haar gewicht zou het misschien ook goed zijn, want dat bleef stabiel. En ze wilde nog meer afvallen. 'Maar zoals je nu bent, zie je er hartstikke goed uit,' had Floor haar een keer voorgehouden toen Sylvia over haar streefgewicht begon. 'Dacht je soms dat mannen het lekker vinden, zo'n magere anorexiastreep?'

Aan Eddie probeerde ze zo weinig mogelijk te denken. Weg uit haar hoofd, weg uit haar leven. De afgelopen twee weken had hij verschillende keren geprobeerd om contact te zoeken. Ze had half tegen haar zin een deel van een van zijn sms'jes gelezen: 'We kunnen er toch samen over praten.' Ja, ja, met Eddie zeker, de man met wie je zo'n fantastisch, bevredigend gesprek kon hebben, die zo geweldig kon luisteren en overstroomde van begrip voor de mening en de emoties van anderen. Het was afgelopen, voor eens en voor altijd, het moest afgelopen zijn. Maar soms, vooral als ze alleen in bed lag, leek het of hij in de kamer zat en haar van alles influisterde. Laten we het nog een keer proberen. Ik zal mijn best doen, ik zweer het je. Ik hou van je. Ons huis, wij samen. De kinderen... Hij zat daar maar, in een oude fauteuil, relaxter dan ze hem ooit had meegemaakt. Ik doe echt alles voor je, klonk zijn stem, alleen voor jou, Mijn Grote Liefde, Mijn Enige Liefde. Ze kon de hoofdletters bijna horen. Dan werd het in haar hoofd toch bijna een gesprek. En die vrouw dan, die Anouk? Dat was een vergissing, en vergissingen moet je achter je laten. En dat kind? Wil ik niks mee te maken hebben, als je maar weer bij me terugkomt. En wat vindt zij daarvan? Trek ik me niks van aan. Zo ging het door, tot aan ander werk, een ander huis, een andere buurt. Eén ononderbroken reeks van wonderschone beloftes.

Ze had spaghetti, saus, gehakt, sla en tomaten gekocht voor die avond. Yuri zat achter zijn PlayStation en Daphne was een boek uit de schoolbibliotheek aan het lezen. Ze schonk cola in voor de kinderen en thee voor zichzelf. Gisteren was ze met Daphne naar een balletclub geweest. Elke woensdagmiddag was haar dochter daar welkom. Het voelde goed; alweer een probleem opgelost. Daphne had al een keer een meisje uit haar klas, Naomi, mee naar huis genomen. Sylvia had ze horen praten over kleren, en ze ving een stukje van een discussie op. Naomi was een fan van Christina Aguilera, terwijl Shakira Daphnes grote idool was. Bloedserieus hadden ze het over de voor- en nadelen van de twee zangeressen, hun kleren, hun make-up, hun sieraden, hun danspassen. Het zingen deed er kennelijk niet veel toe.

Yuri leek minder makkelijk aansluiting te vinden bij zijn klasgenoten, maar dat paste bij zijn karakter. Binnenkort zou ze een judoschool voor hem zoeken. Af en toe vroeg hij naar Eddie. Sylvia vertelde dat het goed met hem ging, de wond op zijn arm was al bijna beter. Ze schaamde zich voor haar kleine leugentjes.

Vanochtend in de krant had ze gelezen over een moeder met ernstige psychische problemen die haar vijfjarige zoontje had gedood. Door de week was het jongetje bij zijn pleegouders, maar op zaterdag en zondag ging hij naar zijn moeder. De dood was altijd dichtbij. Je eigen kind vermoorden, hoe ziek moest je daarvoor zijn? Tussen de middag had ze het er met Floor over gehad.

Als ze nu keek naar Daphne, die vreemd over de bank hangend haar boek aan het lezen was, de oortjes van haar mp3-speler in, werd ze bang, terwijl er tegelijkertijd een soort warme gloed door haar lichaam stroomde. Haar kind, haar dochter. Niemand zou Daphne en natuurlijk ook Yuri van haar af kunnen nemen, nooit.

'Dus weer wat gezond verstand in die eigenwijze kop van je gekregen,' zei Marvin. 'Het werd verdomme wel tijd, man.'

'Hoe bedoel je?'

'Ik heb met Charly gepraat.' Marvin begon een sigaret te draaien.

Eddie wist dat er niet meer hoefde te worden gezegd.

'Lullig van die arm, natuurlijk,' ging Marvin door. 'Was niet de bedoeling, maar... nou ja, klein bedrijfsongevalletje. Over een paar weken merk je er niks meer van.'

Eddie zuchtte. Marvin had hem duidelijk niet laten komen om hem zijn persoonlijke excuses aan te bieden. Hij zag er precies zo uit als de vorige keer. Eddie meende hem te kunnen ruiken, alsof hij al die tijd niet uit de kleren was geweest, terwijl er geruchten gingen dat hij de eigenaar was van een keten met sauna's, tot in Groningen aan toe.

''t Heeft me anders wel een paar centen gekost.' Marvin zuchtte diep en keek met een blik alsof hij aan de rand van een onvermijdelijk bankroet stond.

Eddie besloot zich van de domme te houden, en helemaal niets te zeggen over zijn eigen financiën. Hij was al een deal misgelopen omdat hij met zijn kop ergens anders zat, bij Sylvia en de kinderen, bij Anouk en die baby die nog geboren moest worden, maar nu al voor veel ellende zorgde. Daarom had hij een zending voor Stockholm niet op tijd geregeld. Vorige week een afspraak met Oscar in de Lexington compleet vergeten. Hij was bij Anouk geweest en had zijn mobiel uitgezet, terwijl zij uitweidde over alles wat ze ging kopen voor de baby. Per dag gaf hij tientallen euro's uit aan taxi's. Misschien dat hij volgende week weer achter het stuur kon.

Marvin rookte zichtbaar genietend van zijn zware shag. Twee Amerikaanse toeristen die aan een belendend tafeltje zaten, keken misprijzend toe.

Na een paar minuten zwijgen besloot Eddie om op te stappen. Hier was voor hem niets meer te halen. Hij kwam overeind.

'Allemaal extra kosten,' zei Marvin opnieuw. 'Eerst voor die handel, nieuwe contacten, en dan die jongens die jou aan het schrikken moesten maken.' Marvin gniffelde. 'Is goed gelukt, geloof ik.'

Eddie legde een briefje van vijf euro op het tafeltje voor het kopje koffie dat hij had gedronken.

'Ik verwacht wel compensatie,' ging Marvin door. 'Laten we zeggen tien mille. Dan mats ik je nog.'

'Wat?' Eddie dacht dat hij Marvin niet goed had verstaan.

'Compensatie... financiële genoegdoening, voor de geleden schade, omdat jij zo stom bent geweest om op mijn gebied te komen, mijn territorium. Daar moet je toch voor dokken.'

Eddie had even het idee dat hij naar adem moest happen. Die

achterlijke Amerikanen zaten geïnteresseerd toe te kijken, alsof ze begrepen dat zich hier een spannende scène afspeelde. Hij zou die stomme Yank op zijn bek willen timmeren, en als het moest dat dikke wijf van hem erbij, met haar achterlijke bril.

Marvin glimlachte. 'Ik hoef het niet direct te hebben.'

'Jij hebt een paar van die klojo's op me afgestuurd,' fluisterde Eddie met zijn tanden op elkaar, terwijl hij zich naar Marvin boog. Het kostte hem moeite om zijn stem niet te verheffen. 'Ze knallen me bijna neer... ik moet naar het ziekenhuis, en dan wil je dat ik die mannetjes van jou zélf ga betalen?'

'Het leek me een goeie regeling.'

'Een goeie regeling... m'n reet,' zei Eddie.

'Als ik jou was zou ik maar niet zo opgefokt doen.' Marvin drukte zijn sigaret uit. 'Denk erover na, bekijk 't eens van mijn kant, dan begrijp je dat je over de brug moet komen. Jij bent op een hele stomme manier in de fout gegaan, dus dat kost je geld, zo simpel is dat.'

'Ik kan het er natuurlijk ook met Herman over hebben,' zei Marvin. 'Die houdt niet van rotzooi, dat weet je. Rust in de tent, geen conflicten, dan verdienen we het meest.'

Herman... Wie probeert met Herman z'n kloten te spelen, is gegarandeerd de lul, had Oscar weleens gezegd. En ze hadden allemaal gelachen. Niet omdat het een grap was, maar de waarheid.

'Neem rustig de tijd,' ging Marvin door. 'Die poen komt wel een keer. Zeker nou je ook allemaal andere problemen hebt.'

'Problemen?' Eddie liet zich weer op de stoel zakken. Als het zo doorging, kwam hij hier nooit weg.

'Je vrouw is toch bij je weggelopen... met je kinderen? Lijkt me behoorlijk vervelend.'

Eddie trok de aandacht van een kelner en bestelde een whisky.

'Doe voor mij nog maar een koffie,' zei Marvin, 'Met extra suiker.'

'Ja, ze is een tijdje weg,' zei Eddie toonloos.

'Een tijdje? Weet je dat zeker? Niet voor altijd?'

Eddie haalde zijn schouders op.

'Wat ben je voor een kerel? Wie laat z'n wijf nou zomaar weglopen? Weet je eigenlijk waar ze uithangt?'

Eddie trommelde met zijn vingers op het tafeltje.

'Dus je weet niet wanneer ze terugkomt... óf ze wel terugkomt. Je weet niet waar ze is. Je weet helemaal niks! Dat is linke soep, man. Sylvia heet ze toch? Leuke vrouw.' Marvin knikte goedkeurend. 'Toen laatst bij Oscar in de tuin, toen-ie dat huis gekocht had.'

Het was al zo'n anderhalf jaar geleden. Een tuinfeest. Alle dagen mooi weer, wekenlang, maar die dag begon het tegen een uur of acht net te regenen, zodat Oscar compleet in de stress schoot. Gelukkig hadden ze daar pillen voor. Toen ze eenmaal thuis waren, had Sylvia hem gevraagd hoe 'dat rare boertje' op het feest verzeild was geraakt.

De kelner zette de whisky en de koffie op het tafeltje. Eddie nam enkele gretige slokken. Marvin roerde de inhoud van drie suikerzakjes door zijn koffie.

'Wat weet zíj eigenlijk allemaal?' vroeg Marvin.

'Hoezo?'

'Over jou... over ons, over de handel, de mensen, de relaties, de poen... alles.'

'Zo goed als niks.' Eddie leegde zijn glas.

De waterig blauwe, maar toch bijna lichtgevende ogen van Marvin straalden uit dat hij dat niet geloofde.

Soms vloog het haar allemaal aan, en dit was zo'n moment. Een tandarts, een dokter, verzekeringen, alles moest worden geregeld. En natuurlijk een woning, want het was geen aantrekkelijk idee om de status van eeuwige logé te krijgen, hoe Floor haar ook verzekerde dat het geen enkel probleem was. ''t Is juist gezellig, anders zit ik hier toch maar in m'n eentje.' Maar zolang Sylvia geen echte eigen plek had gevonden, leek dit slechts een tijdelijke voorziening, tot ze weer terug zou gaan naar Amsterdam.

Het was of Daphne en Yuri hier prima op hun plek waren. Yuri begon ook aansluiting te vinden. Uit school was hij bij een jongetje uit zijn klas gaan spelen. Daphne klitte steeds meer met een paar vriendinnen samen. Een Surinaams meisje, Janet, was nu bij haar op de kamer. Gisteren was Yuri weer eens over Eddie begonnen. Sylvia had vaag beloofd dat ze over een paar weken bij hem langs zouden gaan. 'Waarom morgen niet of in het weekend?' 'Daar is het nog een beetje te vroeg voor,' had ze gezegd. 'Waarom te vroeg?' 'Ik ben er nu nog niet aan toe.' Hij had haar een beetje onderzoekend of misschien wel wantrouwig aangekeken, maar vroeg niet verder door.

Ze had al geïnformeerd naar mogelijkheden om zich hier in het bevolkingsregister in te laten schrijven en naar kansen om voor een huurwoning in aanmerking te komen. Rosalie was langs geweest. Ze vertelde dat Eddie haar een paar keer had gebeld, maar ze had natuurlijk niets losgelaten. Sylvia had haar moeder aan de telefoon gehad, maar ze had haar niet verteld waar ze nu woonde.

Na het eten keken ze uit pure meligheid weer eens naar *De Gouden Kooi*. Er werd weer volop gemanipuleerd, geslijmd en geruzied. 'Ik irriteer me echt aan die jongen,' zei een van de vrouwen. 'Hij is zogenaamd zo aardig, maar ondertussen...' 'Ach, je moet erachter zien te komen wat Huub z'n zwakke plek is, en daar moet je hem zien te raken.' De twee vrouwen deden of ze het volkomen met elkaar eens waren, maar de een zou de ander moeiteloos verraden als het in haar eigen belang was. 'En Natasia vertrouw ik voor geen meter. Die speelt alleen maar spelletjes. Die kinderen van haar zijn zogenaamd zo belangrijk, maar ondertussen is ze zonder een traan te laten de deur uitgegaan. Dag, lieve kinderen... jullie bekijken het maar zonder je lieve mama.'

Voorlopig had Sylvia geen financiële problemen. In de kapsalon verdiende ze een klein salaris, maar ze had slechts weinig kosten. Het geld in de rugzak hoefde ze nog niet aan te spreken. Een enkele keer schoot de herkomst van het geld door haar hoofd. Eigenlijk zou ze er geen gebruik van moeten maken. Het was besmet geld, vuil geld. Floor had haar zwart willen betalen ('Niemand die het merkt. Anders houd je er zo weinig van over'), maar van dat aanbod had ze geen gebruik gemaakt. Vanaf nu moest alles eerlijk, zuiver, legaal. De eerste keer dat er weer een aan haar geadresseerde blauwe envelop op haar eigen deurmat zou vallen, ging bij wijze van spreken de vlag uit.

'Kijk, schat, ik heb een lekker ontbijtje voor je gemaakt.' Anouk kwam met een dienblad de kamer in en zette het naast hem op het tafeltje. 'Verse jus, thee, een croissantje, een eitje.'

Eddie kreunde. Het licht deed pijn aan zijn ogen. 'Doe die lamp 'ns uit. Is er geen koffie?'

'Straks, ik zal het zo voor je maken.'

Hij dronk de jus op die te zuur smaakte, zodat zijn mond samentrok, en hapte de croissant in een paar beten weg. 'Wil jij niks hebben?'

Ze zat op de rand van het bed. 'Nee, ik heb al wat gegeten. Ik weet niet wat het is tegenwoordig, maar ik word zo vroeg wakker. Jij lag nog lekker te slapen.' Even ging ze met haar hand strelend door zijn haar. 'Dus ik wou je niet wakker maken.'

'Dank je, Noekie, dat had ik effe nodig.' Die afspraak met Marvin, daarna een moeilijk gesprek met Daan en Oscar, het bekende gezeik omdat ze een hoger percentage wilden. Hij had te veel gedronken, omdat hij toch niet hoefde te rijden. Ten slotte had hij zich naar Anouk laten brengen. Weer gedronken en nog een nummertje gemaakt. Wel moeizaam met die arm in het verband.

'Gaan we straks nog naar Prénatal?'

'Dat is zo'n winkel met babyspullen? Het kind wordt toch nog lang niet geboren?'

'De naam is niet voor niks "Prénatal", dus vóór de geboorte. Het is leuk om alles al te hebben.'

Eddie nam een flinke slok thee. 'Shit, wat is dat heet! M'n bek verdomme verbrand. Nee, nee, ga nou niet over me heen hangen.' Hij stapte uit bed en liep naar de badkamer om zijn mond met koud water te spoelen.

Na de douche dronk hij koffie in de keuken.

Anouk deed een hernieuwde poging om hem te omhelzen. 'Laten we nou samen naar die winkel gaan. Gezellig.'

'Ik heb echt geen tijd, een volgende keer misschien.'

'Maar je hebt nooit tijd,' mokte ze.

'Ik moet nou eenmaal werken... geld verdienen, ook voor jou en straks voor...' Hij wees naar haar buik, die al een flinke omvang had aangenomen.

'Maar morgen ga je wel mee naar de verloskundige? Dan kunnen we de echo zien. Weten we meteen of het een jongen of een meisje wordt.'

Eddie nam zijn laatste slok koffie en ging met zijn tong langs de blaar in zijn mondholte. 'Oké, ik moet ervandoor. Ik bel wel.'

'Maar morgen dan...'

Hij drukte een zoen op haar mond.

Pas toen hij buiten stond, realiseerde hij zich dat hij geen vervoer had. Even overwoog hij een tram te nemen, maar dan zou hij minstens één keer moeten overstappen. Openbaar vervoer was trouwens voor losers en bejaarden. Hij belde naar de centrale van TCA, maar pas na zo'n tien minuten stopte er een taxi, waarmee hij zich naar de Van Eeghenstraat liet brengen. Hij gaf de Marokkaanse chauffeur, die gelukkig de hele rit keurig zijn waffel hield en geen stomme Arabische jankmuziek aan had staan, dertig euro, terwijl de ritprijs tweeëntwintig was. Toen hij op straat stond, keek hij in zijn portefeuille. Nog maar ruim driehonderd euro. Eerst thuis maar eens alles nalopen. Hij keek naar het pand, probeerde in te schatten of er achter de vitrage op de benedenverdieping enig leven te bespeuren was.

Terwijl hij het huisslot opendraaide, greep iemand hem bij zijn rechterarm. Hij keek in het verbeten gezicht van Frans.

'Shit!' zei Eddie. 'Je laat me schrikken, man.'

'Ik moet met je praten.'

Voor Yuri had ze een tweedehands fiets gekocht. Samen reden ze naar het gebouw waarin op donderdag na schooltijd judolessen voor kinderen werden gegeven. Ze kon komen kijken, en haar zoon eventueel laten inschrijven. De leraar was aanwezig om informatie te geven. Die zou meteen bepalen in welke groep Yuri moest worden geplaatst.

Ze kwamen in de wachtruimte terecht, die door een glazen wand gescheiden was van de sportzaal. Twee duo's waren bezig bepaalde worpen te oefenen. Voor Sylvia zag het er altijd eng uit zoals de kinderen die geworpen werden, met een klap op de mat terechtkwamen. Yuri had haar al verschillende keren verzekerd dat het geen pijn deed. Een groep van ruim tien kinderen zat langs de kant te wachten tot het hun beurt was. De leraar gaf aanwijzingen. Aanvankelijk herkende Sylvia hem niet, misschien omdat hij ook zo'n vaalwit judopak droeg. Die blonde krullen, dat aardige gezicht... het was de man van die botsing, met zijn oude Opel. Ze herinnerde zich wat hij gezegd had. 'Alleen maar een klein kusje.'

17

Alsof het om een eenvoudig karweitje ging, zo was hij naar de kast in de gang met de stoppen en de gaskraan gelopen. Hij had het stukje vloerkleed weggetrokken, was op zijn knieën gaan zitten en had het luikje open gewrikt. Leeg! Dat kon verdomme helemaal niet. Hij kwam snel overeind en stootte zo hard zijn hoofd tegen de stoppenkast dat het hem even duizelde. Toen het troebele waas voor zijn ogen was weggetrokken, pakte hij de zaklantaarn die hier altijd klaarlag voor het geval er kortsluiting was, en scheen in de kleine bergruimte. Niks, helemaal leeg. Sylvia... zij moest het hebben meegenomen. Gejat in feite, gejat van hem!

Misschien lag het toch ergens anders, probeerde hij zichzelf wijs te maken. Met enkele treden tegelijk rende hij naar boven. In de slaapkamer en in zijn kantoortje haalde hij alles overhoop. Zodra hij spullen van Sylvia tegenkwam, joeg dat zijn woede nog meer op. Hoe groter de troep, des te meer pijn hij voelde. Alles deed zeer, zijn arm, zijn hele lichaam, tot in zijn kop aan toe. Ten slotte liet hij zich op het bed vallen. De conclusie was onvermijdelijk: in feite had ze hem geript.

Nu zat hij op de bodem, net als Frans, terwijl hij zijn aandeel in de investering van Frans al bijna volledig had uitgegeven. Vrienden van vroeger, nu alle twee in de ellende. Frans had gisteren zijn jankverhaal opnieuw gehouden, nog erger dan de vorige keer. Binnenkort zou hij zeker failliet gaan. 'Dan kan je mooi opnieuw beginnen,' had Eddie gezegd. 'Al die oude schuldeisers, al die mensen die geld van je te goed hebben, daar heb je niks meer mee te maken. Een nieuwe start.' Frans had droevig zijn hoofd geschud. 'Je begrijpt er geen moer van. Ons huis zit er bijvoorbeeld ook in, dat heb ik je al verteld. Ik rijd een auto van de zaak. Alles ben ik straks kwijt, echt alles. Ik zit finaal aan de grond. Nee, nog erger, onder de grond.' Frans had door de kamer gelopen, wanhopig en onrustig. Zo erg had Eddie hem vroeger nooit meegemaakt, maar hij voelde geen greintje medelijden. Dit waren de risico's van het vak. Hij had Frans gewaarschuwd. Op een gegeven moment klemde Frans zich aan hem vast, zijn snikkende hoofd op zijn schouder. 'Je moet me helpen! Alsjeblieft... je moet me helpen!' Eddie had hem walgend van zich af geduwd. 'Kijk uit, m'n arm.' Frans was gaan zitten, met gebogen hoofd. Hij vroeg naar Sylvia. 'Die is vandaag niet thuis.' Frans had om zich heen gekeken. Irina was al ruim een week niet meer geweest. Ziek... zogenaamd ziek, natuurlijk, want voor deze maand had hij al betaald, en ze was gewend dat er bij ziekte werd doorbetaald, omdat Sylvia dat eerlijk had gevonden. Op de tafel en op stoelen lagen oude kranten, vuile kopjes en glazen stonden op het lage tafeltje, de asbak lag vol met peuken en as, een jas hing over een stoel. 'Alleen vandaag niet?' vroeg Frans.

In de gang bestudeerde hij zijn gezicht in de spiegel. Inderdaad, een man die op een lullige manier in de steek was gelaten, en die ook nog geript was. Meer kon hij er niet van maken. Straks zou hij Sylvia weer aan de telefoon proberen te krijgen. Nu moest hij eerst zien te kalmeren, want hij wist dat hij haar anders verrot zou schelden.

Het Wilhelmus klonk.

Hij pakte zijn mobieltje. 'Ja?'

'Ik heb zo'n leuke wieg gezien. Echt helemaal fantastisch.'

■

De vrouw was een nieuwe klant. Sylvia stelde zich voor.

'Ik ben Kristel.'

Eerst besprak Sylvia met haar de kleur, terwijl ze koffiedronken.

'Dat chocoladebruin vind ik wel mooi,' zei Kristel. Ze keek verder. 'Of dit.'

'Koperrood,' zei Sylvia. 'Zou je goed staan, denk ik.'

'Duco... dat is mijn man. Die zal er wel van schrikken, maar dat is wel 'ns goed voor hem.'

Sylvia vroeg niet waarom het goed voor Duco zou zijn.

Daarna hadden ze het over het model.

'Wel wat korter.'

'Een beetje voller, misschien?' stelde Sylvia voor.

Sylvia maakte de verf klaar en bracht het op. Terwijl de verf introk, knipte ze een meisje van een jaar of achttien, dat vertelde over haar stage op een reclamebureau. Vervolgens spoelde ze het haar van Kristel uit en gaf haar een crèmebehandeling.

Terug op de behandelplaats begon ze te knippen.

Kristel vertelde een verhaal over een verblijf in een huisje van Center Parcs. Ze waren naar het restaurant geweest, en hadden flink wat gedronken, met andere familieleden. 'Het was voor mijn ouders, die waren veertig jaar getrouwd. Nou ja, Duco kon geloof ik niet slapen, dus die ging weer uit bed. Hij heeft daar wat rondgelopen op dat park, nog wat gedronken in het café, en toen is-ie het huisje weer binnengegaan, ons huisje. Tenminste, dat dacht-ie. Maar het was...' Kristel begon te lachen. 'Maar er zaten andere mensen in. Al die huisjes lijken op elkaar, en ze hadden waarschijnlijk de deur open laten staan. Dus hij gaat de slaapkamer in...'

'En toen?'

'Hij doet al z'n kleren uit. Toen-ie in bed wou stappen, toen schoof-ie zo... schoof-ie zo tegen een andere man aan. Hij was bij... bij andere mensen...' Het lukte Kristel niet om het verder te vertellen.

'Dus hij lag zo bij andere mensen in bed?'

Met haar hand voor haar mond kon Kristel alleen maar knikken.

'Waren ze kwaad?'

'Nee, ze waren zich alleen maar rot geschrokken. Duco ook trouwens. Stond-ie daar, helemaal bloot, terwijl die vrouw het licht had aangedaan!'

Kristel vertelde door over Center Parcs en wat ze dat weekend nog meer hadden gedaan.

Terwijl Sylvia met haar stond af te rekenen, ging de deur naar de straat open. Eerst had ze het niet in de gaten, maar toen hij in haar blikveld verscheen, sloeg haar hart een paar tellen over. Om die vervolgens razendsnel bonkend weer in te willen halen. Hij bleef bij de deur staan, bijna alsof verlegenheid hem ook parten speelde.

Toen liep hij op haar toe, terwijl zijn hand door zijn krullen ging. 'Je bent vrij?'

Ze was in de war door zijn vraag, die van alles kon betekenen. Toch knikte ze.

'Een klein stukje eraf graag, zelfde model. Of moet ik een afspraak maken?'

'Nee, ik heb nu verder geen klanten.' Sylvia keek om zich heen. Kristel ging net de zaak uit. Floor stond glimlachend een vrouw te knippen. Vanavond zou ze er waarschijnlijk iets over vragen of zeggen. Zo, jij leek behoorlijk van de kaart.

Ze wees een stoel aan waar hij kon gaan zitten. 'Eerst even wassen?'

'Ja, prima.'

Ze wist dat dit geen toeval was. De judoclub wel, maar dit niet. Tussen twee lessen in hadden ze even met elkaar staan praten. Het was niet vreemd om hem te vertellen dat zij met haar kinderen vanuit Amsterdam in Almere was komen wonen. Daarom wilde Yuri hier op judo. Maar waarom had ze hem verteld dat ze ook werk had, in een kapsalon vlak bij het station? Een kapsalon, oké, maar vlak bij het station, dat had ze toch niet hoeven zeggen?

Ze knoopte het laken om hem heen, stopte het in bij zijn nek en vroeg hem zijn hoofd naar achteren te buigen. Ze testte de temperatuur van het water, en toen die goed was, maakte ze zijn haar nat. Daarna masseerde ze de shampoo in, waarbij een wee gevoel door haar lichaam trok. Ze moest even slikken. Zoiets was haar nog nooit overkomen. Bij een klant haar wassen, knippen, alles bleef altijd een praktische handeling, die haar verder niet raakte. Behalve natuurlijk de eerste keren toen ze Eddie knipte. Maar dat was ook na een paar keer routine geworden. In gedachten ging ze terug naar die botsing, onderweg naar Almere. Hoe hij uit de auto was gestapt, hoe hij gekeken had, wat hij had gezegd.

Ze spoelde de shampoo uit en droogde zijn haar met een grote handdoek. Het leek bijna te intiem zoals ze zijn hoofd behandelde.

In een andere stoel begon ze te knippen. 'Alleen iets korter,' zei hij, 'maar dat had ik geloof ik al gezegd.'

Zo goed mogelijk probeerde ze zich te concentreren, bang een misser te maken. Blonde, krullende lokken vielen naar beneden, bleven soms aan de kapmantel hangen, en vielen dan op de grond. Straks zou ze die kunnen verzamelen. Toen haar blik even die van Floor kruiste, gaf die haar een vette knipoog.

'Wat vind je van Almere?' vroeg hij.

'Eh... leuk, prima.'

'Je woonde toch in Amsterdam?'

Ze knikte.

'Beviel dat niet meer?'

'Nee.' Meer wist ze niet te zeggen.

Ze knipte door. In de spiegel zag ze dat hij glimlachend naar haar keek.

'Bakkebaarden?' vroeg ze.

'Ongeveer tot halverwege het oor, graag.'

Ze schoor de huid vlak onder de bakkebaarden en de nek, waaruit ze wat poezelig blonde haartjes verwijderde. Dit kon niet, dit mocht niet.

Toen ze klaar was, liet ze de achterkant zien met de ronde spiegel.

'Ja, prima.' Hij stond op uit de stoel.

Ze liep met stramme, uitgemeten passen naar de kassa. 'Tweeëntwintig euro vijftig.'

Hij gaf vijfentwintig. 'Zo is het goed.' Ze wilde zich al omdraaien, toen hij met een wat gedempte stem zei: 'Het is misschien een beetje brutaal om te vragen, maar zou je een keer met me uit willen. Niks bijzonders, ergens wat drinken of zo.'

Haar mond was kurkdroog en ze kon nauwelijks iets zeggen. Ze hield haar ogen gericht op een vrouw die op een opvallend laag fietsje voorbij kwam rijden.

'Misschien wat eten?' hield hij aan.

Ze schudde haar hoofd. Eindelijk kon ze de woorden vinden. 'Nee, ik kan niet.'

'Maar ik bedoel niet vandaag of zo, maar morgen of misschien een andere keer. Je zegt maar wanneer het je uitkomt.'

'Nee, ik kan niet,' herhaalde ze.

'Of wil je niet?' vroeg hij.

Ze draaide zich om en ging naar de wc. Meer dan vijf minuten bleef ze zitten. Dan zou hij zeker weg zijn.

'Nee, dat is jouw pakkie-an,' zei Charly. 'Het was een contact van jou, en trouwens ik moet zo naar Roermond.'

'Waarvoor?'

'Jezus, moet ik aan jou soms verantwoording afleggen? Moet ik vertellen hoeveel ik gister heb gedronken, op wat voor manier ik met Sharon een wip heb gemaakt? Wat is er tegenwoordig met jou, man?'

Eddie had het idee dat Charly hem ergens buiten wilde houden. Midden vorige week was het begonnen. Hij wreef over zijn linkerarm. Vanochtend was in het ziekenhuis het verband eraf gehaald. Van de mitella was hij nu verlost. Op de al bijna geheelde wond zat alleen een licht verbandje, maar het jeukte als de pest.

'Regel het zelf maar met Maaswinkel,' vervolgde Charly.

'Oké, zal ik doen, maar... eh, ik zit tegenwoordig een beetje krap en ik wou...'

'Maar je hebt toch geen gezin meer om te onderhouden,' onderbrak Charly op een toon alsof het een goeie grap was.

Eddie deed of hij hem niet had gehoord. 'Ik heb wat cash nodig. Kan ik op je rekenen?'

'Een beetje moeilijk in deze tijd. Veel geïnvesteerd, nog niet veel teruggezien.'

'Vijf rooie?' vroeg Eddie.

'Oké. Maar ik moet nou weg. Ik zie je.'

Eddie meende op de achtergrond een vrouwenstem te horen.

Hij probeerde Maaswinkel te bereiken, maar op geen van zijn nummers werd er opgenomen. De lafaard hield zich onbereikbaar, net zoals Sylvia. Iemand moest weten waar ze uithing. Hij moest dat geld hebben. Zij had er helemaal geen recht op. Hij zou haar en de kinderen terughalen, met het geld. Maar waar was ze? Hij pijnigde zijn hersens, dacht aan vrienden en vriendinnen van vroeger. Je moest je een bepaalde scène voorstellen, had hij iemand weleens horen zeggen, dan kwamen de namen die erbij horen vanzelf. Hij sloot zijn ogen en deed zijn best. De High Times, het café De Spaarndammer, de snackbar van Toontje met zijn berenhappen en bijna vleesloze kroketten. Ze zaten daar een patatje te eten. Sylvia ook. Een vriendin van haar kwam binnen. Floor... Natuurlijk! Met haar was Sylvia altijd zo dik geweest. Als ze bij iemand was ondergedoken, dan was er een goeie kans dat het bij haar was of dat zij het in ieder geval wist. Laatst had Sylvia over haar verteld, misschien niet toevallig. Waar woonde ze ook alweer? Niet meer in Amsterdam. Almere, ja, dat was het. Ze was getrouwd en naar Almere gegaan. Maar alleen met de voornaam Floor en Almere kwam hij niet ver. Ze had een rare achternaam gehad. Iets met Gans of zo. Floor Gans? Nee, dat was het niet. Floor Ganzenhof of Ganzenhoef? Hij keek op internet in de telefoongids. Beide namen kwamen niet voor in Almere. Hij schonk opnieuw in en liep door de kamer met zijn glas, ondertussen slokjes nemend. Een gekke naam. Laatst had hij hem gezien op een vrachtwagen van een of ander bedrijf. Hij probeerde ook dat beeld weer op zijn netvlies te krijgen. Als hij die vrachtwagen eenmaal zag rijden, dan wist hij het weer. Een sigaret hielp misschien. Toen zag hij het weer voor zich. Van Gansewinkel. Verdomd, dat was het, Floor van Gansewinkel. Hij zocht het nummer op. Bingo, Gansewinkel, F. van, dat moest haar zijn. Hij toetste het nummer in.

'Met het huis van Floor,' klonk een bekende meisjesstem.

18

Een opluchting, om zelf weer te kunnen rijden en niet meer afhankelijk te zijn van taxi's of andere chauffeurs. De Lexus had hem gemist, dat wist Eddie zeker. Bijna drie weken had hij bij de garage gestaan, waar alle sporen van het zogenaamde schietincident vakkundig waren uitgewist. Niets meer van te zien, dus eigenlijk was er niets gebeurd. Had meer dan duizend euro gekost, zelfs zwart. Toen hij voor het eerst weer achter het stuur kon zitten, had hij een paar keer op het dashboard geklopt. 'Zo, Lexie, daar zijn we weer.' Aan de andere kant van de weg stonden de auto's in een file. Iedereen wilde kennelijk Amsterdam in, elke dag weer. Pas toen hij boven de honderdvijftig zat, en een stom Opel-mannetje op zijn voorhoofd tikte nadat Eddie hem rechts was gepasseerd, begon hij vaart te minderen. Die lul in zijn Zweedse rotbak zou hij graag de berm in rijden, maar hij hield zich in. Beheersing, daar ging het om. Straks vooral. Hij moest zich niet laten opnaaien.

Twee minuten later reed een Volvo van de politie hem voorbij. Zijn intuïtie had hij dus op tijd terug. De juiste beslissing op het juiste moment. Vanaf nu zou het allemaal beter gaan. Afslag naar Almere... Hoe kreeg Sylvia het in haar hoofd? Daar wou je toch zelfs morsdood nog niet naartoe, en zeker niet als je een riant huis in de Van Eeghenstraat had. Andere mensen zouden bij wijze van spreken een moord doen voor zo'n woning. Hij glimlachte.

Het had hem beter geleken om niet van tevoren te bellen. Als hij onverwachts voor haar neus stond, kon ze zich niet voorbereiden. Het was zíjn aanval en dat bleef de beste verdediging. Dat had hij ooit in praktijk gebracht bij de enkele cafégevechten waarin hij verzeild was geraakt: de eerste klap moest van jou zijn, en het liefst zo hard mogelijk. Zijn TomTom leidde hem moeiteloos naar het juiste adres. Hij was gesteld geraakt op de enigszins lage, licht hese stem van de vrouw die hem de weg wees. 'Na tweehonderd meter naar links... op de rotonde rechtdoor.'

Een voordeel van Almere, dat moest hij toegeven: bij een woning zoals deze kon je moeiteloos parkeren. De rode Peugeot 206 van Sylvia stond zo'n tien meter van het huis. Die auto had hij dus ook betaald, zonder er een probleem van te maken. Vanaf de straat was niet te zien of er iemand thuis was.

Kwart voor drie. Sylvia fietste naar huis. Zo was ze 's middags altijd ruim op tijd voor Yuri en Daphne. Ze deed haar uiterste best om niet aan de judoleraar te denken, maar door dat zo heftig te proberen bleef hij juist in haar hoofd ronddwalen. Misschien had ze zichzelf in de weg gezeten door hem af te wijzen. Hij wist dat ze alleen was. Ook dat bleek uit het inschrijfformulier voor de judolessen.

Ze voelde zich bezweet en knoopte haar jas open. Het was waanzinnig warm voor de tijd van het jaar. Volgende week zou Yuri zijn eerste les gaan volgen, dat kon mooi voor de kerstvakantie. Misschien moest ze met hem meegaan, en dan zou ze de judoleraar weer zien. Dat wilde ze en tegelijk was ze er bang voor.

Het begon net een beetje druilerig te regenen toen ze haar straat inreed. Tussen twee blokken door liep ze naar de achterkant om haar fiets in het schuurtje te zetten. Ze deed haar jas uit en liet alvast water voor thee in de fluitketel lopen.

In de krant van gisteren, die Floor altijd aan het eind van de dag meenam uit de salon, las ze een artikel over alcoholmisbruik door jongeren. Een foto erbij van een stel jongens met een batterij volle bierglazen voor zich. Ouders hadden er vaak geen benul van hoeveel hun kinderen dronken. 'De tolerante houding van ouders speelt een cruciale rol. Uit onderzoek van het Trimbos-instituut blijkt dat jongeren hun eerste drankje vaak van de ouders zelf krijgen.' Ze legde de krant weg en staarde in de verte. Floor had haar al voorgesteld om langer te komen werken, ook op zaterdag. Dat zou ze misschien gaan doen als Yuri en Daphne eraan toe waren. Eerst moest alles stabieler en vertrouwder worden, maar ze bleef aangenaam verbaasd over hun aanpassingsvermogen. Over Amsterdam hadden ze het nauwelijks meer. Alleen Yuri had een paar keer gezegd dat hij binnenkort weer een keer naar Amsterdam wilde, naar Eddie. 'Kijken hoe het met papa gaat.' Sylvia voelde zich schuldig over de vage toezegging die ze had gedaan. 'Gaan jullie scheiden?' had Yuri gevraagd. 'Ja, waarschijnlijk wel.' Yuri had gezegd dat hij dat niet leuk vond. Ze had hem tegen zich aan getrokken en geknuffeld, waaraan hij zich gelukkig zonder reserve overgaf. 'Ik vind het ook niet leuk,' had ze gezegd, 'maar het moet nou eenmaal.' 'Waarom?' 'Dat leg ik je later nog wel 'ns uit.'

De bel ging.

Toen ze de deur opende en zag wie er op de stoep stond, deed ze een stap terug. Ze wist dat Eddie niet voor eeuwig was te ontlopen. Ooit moest hij weer eens op haar pad verschijnen, maar nu was ze absoluut nog niet toe aan een confrontatie.

Eddie lachte zijn open, ontwapenende lach. 'Zou ik even binnen mogen komen?'

Ze schudde haar hoofd.

'Kom op, Syl. We moeten het een en ander afspreken.'

'Later... nu niet.'

'Doe nou niet zo moeilijk.' Hij keek even om zich heen. 'Jij loopt zomaar de deur uit, neemt de kinderen mee, laat mij alleen achter. Dan kan je toch op z'n minst even met me overleggen. Dan kunnen we kijken wat voor afspraken we kunnen maken. Het gaat trouwens weer goed met m'n arm.' Hij bewoog de linkerarm een paar keer heen en weer.

'Later.' Ze deed een poging om de deur te sluiten, maar hij had zijn voet al tussen de deur en de drempel gezet.

'Je wilt toch geen problemen?' Eddies toon bleef vriendelijk.

'Nee, natuurlijk niet.'

'Nou dan.' Hij kwam iets meer naar voren. 'Misschien kunnen we wat afspreken over de kinderen. Dat ze af en toe bij mij komen. Ik wil ze ophalen en weer terugbrengen. Over andere dingen hebben we het dan later wel.'

Ze wist dat ze hier niet op in moest gaan. Eddie zou razendsnel gebruik maken van elke opening die ze bood, en dat kwam bij hem meteen neer op misbruik maken. 'Je kunt me schrijven over wat je wilt met de kinderen,' zei ze. 'Je hebt nu het adres.'

'Schrijven?' vroeg Eddie. 'We kunnen toch hier praten. Hier... nu. Dan hoeven we toch niet te schrijven!' Hij keek alsof ze hem een oneerbaar voorstel had gedaan.

'Ik wil je niet in huis hebben,' zei Sylvia. 'Floor zou het trouwens ook niet willen.'

'Jezus, Syl. Doe niet zo ingewikkeld.'

Eddie leek het op te geven, hij trok zijn voet terug, maar plotseling zette hij zijn gewicht tegen de deur. Die schoot verder open, zodat hij meteen binnen kon dringen en met zijn gestalte het gangetje leek te vullen. 'Zie je wel?' zei hij triomfantelijk. 'Zo makkelijk gaat het.'

Sylvia liep het gangetje uit, de keuken in. Ze wilde het huis aan de achterkant weer verlaten, maar bedacht zich bijtijds. Over ruim een kwartier zouden Daphne en Yuri er zijn. Ze keerde zich om. 'Goed, vijf minuten dan, maar geen seconde langer.'

Eddie stond al meer dan een uur te wachten. Dat was verdomme tegenwoordig zijn leven: wachten in de auto. Hij had de Smart van Anouk geleend. Makkelijk, je kon hem overal parkeren, maar je kreeg het stervensbenauwd in zo'n rottig klein autootje. Maaswinkel woonde hier niet verkeerd; keurige buurt, grote huizen, vlak bij de ringweg. Daar had hij dus wel geld voor. Eddie stak een sigaret op. Daan en Oscar waren zogenaamd verhinderd en Charly was incommunicado. Vanochtend had hij een kerstboom geregeld voor Anouk, want dat vond ze zo gezellig, had ze gezegd. Voor eerste kerstdag had hij bij Famous Food een tafel voor hen tweeën gereserveerd (waar die uitzuigers bijna tweehonderd euro zonder drank voor vroegen!) en op tweede kerstdag kreeg ze familie over de vloer. Ze leek hem te geloven toen hij zei op die dag al afspraken te hebben. Natuurlijk had ze wel een forse financiële bijdrage nodig gehad.

Geld... Tegenover Sylvia was hij maar niet begonnen over het geld uit de bergplaats, dat kwam later wel. Eerst moest hij de kinderen terug zien te winnen. 'Ik mis ze verschrikkelijk,' had hij gezegd. 'Jij kunt misschien weglopen, maar je kan de kinderen toch niet zomaar van me afpakken.' 'En als ze bij jou zijn, dan wordt er misschien weer op ze geschoten. Ze zijn gewoon niet veilig bij jou.' Hij had benadrukt dat het een incident was geweest. Het zou niet meer gebeuren, daarvoor kon hij zijn hand in het vuur steken. Ze had beloofd hem te bellen, voor kerst nog, zodat ze iets konden afspreken voor de kerstvakantie. Daphne en Yuri zouden een paar dagen naar Amsterdam kunnen komen.

Hij gooide de rest van zijn sigaret uit het raam en keek op zijn horloge. Maaswinkel had geen enkele keer de telefoon opgenomen, maar Eddie vermoedde dat hij thuis was. Zijn auto stond iets verderop in de straat. Net toen hij aanstalten maakte om aan te bellen, kwam Maaswinkel naar buiten. Aanvankelijk was Eddie van plan geweest om hem te volgen. Daarom had hij de Smart geleend, maar nu leek het hem handiger om zijn woning te vereren met een bezoek. Toen de BMW om de hoek verdwenen was, wachtte hij een kwartiertje.

Daarna belde hij aan.

Door de intercom kwam een metalen stem. 'Wie is daar?'

'NUON,' zei Eddie, 'Tom Hansen.'

'Wie?'

'Tom Hansen van NUON, uw energieleverancier.' Dat laatste had hij van tevoren gerepeteerd.

'Wat komt u doen?'

Eddie hoorde een wantrouwende bijklank in de stem, zelfs door deze intercom. 'Er zijn hier in de buurt enkele problemen geweest met de gasleiding, en nu moeten we die overal even checken.'

'Kunt u niet terugkomen als mijn man thuis is? Die heeft meer verstand van dit soort dingen.'

'U hoeft er geen verstand van te hebben,' stelde Eddie gerust. 'Ik weet er zelf alles van.'

'Maar ik kan niet zomaar mensen binnenlaten.'

'Als u even opendoet, zal ik u mijn identificatie laten zien. Dan weet u dat alles oké is. En u moet goed bedenken dat we deze controle uitvoeren voor uw eigen veiligheid. U weet wat er kan gebeuren bij een gaslek.' Boem, zei hij in gedachten. Iets opblazen, dat zou een fantastische kick geven. Vele malen mooier dan een duizendklapper bij Nieuwjaar.

Eddie hoorde wat onverstaanbaar gemompel, waarna de deur openklikte. Hij liep een trap op naar de tweede verdieping en klopte op de deur van de woning. Die deur werd een klein stukje opengedaan en er verscheen een bangig gezicht. Eddie flitste zijn identiteitskaart heen en weer, en duwde de deur verder open.

De vrouw droeg een ochtendjas van donkerrode badstof. Ze was dik en had een wat opgeblazen, papperig bleek gezicht, en de kapper had ze zo te zien al een paar maanden niet bezocht. Echt een mooi stel, die magere Maaswinkel en deze vrouw met al haar kilo's. 'Maar...' begon ze.

'Waar is de meter?' vroeg Eddie.

'Hier.' Ze pantoffelde naar een deur. 'Hier in de gangkast.'

'Ik zal het even rustig bekijken, mevrouw, zodat u zich geen zorgen meer hoeft te maken.'

Ze trok zich terug in de woonkamer. Eddie bleef een paar minuten wachten op de gang, en liep haar toen achterna. Hij had geen idee wat hij verder zou gaan doen. Het leek of bij de inrichting van de woonkamer nergens op was bespaard. Leuk gedaan van die Maaswinkel, allemaal van het geld van een ander.

De vrouw zat naar een dierenprogramma op de televisie te kijken. 'U bent klaar?'

'Bijna.'

Jonge tijgertjes waren op het grote lcd-scherm aan het ravotten, terwijl hun moeder toekeek. Eddie liep naar het tv-toestel en trok de stekker uit het stopcontact.

'Maar wat doet u nou?' Mevrouw Maaswinkel kwam zuchtend en steunend overeind. 'U kan toch niet zomaar...'

'Dat kan zomaar wel,' zei Eddie. 'Deze moet ik helaas meenemen.' Hij maakte de kabelaansluiting los en tilde het toestel op.

'Het ging toch om het gas, en niet om de elektriciteit of de televisie!' De vrouw praatte alsof het huilen haar nader stond dan het lachen. Ze wist niet dat het veel erger kon worden. Ach, eigenlijk wist ze helemaal niks, zelfs niet hoe haar man het huishoudgeld verdiende.

'Het gaat overal om.'

'Maar wat moet ik nou doen om de tv terug te krijgen?' De tranen stonden haar in de ogen. 'Wat zal Pieter zeggen? Wat is uw naam, waar kunnen we u bereiken?'

'Vertel Pieter maar dat Eddie het toestel heeft meegenomen vanwege de openstaande rekening.' Hij ging naar de deur.

'Maar het toestel is betaald, dat weet ik zeker.' Verrassend snel kwam ze omhoog uit haar stoel, liep op hem af en trok hem aan zijn nog steeds pijnlijke arm.

'Hou, daarmee op, stomme trut.'

Ze ging bijna helemaal aan hem hangen, en hij liet het scherm uit zijn handen glijden. Op het glanzende parket sloeg het aan gruzelementen.

'Zie je nou wat je hebt gedaan!' Hij gaf haar een machteloze stoot tegen haar schouder, die zo hard aankwam dat ze viel.

'Gemene rotzak!' De wegglijdende ochtendjas onthulde ijzig wit vel met onsmakelijke bobbeltjes en putjes.

Eddie schopte haar tegen haar onderrug. 'We gaan niet schelden, hè?'

'Au! Dit mag u helemaal niet doen,' huilde ze.

'O nee, mag ik dit niet doen? Vraag dat maar aan die man van je.' Hij trapte en hij trapte, zo hard mogelijk. Ze kermde, krijste en schreeuwde, als een varken dat werd geslacht. Uit alle macht probeerde ze zijn voet te pakken, maar hij rukte zich los en schopte opnieuw.

'Nee, nee!'

Hij wilde haar helemaal verrot trappen. Dood moest ze... weg, kapot, finaal kapot, dat achterlijke, dikke wijf. Op haar handen en benen verschenen bloedvlekken van de lcd-scherfjes waar ze in terechtgekomen was. Voor Eddie werd ze een grote, plompe zak met bloederige vodden. Opnieuw haalde hij uit, en nog een keer. Ze was nu stil. Hij keek op haar neer en wist dat hij nu echt moest ophouden.

'Ik begrijp waarom je vertrokken bent,' zei Brandsma. 'Je had er genoeg van, zo is het toch?'

Sylvia knikte. Brandsma was aardig, vriendelijk, meelevend, maar ze zou hem niet méér vertellen dan absoluut nodig was. Het was niet duidelijk hoe hij haar gevonden had. Met veel omhaal van woorden had hij iets gezegd over inschrijfgegevens van scholen en gemeentelijke onderwijsadministraties.

Hij haalde een foto tevoorschijn. 'Kent u deze man?'

'Ja.'

'Hoe heet-ie?'

'Charly... een achternaam weet ik niet,' mompelde Sylvia.

'Werkte Charly samen met uw man?'

'Dat weet ik niet.'

Brandsma leek een zucht uit zijn tenen te halen. 'Kom, mevrouw Kronenburg, u bent intelligent genoeg om...'

'Mevrouw Houweling,' verbeterde Sylvia. Nu ze bij Eddie vandaan was, vond ze het prettig om haar meisjesnaam te gebruiken.

'Goed, mevrouw Houweling, Charly kwam bij u over de vloer, hij deed klusjes voor die zogenaamde textielimport, en u bent... even kijken...' Brandsma haalde een notitieboekje tevoorschijn, bladerde er in tot hij kennelijk gevonden had wat hij zocht. 'Ja, hier heb ik het. In 2001 hebben u, uw man, Charly van der Berg en ene Daisy, maar misschien kende u haar onder een andere naam... Met z'n vieren hebben jullie toen een paar dagen doorgebracht in hotel Miramare in San Remo. Was dat alleen maar vakantie?' Brandsma liet zelfs een typisch vakantiekiekje zien waar ze met zijn vieren op stonden, lachend, vrolijk, alsof het leven één groot feest was. Het was een raadsel hoe hij dat fotootje in handen had gekregen.

Haarscherp, gestimuleerd door de foto, kwamen de herinneringen naar boven. Eddie en Charly zouden een Italiaanse lijn op gaan zetten. Een paar keer hadden ze overleg gehad met een Italiaan, ene Adriano; een knappe, charmante engerd, die overduidelijke pogingen deed om Daisy te versieren, zelfs terwijl

Charly in de buurt was. Ze had iets opgevangen over plezierjachten die zelden werden gecontroleerd en Italiaanse douaniers die makkelijk om te kopen waren. Zelf had ze voornamelijk aan het strand gelegen. Daisy bleef liever topless en met een minuscuul stringetje aan de rand van het zwembad. Ze leek doodsbang voor het minste zandkorreltje.

'Ja, alleen vakantie.'

'Zomaar, met z'n vieren?'

'Ja, we wilden er een paar dagen tussenuit.'

'Kende u die Daisy goed?'

Sylvia schudde haar hoofd.

'U was er dus niet van op de hoogte dat ze bij Yab Yum had gewerkt, en daarna een eigen escortbedrijf was begonnen?'

'Nee, dat wist ik niet.'

Brandsma leunde achterover. 'Is dit tijdelijk?' vroeg hij.

'Waarschijnlijk wel.'

'O, u gaat dus terug naar Amsterdam, terug naar Eddie.'

'Nee, dat niet. Maar ik zoek een ander huis in Almere. Dit is het huis van een vriendin.'

'Weet ik, Floor van Gansewinkel, eigenares van...' Hij bladerde weer. 'Van Floor's Hairstyling. En daar werkt u nu ook, heb ik begrepen.'

Die Brandsma wist alles. Haar hele leven was in kaart gebracht. Ze zat in een of ander dossier als vrouw van...

'Maar u bent dus op zoek naar een ander huis in Almere? Daar zouden wij misschien bij kunnen helpen. We hebben zo hier en daar wat connecties. Veel ex-Amsterdammers in Almere. Maar we willen ons natuurlijk alleen voor u inspannen als u zelf een beetje met óns meewerkt.'

Sylvia zweeg.

Brandsma haalde opnieuw een foto uit zijn tas. 'Deze man, herkent u die?'

Ze zag het onmiddellijk. Het was dat boertje. 'Marvin,' zei ze, 'dat is Marvin.'

■

Eddie lag op de bank en werd wakker van de ringtone van zijn mobiel.

'Wat je met m'n vrouw hebt gedaan, dat neem ik niet.'

'Met wie spreek ik?' vroeg Eddie.

'Dat weet je verdomd goed. Mijn vrouw is in het ziekenhuis opgenomen.'

Eddie herkende nu zijn stem: Maaswinkel. 'En, ligt ze daar goed?'

'Een zware hersenschudding, drie ribben gebroken en interne bloedingen.'

'Tja,' zei Eddie. 'Heel vervelend natuurlijk, maar zolang jij niet betaalt, kan er van alles gebeuren. Dat heb je toch wel begrepen? Als het moet, maak ik het karwei af.' Eddie wist dat Maaswinkel niet naar de politie durfde te gaan. In het ziekenhuis had hij waarschijnlijk verteld dat zijn vrouw van de trap was gevallen, misschien wel met dat lcd-scherm in haar handen. Of zouden ze denken dat het een geval was van huiselijk geweld?

'Schoft,' zei Maaswinkel, 'vuile schoft. Ik krijg je nog wel.'

'Wie wou je daarvoor meebrengen?'

Maaswinkel verbrak de verbinding.

Het licht was gedempt. Er werd muziek uit haar jeugd gespeeld, niet te hard, zodat je nog een gesprek kon voeren zonder te moeten schreeuwen. Net 'All Night Long' van Lionel Ritchie, en nu 'Don't Leave me This Way'. Wie dat zongen, wist ze niet meer, wel dat ze het ooit samen met Floor had meegebruld, toen ze het singletje grijs draaiden op haar gammele pick-upje in haar eigen meisjeskamer. Er was toen niemand die hen kon verlaten, maar ze zongen het alvast op voorhand. Haar moeder vroeg of het niet wat zachter kon. Het kon, maar ze deden het niet.

Voor de eerste keer in weken was ze in een café. Zaterdagavond, de perfecte avond om uit te gaan. Ze was doodmoe, vanwege al het werk in de salon voor de feestdagen. Iedereen wilde er zo mooi mogelijk uitzien: nieuwe kleren, een nieuw kapsel. Maar ze voelde de vermoeidheid nauwelijks, en nieuwe kleren of een nieuw kapsel had ze zelf niet nodig. Er was al veel te veel nieuw, misschien meer dan ze kon verwerken.

Er waren hier tamelijk veel vrouwen van haar leeftijd, sommigen iets ouder. Verschillenden van hen waren duidelijk alleen. Single. Je kon het aan ze zien, aan hun gedrag, de manier waarop ze om zich heen keken.

'Dus ik blijf voorlopig maar in Amersfoort wonen,' zei Nick. 'Almere kan altijd nog. Eigenlijk zoek ik een school in Amersfoort, maar voor gymleraren is de spoeling nogal dun.'

'Een mooi huis?' vroeg Sylvia. Als ze eerlijk was, moest ze toegeven dat ze zijn haar niet helemaal volgens het boekje had geknipt. Dat was haar woensdag al opgevallen toen ze Yuri naar judoles bracht. Hij was druk aan het lesgeven, maar had haar diezelfde avond gebeld op haar mobiel om een afspraak te maken; het nummer had hij van Yuri's inschrijfformulier. En deze keer was ze er wel op ingegaan.

'Ach... niet gek,' zei Nick, 'een bovenetage in een oud pand in de binnenstad.'

'En... eh, je woont alleen?' Tot nu toe hadden ze het over van alles gehad, over Sara en Ammar bijvoorbeeld, de twee kinderen die bijna een halfjaar op de Nederlandse ambassade in Syrië hadden gezeten, en vlak voor kerst terug waren gekomen naar Nederland, naar hun moeder.

'Waarom vraag je dat?' Hij dronk van zijn bier.

Sylvia voelde dat er een blos naar haar wangen steeg. 'Je zou toch een vriendin kunnen hebben? Misschien ben je getrouwd.' Ze keek naar zijn ringloze vingers.

'Zou dat erg zijn?'

'Misschien niet erg, maar dan weet ik tenminste waar ik aan toe ben.'

Hij glimlachte. 'Ik woon alleen, nu alweer bijna twee jaar. Eerder heb ik wel met iemand samengewoond, een jaar of vijf, maar het was... eh, nou ja, een *mission impossible*.'

'Waarom?'

'We pasten niet echt bij elkaar. In het begin gaat het dan nog wel goed... verliefd en zo, maar op den duur is dat niet genoeg, dan is er meer nodig. We waren geen maatjes, weet je, dat was het, geen maatjes, geen vrienden.'

Sylvia schoof de voet van haar wijnglas heen en weer over de met drankvlekken bedekte tafel.

'En jij?' ging Nick door. 'Ik weet dat jij bent weggegaan uit Amsterdam... met je kinderen. Behoorlijk heftig. Waarom eigenlijk, wat is er gebeurd?'

'Daar praat ik liever niet over.' Als hij nu doorvroeg, zou ze opstaan en zonder om te kijken weglopen. Ze spande de spieren in haar benen al.

Hij legde een hand op haar hand. 'Jij nog iets drinken?'

Ze liet haar hand liggen, voelde de zachte, warme druk van die van hem, maar zei niets en knikte alleen.

19

Eddie kreeg een telefoontje van Brandsma. Of hij even op het bureau wilde komen. Waarom? Dat zou Brandsma wel toelichten als Eddie er eenmaal was. Hij dacht dat Daphne en Yuri best een uurtje alleen thuis konden blijven. Dit was hun tweede dag hier, en Eddie vond het moeilijk om de tijd te vullen. De hele dag alleen met de kinderen, dat had hij in geen jaren gedaan. Wat moest hij met ze doen, waar kon hij met ze naartoe? Ja, gisteren de nieuwe James Bond. Vanavond misschien maar naar *Kruistocht in spijkerbroek*. Rare titel, maar Daphne had al gezegd dat ze het boek vet spannend vond. Dat was voordat ze had geklaagd over verveling. Woensdag, donderdag, vrijdag, en hij zou ze zaterdagochtend terugbrengen. Nadat hij drie dagen achter elkaar bij haar langs was geweest – verder dan de deuropening was hij nooit gekomen – had Sylvia toegegeven. Ze had Daphne en Yuri naar school gebracht en van school gehaald. Als een moederkloek had ze over hen gewaakt. Op straat hadden ze hem alleen gegroet. Yuri bleef wel kijken. Geen kans om ze mee in de auto te nemen of hij had grof geweld moeten gebruiken. Dat kon later altijd nog als het nodig was en Sylvia niet bij zinnen kwam. Maar hij wist dat ze zou breken, en hij had gelijk gekregen, zoals ze hem op den duur helemaal gelijk zou geven. Gelijk móést geven.

Vanochtend was Anouk zo onhandig geweest om een ‘gezellig' bezoekje te komen brengen aan de Van Eeghenstraat. Met de kerstdagen had hij haar al vaak genoeg gezien. Hier was ze pontificaal op een stoel gaan zitten, zuchtend en steunend alsof ze op alle dagen liep. Daphne lag op de bank te lezen. Toen Eddie met koffie terugkwam uit de keuken, waren ze in gesprek. 'En jij krijgt dus een halfzusje of halfbroertje,' had Anouk gezegd met een wanhopig blije stem. 'Vind ik niks aan,' had Daphne geantwoord. Eddie had hun bewust hierover nog niets verteld; dat kon altijd nog. Anouk bleef stralen: 'Je zal zien dat je het helemaal fantastisch vindt.' Daphne was de kamer uit gelopen, terwijl ze de deur hard achter zich dichtsloeg. Waarschijnlijk ging ze Yuri, die boven achter de weer meegebrachte PlayStation zat, van het nieuws op de hoogte stellen. Hij hoorde haar voeten over de traptreden roffelen. 'Was het nou echt nodig om dat te vertellen?' had hij gezegd, 'Het is allemaal al ingewikkeld genoeg.' 'Ik dacht dat ze het leuk zou vinden. Meisjes van haar leeftijd houden van baby's. Ze willen niet meer met poppen spelen, maar een baby, zo'n levende pop, vinden ze supergaaf.'

De sfeer in huis was gespannen. Hij had zijn best gedaan en verse broodjes en croissants gehaald. Tegen één uur ging hij naar boven en vroeg de kinderen om iets te komen eten.

'Moet dat?' vroeg Daphne.

'Het moet niet, maar het is leuker om samen even iets te eten.' Hij wist hoe hypocriet het klonk. Toen ze in principe met z'n vieren waren, zat hij vaker niet dan wel met de anderen rond de tafel.

Het was of Daphne zijn gedachten kon raden. 'O, dus nu wel, nu we in Almere wonen.'

Tien minuten later kwamen ze naar beneden. Hij had zelfs eieren gekookt en schonk drie glazen melk in, terwijl hij eigenlijk liever een biertje had genomen. Het was nu bijna kwart over een. Over een kleine twee uur zat hij tegenover Brandsma. Natuurlijk kon die hem niets maken. Het was alleen maar een machteloze poging om hem uit zijn tent te lokken.

Yuri vertelde over de nieuwe school.

'Dat ei is steenhard,' zei Daphne.

'Ik was bang dat het te zacht zou worden,' zei Eddie. 'Zo'n snotterig, slijmerig ei vind je toch smerig?'

Ze reageerde niet.

'En ik zit weer op judo,' ging Yuri door.

'Leuke kinderen... leuke leraar?' Eddie keek hem belangstellend aan. Eigenlijk was judo natuurlijk een sport voor softies. Het was zogenaamd een vechtsport, maar je mocht elkaar geen pijn doen!

'Ja, die leraar... Nick, met hem heeft...'

Daphne trok Yuri aan zijn arm.

'Wat is er nou weer?' Yuri keek geërgerd.

'Dat hoef je helemaal niet te vertellen.'

'Wat hoeft-ie niet te vertellen?' vroeg Eddie.

'Ach, mama vindt hem ook wel leuk,' zei Yuri.

'Wat?'

'Mama is laatst...' begon Yuri.

'Daar heeft papa echt niks mee te maken,' zei Daphne. Vrouwen, ze dekten elkaar verdomme altijd.

'Vertel het maar, hoor,' zei Eddie zo luchtig mogelijk. 'Het gaat erom dat mama oké is. Ik wil alleen maar dat ze gelukkig is.'

'Ze is uit geweest met Nick, en ze vond hem hartstikke leuk.'

'Hoe weet jij dat?' Daphnes ogen schoten vuur.

'Dat zei ze tegen Floor. Wil niemand anders die croissant?'

'East-West Textile Company,' smaalde Brandsma. 'Daarvan kan jij niet in de Van Eeghenstraat wonen.'

Eddie reageerde niet. Dit soort opmerkingen kon hij naast zich neerleggen. Hij was hier volkomen vrijwillig.

'We kunnen dit natuurlijk gaan uitzoeken.'

'Je moet doen wat je niet laten kunt,' zei Eddie.

'Charly van der Berg, zie je die nog regelmatig?'

'Soms... een enkele keer.'

'Dus niet meer zo intiem... gezamenlijke vakanties en zo.' Brandsma leunde achterover.

'Vakanties?'

'Ja, daar had je vrouw het over. Of moet ik ondertussen "je ex-vrouw" zeggen?'

'Hoezo?' Eddie schoot een stukje op zijn stoel naar voren. 'Wat heeft ze dan gezegd?'

Brandsma grijnsde. 'Ik mocht haar niet meer mevrouw Kronenburg noemen. Ze was mevrouw Houweling geworden. Is het over en uit tussen jullie?'

'Wat heeft ze gezegd?' herhaalde Eddie.

'Een scheiding... altijd vervelend, zeker als er kinderen bij betrokken zijn.'

'We zijn nog helemaal niet gescheiden, en dat gebeurt ook niet. Een kleine, tijdelijke crisis. Dat heb jij toch ook wel 'ns met mevrouw Brandsma?'

Daar ging Brandsma niet op in. 'Mevrouw Houweling leek het naar haar zin te hebben in Almere. Was ze erachter gekomen dat je dat vrouwtje in de Wolkenkrabber hebt zitten?'

Eddie antwoordde niet. Verdomd, Sylvia ging praten. Alles wat ze wist, zou ze eruit gooien. Die Brandsma had natuurlijk met haar zitten slijmen, die klootzak. Hij hoefde maar op een knopje te drukken en Sylvia begon te rebbelen. En nu had ze misschien een ander, als hij Yuri goed begrepen had. Sylvia met een ander! Dat betekende dat de zaak echt uit de klauwen begon te lopen.

'Tja, zo'n vriendin houd je niet geheim, en nu ze in blijde verwachting is, wordt het natuurlijk hopeloos ingewikkeld.'

'Zijn we klaar?' vroeg Eddie. Hoe wist Brandsma dat Anouk zwanger was?

'We zijn pas begonnen. Maar voor vandaag lijkt het me voldoende. Wat denk jij?'

Eddie stond op en verliet het verhoorkamertje. Op de Marnixstraat stak hij een sigaret op. Hij had zin om onverantwoord veel te drinken, maar hij moest vanavond naar *Kruistocht in spijkerbroek*.

Sylvia had het niet gewild, maar het gebeurde. Het was te vroeg, te snel, maar vooral te hevig. Met de kerstdagen had ze hem niet gezien. Het was gezellig en vrolijk geweest, met de prachtig opgetuigde kerstboom in het huis van Floor. Geen al te uitbundige maaltijd, maar wel lekker. Ze hadden urenlang Risk gespeeld, en Yuri en Daphne hadden genoten. Yuri had gevraagd of je het ook op de computer kon spelen, maar hij vond dit ook leuk voor de verandering. Op tweede kerstdag waren ze naar haar moeder geweest. Die had uiteraard naar Eddie gevraagd, en geklaagd en gemopperd toen Sylvia vertelde dat ze uit elkaar waren. 'Toch niet voorgoed?' 'Dat zien we nog wel.' Sylvia had veelbetekenend in de richting van de kinderen geknikt, die tv zaten te kijken. Maar dat had haar moeder niet begrepen, en ze bleef doorpraten over de ellende van een scheiding.

De eerste vrije dagen van de kerstvakantie hadden Yuri en Daphne allerlei afspraken met klasgenoten gehad. Sylvia had ontdekt dat Yuri met een paar andere jongens al vuurwerk had afgestoken bij het winkelcentrum. Daarover had ze hem onderhouden, en dat leek hij te begrijpen. Straffen was zinloos, had ze bedacht, en ze had hem geld gegeven voor nieuw vuurwerk onder de voorwaarde dat dat pas op oudejaarsavond om twaalf uur de lucht in mocht gaan. Daphne was opgenomen in een soort vriendinnenclub van een stuk of zes meiden. Of ze zaten bij iemand thuis naar muziek te luisteren, tv te kijken en elkaars kleren te passen, of ze gingen de stad in.

Nu Daphne en Yuri een paar dagen bij Eddie waren, had ze

tijd. Nick had niet aangedrongen, net als die keer dat ze naar het café geweest waren. Voor de deur had hij haar toen afgezet. Op het trottoir hadden ze elkaar aangekeken. Om zichzelf in de hand te houden had Sylvia zich omgedraaid en was ze naar de huisdeur gelopen. Ze keek over haar schouder. Hij stond perfect stil naast zijn auto, maar maakte geen gebaar, zei ook niets.

Ze was vanavond met de trein naar Amersfoort gekomen, zodat ze niet op een glas wijn meer of minder zou hoeven letten. Nick had haar van het station gehaald. Nadat ze ergens hadden gegeten, had ze gezegd dat ze graag wilde zien waar hij woonde. Misschien was het een beetje te opdringerig, maar het was eruit voor ze het wist. In zijn gezellig ingerichte woonkamer hadden ze koffiegedronken en gepraat over van alles. Maar niet over Amsterdam, niet over de Van Eeghenstraat, niet over Eddie.

Tegen een uur of elf kondigde ze aan dat ze naar huis wilde.

'Oké. Ik breng je naar de trein. Ik heb te veel gedronken om met de auto te gaan.'

Hij pakte haar jas, hield hem voor haar op. Ze had haar adem even ingehouden. Hij legde een hand op haar schouder. Ze probeerde zich te beheersen, maar met haar hand ging ze toch naar zijn gezicht, streelde langs zijn wang. Glad. Lief. Zacht. Ze durfde hem niet in zijn ogen te kijken.

'Ik weet 't niet,' fluisterde ze.

'Je weet het best, maar je durft niet.'

Ze zweeg even. 'Je hebt gelijk, ik durf niet.'

'Ik wel.' Hij omhelsde haar.

Het was niet koud, maar het woei hard en af en toe regende het. Nick had zijn arm om haar heen geslagen. In een stevige wandelpas gingen ze langs het natuurgebied van de Oostvaardersplassen. Hij vertelde over de edelherten en de wilde konikpaarden die daar liepen, en de discussie over de kadavers van gestorven dieren. Of ze opgeruimd moesten worden of als voedsel moesten dienen voor roofvogels. Kadavers... roofvogels... ze probeerden allerlei zwarte gedachten te onderdrukken en klemde zich vast aan Nick. Nadat ze gevreeën hadden, had ze de halve nacht wakker gelegen, met open ogen naar het plafond starend. Om een uur of zeven was Nick half en half wakker geworden. Haar hoofd liet ze op zijn schouder liggen, zo dicht mogelijk tegen hem aan.

Nee, nee, nu niet aan denken. Sylvia sloot haar ogen. De beelden, het gevoel, alles kwam terug. Het werd te veel. Ze wist niet of ze het al aankon. Het werd allemaal zo ingewikkeld. Nu was het nog mogelijk om te doen of er niets was gebeurd. Nou ja, in ieder geval niets meer dan een *one-night stand*. Leuk voor één nacht, maar daarna ging het gewone leven weer verder.

'Wat is er?' vroeg Nick. 'Heb je het koud?'

Ze schudde kort en heftig haar hoofd.

'Waarom rilde je dan zo?'

'Om alles, omdat we hier zo staan.' Ze keek op haar horloge. Met Eddie had ze afgesproken dat hij om twee uur de kinderen af zou leveren. 'Laten we gaan.'

Eddie stond in de Lexington. Hij wist niet waardoor het kwam, maar het was net of alles er anders uitzag dan normaal. Die barkeeper, had die hier de vorige keer ook gestaan of was hij nieuw? Misschien had hij toen een snor of was zijn hoofd niet kaalgeschoren. De tafeltjes en stoelen leken verplaatst. Er zat een vreemde smaak aan de drank. Misschien een kwestie van wennen. Eigenlijk zou hij nu naar Anouk moeten gaan, wat hij gisterochtend had beloofd. Alleen met die toezegging had hij haar de Van Eeghenstraat uit kunnen werken. Ja, Noekie, heus, Noekie, nu even de kinderen, maar morgen ben ik er weer voor jou, echt waar, een uur of vier, later wordt het niet. Ze was van plan zelf te koken. Alles onder het mom van gezelligheid, haar toverwoord van de laatste weken. Het leek verdomme of het steeds erger werd, en de vraag was waar het zou eindigen. In ieder geval kwam er een baby... een kind. Kan jij die luier even verschonen? Getverdemme.

'Pardon,' zei een man die een halve meter van hem af stond.

'Hè?'

'Je zei zomaar "Getverdemme" tegen me. Dat vind ik helemaal niet leuk.'

'Ik had het niet tegen jou.'

'Zo klonk het anders wel.'

'Gaan we moeilijk doen?' Eddie zette een dreigende stap naar voren.

De man draaide hem zijn rug toe.

Even overwoog Eddie om hem bij zijn schouder te pakken, naar zich toe trekken, om te draaien en dan...? Een kopstoot, een knietje, een hoek, misschien met zijn elleboog? Nee, daarmee kreeg hij alleen maar rottigheid, steeds meer rottigheid. Geld bleef moeilijk. Door de vijfduizend die hij van Charly had geleend, was hij al bijna heen. Toen hij de kinderen terugbracht, keurig op tijd, had hij het met Sylvia gehad over het geld uit de bergplaats, maar ze had staalhard gelogen: die stapels bankbiljetten, daar wist ze niets van. Hij had zijn best gedaan om zijn kalmte te bewaren. Als ze ruzie kregen, was hij veel verder van huis. Misschien moest hij het vooral via Yuri en Daphne spelen. Oudejaarsavond waren ze bij haar, maar dat kwam hem niet slecht uit. Sylvia had een vreemde blik in haar ogen toen ze in de deuropening stond. Hij had gevraagd of hij even binnen mocht komen. Nee, dat was niet de bedoeling. 'Jammer, dan niet,' had hij begripvol gezegd. Het kostte hem de grootst mogelijke moeite om niets te vragen over die verdomde judoleraar. Misschien zat die binnen, en werd hem daarom de toegang ontzegd.

Hij stak een sigaret op, bestelde nog een glas en keek om zich heen. Druk, maar op het eerste gezicht geen bekenden. Alleen in een hoek stond Rolf met enkele donkere jongens die Eddie nooit eerder had gezien. Twee jaar geleden had Eddie een paar keer zaken met hem gedaan. Rolf stak zijn hand op. Eddie groette terug. Rolf zei iets tegen de andere mannen, waarschijnlijk over hem, en ze lachten een beetje ingehouden, terwijl een van hen Eddies richting uit keek. Zo ver was het dus al: iedereen dacht hem voor de gek te kunnen houden.

Eddie moest naar de wc. Hij bleef een tijdje zitten, met de broek op zijn enkels. Hoe ging het ook alweer in *Pulp fiction*? John Travolta die van de wc kwam en werd doorzeefd met kogels. Stel dat er hier iemand aan de andere kant van de deur wachtte. Misschien een van die donkere vrienden van Rolf, die de opdracht had gekregen om dit veiligheidsrisico onschadelijk te maken. Nee, als dat zo was, dan stonden ze hier niet openlijk in het café, dat was veel te riskant. Ze zouden hem waarschijnlijk vanuit een portiek van de buren verrassen. Eén mannetje misschien. Van dichtbij, met een geluidsdemper.

Toen hij uit de wc kwam, maakte hij een praatje met Rolf, die nu weer alleen stond. Het gewone ouwehoerverhaaltje. Hoe gaat het tegenwoordig? Hoe is de handel? Goeie deals gemaakt? Alles heel algemeen, want je kon nooit weten wie meeluisterde of wat de ander deed met wat je vertelde.

'Je vrouw is bij je weg, hè?' zei Rolf.

Eddie was eerst even sprakeloos.

Rolf glimlachte, alsof hij het eigenlijk wel een leuke gedachte vond. 'Voorgoed?'

Eddie haalde zijn schouders op.

'Heb je het zomaar laten gebeuren?' Weer dat gluiperige lachje rond de mond van Rolf.

'Vrouwen,' zei Eddie ten slotte. 'Soms een beetje moeilijk. Zo zijn ze nou eenmaal.'

'Toch wil Marvin graag even met je praten.'

'Marvin?'

'Ja, ik doe af en toe wat klusjes voor hem. Hij heeft vandaag al eerder geprobeerd je te bellen, maar hij kwam er niet door. Lullig allemaal.'

Eddie pakte zijn mobieltje uit zijn zak. Hij had het toetstel uitgezet om niet bereikbaar te zijn voor Anouk. 'Vergeten aan te zetten.'

'Drink je nog wat of ga je meteen naar Marvin?'

'Zullen we een borrel nemen?' vroeg Eddie, zo opgewekt mogelijk.

'Marvin zit op je te wachten. Je weet waar je hem kan vinden.' Rolf draaide zich om en was binnen een paar seconden verdwenen.

'Weet je wat het is?' Marvin keek Eddie doordringend aan. Die probeerde even onbewogen terug te staren, maar wist dat hij het moest verliezen. 'Het is als een breiwerk.' Hij begon rustig een sigaret te draaien, stak de brand erin en inhaleerde. 'Een breiwerk.'

'Hoe bedoel je?'

'Wij... met z'n allen, de handel, het geld, de deals, de afspraken.' Marvin krabde even op zijn borst onder zijn houthakkersoverhemd.

'Goed, een breiwerk. Wil je het daar met me over hebben?'

Marvin liet de inhoud van een derde suikerzakje in zijn koffie glijden en begon toen fanatiek te roeren. 'Soms zit er aan zo'n breiwerk een draad los. Als je daaraan trekt, valt het helemaal uit elkaar. Er blijft niks van over. Behalve natuurlijk een heleboel losse wol.'

'En?'

'Je begrijpt 't niet, hè? Altijd een grote bek, maar toch niet erg intelligent. Valt me van je tegen. Ik zal het uitleggen... rustig, zodat ook jij het kan snappen. Je vrouw... of misschien moet je haar al je ex noemen, die is het losse draadje. Als Brandsma er verder aan trekt, en dat doet-ie natuurlijk, dan kan er van alles gebeuren. Ze weet te veel, en jij hebt haar niet meer in de hand.'

'Brandsma,' zei Eddie toonloos.

'Ja, ik heb met hem gepraat. Hij wilde graag eens het een en ander wisselen, had-ie tegen me gezegd. Ik dacht, oké, dan hoor ik weer 'ns wat. Hij heeft ook met Sylvia gepraat. In Almere *of all places*. Daar zit ze dus, en jij woont nog hier.'

Eddie knikte.

'Dat klopt niet.' Marvin drukte zijn sigaret uit. 'Daar klopt geen moer van. Ik zou haar maar weer gauw terughalen als ik jou was.'

20

Het kon niet anders, het moest een keer gebeuren. Ze had Nick alles verteld. Over haar leven, haar verleden, wat er in Amsterdam was gebeurd, en hoe ze aan dat bestaan voorgoed een einde had gemaakt door alle banden met Eddie definitief door te snijden. Hij had geduldig geluisterd, af en toe een vraag gesteld om haar over een dood punt heen te helpen.

Het was moeilijk om een afspraak met hem te maken, om samen te zijn, zolang ze geen eigen woning had in Almere. Zij wilde de kinderen niet alleen bij Floor laten om naar Amersfoort te kunnen gaan. Een keer was Nick 's avonds bij Floor langs geweest toen die weg was. Het voelde toch aan als een illegale ontmoeting, spannend, maar niet zoals ze het wilde. De kinderen waren al naar bed, maar elk moment zou een van hen in de woonkamer kunnen verschijnen. Vooral Daphne had er af en toe last van dat ze 'niet kon slapen'. Waarschijnlijk vond ze het prettig om 's avonds laat nog een tijdje bij haar moeder en Floor in de woonkamer te zitten.

Nicks aanwezigheid was vanzelfsprekend. Maar de volgende dag leek alles weer anders. Het was onmogelijk om direct na Eddie een volgende relatie te beginnen alsof er niets was gebeurd, alsof ze de Van Eeghenstraat en alles daaromheen zomaar kon vergeten. Of misschien was Nick een soort medicijn tegen de pijn van vroeger, en gebruikte ze hem daarvoor. Hij had gebeld en geprobeerd een nieuwe afspraak te maken, maar ze had gezegd dat het niet kon. 'Waarom niet?' 'Ik weet niet. Eigenlijk ben ik er nog lang niet aan toe.' Het kloppen van haar hart moest door de telefoon hoorbaar zijn, daarvoor hoefde ze de hoorn niet tegen haar borst te drukken. Ze hield haar adem in tot het pijn begon te doen. 's Avonds bleef ze hopen op een telefoontje van hem, maar haar mobieltje kwam niet tot leven.

Bij de Burgerlijke Stand had ze zich ingeschreven. Van daar ging ze door naar de woningbouwvereniging waarvan ze het adres en de naam van een contactpersoon van Brandsma had gekregen. Niet ver bij Floor vandaan, in de Muziekwijk, had ze kans op een eigen woning. Handig, want ze wilde Daphne en Yuri niet opnieuw van school laten veranderen.

Eddie bleef haar bellen. 's Avonds op het nummer van Floor, overdag in de salon, omdat hij het nummer van haar nieuwe mobieltje niet had. Hij wilde Daphne en Yuri spreken en hij wilde ze weer naar Amsterdam meenemen, bij voorkeur het komende weekend. Daarin hadden ze niet veel zin, vooral Daphne niet, die weer allerlei afspraken had gemaakt met haar nieuwe vriendinnen. Sylvia had er al spijt van dat ze hen in de kerstvakantie had laten gaan. Er knaagde iets, omdat ze begreep waarom ze dat had gedaan. 'Eerst moet het hier wat stabieler worden,' had ze gereageerd. Dat had Eddie niet leuk gevonden. 'Het zijn net zo goed mijn kinderen. Ze heten niet voor niks Kronenburg! Ze horen hier... hier in Amsterdam, niet in Almere!' Ze vertelde niets over het vooruitzicht van de eigen woning.

Ze fietste uit de salon naar huis. Haar laatste klant was een vrouw geweest die steeds andere wensen had. 'Nee, toch maar bovenop iets korter.' Om de vijf minuten leek ze een ander model te willen. 'En dan van opzij wat voller.' Er moesten ook lichte plukken in het donkerblonde haar. En toen Sylvia na veel omwegen eindelijk klaar was, zei de vrouw dat ze het helemaal niet zo had bedoeld. 'Je hebt mijn haar helemaal geruïneerd! 't Is helemaal verpest. Zo kan ik niet eens over straat, en ik moet vanavond uit!' Het was of ze elk moment in huilen kon uitbarsten. Sylvia had tegengeworpen dat ze precies de instructies had gevolgd. 'Onzin,' had de vrouw woedend geroepen. 'Dit betaal ik niet! Wat ben jij voor een prutser! Je moet voortaan maar schapen gaan scheren, misschien dat je dat wel kan.' Een andere klant had verbijsterd toegekeken. Floor was erbij gekomen, maar de vrouw was niet tot bedaren te brengen. Uiteindelijk hadden ze haar laten gaan zonder dat ze had hoeven te betalen. Misschien was het gespeelde woede geweest, en was de vrouw vanaf het begin uit op een gratis behandeling. Floor vertelde dat ze dat al eens eerder bij de hand had gehad.

Toen ze van de fiets stapte, stond Eddie voor haar neus.

'We moeten weer eens praten. Ik ga even met je mee naar binnen.'

'Dat wil Floor niet hebben,' verzon Sylvia.

'Fuck Floor.' Hij gooide zijn peuk in de goot.

Sylvia moest bijna lachen. Fuck Floor.

'Er is hier in dit godvergeten oord toch wel ergens een café, waar we kunnen zitten en wat drinken?'

'Verderop, bij de VOMAR, daar is een snackbar.'

Eddie schudde zijn hoofd. 'Een snackbar... Ik begrijp niet dat je jezelf hier begraaft. Zullen we even in de auto gaan zitten?'

'Nee, liever niet. We kunnen hier ook praten.' Ze wist dat hij in staat was om zo met haar weg te rijden.

'Oké,' zei Eddie. 'Wanneer kom je weer terug? Dan kan ik daar rekening mee houden.'

'Ik kom niet meer terug. Hoe vaak moet ik dat nog zeggen? Het is over en uit... Voorgoed. Begrijp dat toch ondertussen 'ns een keer.'

Hij staarde haar aan alsof het nog altijd niet werkelijk tot hem doordrong. Er blonk een vreemd licht in zijn ogen en er lag een verbeten trek om zijn mond.

'Ik wil scheiden,' zei ze. 'Binnenkort krijg je bericht van mijn advocaat.' Die advocaat bedacht ze ter plekke.

Hij keek haar aan. 'Maar ik wil het niet. Het gebeurt niet.'

Ze probeerde door te lopen, maar hij hield haar tegen. 'Hoor je me? Het gebeurt niet, *no way*. Geen scheiding. Je gaat mee terug naar Amsterdam. Met Daphne en Yuri. We beginnen overnieuw.'

'Dat heb je al zo vaak gezegd, maar jij verandert niet, je werk verandert niet.' De vermoeidheid zat tot diep in haar vezels: ze kon praten wat ze wilde, maar Eddie was niet bereikbaar.

'Ik kan veranderen,' zei Eddie, maar aan zijn gezicht was te zien dat hij er niet werkelijk in geloofde.

'Nee, dat kan je niet, maar ik wel. Ik ben al veranderd. Ik heb nu werk. Dat is veel belangrijker, maar daar begrijp jij natuurlijk niks van.'

'Maar waarom zou je je een beetje uitsloven in die kapsalon van Floor, als je in Amsterdam goed kan wonen, als je alles kunt krijgen wat je wilt?'

Wat je hartje begeert, vulde ze voor zichzelf aan. Ze wist wat haar hart begeerde.

Onverwachts leek hij om te slaan. 'Heb je eigenlijk genoeg om van rond te komen?' vroeg hij vriendelijk.

Ze knikte.

'Verdien je genoeg in die kapsalon?'

'Voorlopig wel.'

'Dus je hebt geen geld uit Amsterdam meegenomen?'

'Alleen een paar honderd euro,' zei ze.

'Verder niks?' Eddie klonk nog altijd vriendelijk.

'Nee, verder niks. Dat heb je al eerder gevraagd.' Even overwoog ze om naar binnen te gaan, de rugzak te pakken en die aan hem te geven.

'Ik geloof je niet. Je moet niet denken dat je mij kunt belazeren.'

Bluffen leek Sylvia het beste. 'Als je denkt dat ik iets van je gestolen heb, dan zou ik naar de politie gaan als ik jou was. Die zoeken het dan wel uit.'

'Ha, ha, leuke grap,' zei Eddie smalend. 'Dat geld is niet van jou. Je hebt er geen recht op.'

Ze haalde haar schouders op. Het geld was een basis, die ze in de toekomst nodig zou kunnen hebben. Als ze het aan Eddie gaf, bracht hij het misschien regelrecht naar Anouk.

Eddie veranderde plotseling van onderwerp. 'Je hebt nu ook een vriend, hè, die judoleraar van Yuri.'

'Hoe weet je dat?'

'Yuri heeft 't verteld.' Eddie keek een beetje triomfantelijk. 'Nick heet-ie toch?'

'We zijn een keer uit geweest, dat is alles, en trouwens, daar heb je helemaal niks mee te maken.'

'Daar heb ik heel veel mee te maken. Ik neem 't niet! Begrijp je dat?' Eddies stem klonk eerst ingehouden, bijna fluisterend, maar hij ging steeds luider praten. Er zaten spuugbelletjes in zijn mondhoeken. 'Je komt terug naar Amsterdam, en als je niet vrijwillig komt, dan sleep ik je ernaartoe.'

Sylvia keek om zich heen, maar de straat was weer uitgestorven.

'Ik wil het helemaal niet zo, Syl, dat weet je best. Maar jij...' Het leek of zijn stem bijna brak. 'Maar je dwingt me. Begrijp dat dan verdomme.'

Ze schudde haar hoofd. 'Het is afgelopen, Eddie. Het is uit tussen ons, voorgoed en voor altijd uit. Ik kom nooit meer terug. Het heeft allemaal al veel te lang geduurd.'

'Ik neem 't niet. We zijn nog altijd getrouwd.' Ze hoorde de nauwelijks getemde woede in zijn stem. Het was een beest dat in één keer zou kunnen ontsnappen en haar overweldigen.

'Doe niet zo belachelijk, Eddie. Ik ben bij je weg, en trouwens... hoe zit het met jou en Anouk?'

'Dat ligt heel anders.'

'Ja, dat zal best. Ze is ook nog zwanger van jou, dat mens, maar daar kan jij natuurlijk niks aan doen, dat gaat natuurlijk buiten jou om. *Ik* ben nooit vreemd gegaan, dat weet je heel goed.'

'Ik neem jullie mee... vanmiddag al. Ik ga nu met je mee dat huis in. We laden wat spullen in de auto en we rijden straks met Daph en Yuri terug naar Amsterdam.'

'Wou je ons soms ontvoeren? Dacht je dat dat zomaar kon? Ben je helemaal gek geworden of zo?'

Eddie keek haar nadenkend aan. 'Het is die klootzak, die judoleraar.'

Ze liep van hem weg, maar draaide zich weer om. 'Je begrijpt er helemaal niks van.'

'Het moet afgelopen wezen,' riep hij haar na.

Hij moest haar terughalen naar Amsterdam, wist hij, terwijl hij de radio harder zette. De zang en de gitaren van 'Stairway to Heaven' denderden door de auto. Sylvia terug, dat was de enige mogelijkheid. Dit was een bevlieging van haar, en die moest hij zien te neutraliseren, liefst zo snel mogelijk. Nu zat ze vast aan Almere. De kinderen op school, haar werk in zo'n stomme kapsalon waaruit hij haar destijds in Amsterdam nota bene had bevrijd, en dan die vriend van haar, dat was misschien het ergste. Alles wat haar aan Almere bond, moest hij zien uit te schakelen. Dan zou ze zeker terugkomen, blij dat ze nog altijd welkom was in de Van Eeghenstraat.

Door het geluid van Led Zeppelin heen klonken vaag de tonen van het Wilhelmus. Hij legde de sigaret in het asbakje, draaide de radio zachter en haalde zijn mobiel uit zijn binnenzak. 'Hallo.'

'Ben jij het Eddie?'

Shit, Anouk. Die kon hij nu even helemaal niet gebruiken. 'Ja, wie anders?'

'Waarom heb ik je al vier dagen niet meer gezien?'

'Vier dagen? Je telt dubbel volgens mij.'

'Nee, vier dagen, al bijna vijf. Vandaag is het vrijdag en maandag was je hier voor het laatst.'

'Maar ik heb geen tijd, ik moet...'

'Je hebt nooit meer tijd tegenwoordig,' onderbrak ze hem met een huilerige stem.

'Ik heb m'n werk, ik heb afspraken, ik moet dingen regelen, en weet je waarom? Omdat ik geld moet verdienen, voor mezelf, voor jou... Jij koopt je verdomme een ongeluk.'

'Het is voor de baby,' wierp Anouk tegen.

'Die hoeft toch niet per se in een gouden wiegje te liggen!'

'Maar het is helemaal niet van goud!'

'Anouk, luister nou 'ns. Dat is natuurlijk bij wijze van spreken. Bij... wijze... van... spreken,' herhaalde hij langzaam maar indringend. 'En ik wil...'

Uit zijn linkerooghoek zag hij nu pas de auto van de rijkspolitie die hem passeerde en hem vervolgens naar de vluchtstrook dirigeerde.

'Fuck!' riep hij.

'Wat is er? Wat heb ik nou weer verkeerd gedaan?'

Eddie verbrak de verbinding.

Toen hij stilstond, liet hij het raampje zakken.

'Papieren, graag,' zei de agent, een snotneus, een jochie van begin twintig, verdomme, nog nat achter zijn oren.

Eddie overhandigde zijn rijbewijs en andere papieren. De agent vergeleek de foto op het rijbewijs met Eddies gezicht.

'U reed honderdvijftien, terwijl de maximumsnelheid hier honderd is.'

'Ik dacht dat je hier honderdtwintig mocht... En er is zo weinig verkeer. Man, man, man, vijftien kilometer harder, geen auto te zien en jij gaat een beetje moeilijk lopen doen! Heb je niks anders te doen? Ga toch boeven vangen.'

De agent liet zijn blik over de auto gaan. 'Kunt u even uitstappen?'

'Waarom? Dat is toch nergens voor nodig.'

Het Wilhelmus klonk weer.

'Ook nog vaderlandslievend,' zei de agent, naar Eddies mobieltje op het dashboard wijzend. 'Graag even uitstappen.'

Eddie ging naast de auto staan. 'Heb je nou je zin?'

'U was bovendien mobiel aan het bellen.'

'Wat lul je nou, man! Ik reed gewoon, met twee handen aan het stuur.' Eddie hield zijn beide handen vlak voor het gezicht van de agent.

Een tweede agent stapte uit de auto en liep op hen toe.

'O, kan je het niet in je eentje af,' zei Eddie.

'Dat zijn dus twee overtredingen,' ging de eerste agent door. 'Samen gaat dat zo'n driehonderd euro kosten.'

'Wat? Driehonderd euro?'

De agent reageerde niet, en schreef rustig door.

'Driehonderd! Belachelijk. Iedereen probeert je altijd te naaien. Stelletje profiteurs.' Het lukte hem niet meer om zich in te houden. 'Had je deze maand niet genoeg bonnen uitgeschreven, en pak je me daarom?'

De agent overhandigde Eddie zijn papieren en een doorslag van de bon. 'U krijgt binnenkort een schikkingsvoorstel.'

'Stelletje klootzakken,' mompelde Eddie.

'Dat wordt dan daarbovenop belediging van een ambtenaar in functie.' De agent haalde opnieuw zijn bonnenboekje tevoorschijn en begon te schrijven.

'Wat doe je nou, man?' Eddie sloeg het boekje uit de hand van de agent.

Meteen sprong de tweede agent boven op hem. De ander

greep hem nu ook beet. Eddie probeerde van zich af te slaan, maar hij was machteloos in een pijnlijke armklem.

Hij lag bij Anouk op de bank en rookte een sigaret. En rookte een volgende sigaret. Dat zou binnenkort niet meer in huis mogen, als de baby er eenmaal was. Die uitdrukking lag Anouk in de mond bestorven. 'Als de baby er is, dan...' Dan kon hij het verder wel schudden, begreep Eddie. Het zou een jongetje worden, had ze hem met een verzaligde uitdrukking op haar gezicht verteld. Ze had hem een fotootje van de echo laten zien, maar hij had alleen wat vage vlekken kunnen ontwaren.

Hij kwam overeind en dronk van zijn whisky. Anouk rookte en dronk niet meer. Slecht voor de vrucht, had ze gezegd. De vrucht... Ze drentelde nu om hem heen. Het liefst had hij een tijdje zijn ogen dichtgedaan om te ontsnappen aan de chaotische kermis van beelden, gedachten en scènes die zich afspeelde in zijn hoofd, maar daar gaf ze hem bijna geen kans voor. Gelukkig hadden ze hem op het bureau niet gefouilleerd, die fokking klootzakken, want hij had wat pilletjes in zijn binnenzak. Ze hadden hem meegenomen, zelfs geboeid. Een van de agenten had de Lexus naar de parkeerplaats van een tankstation gereden. Op het bureau hadden ze hem een tijdje laten afkoelen, zoals ze hadden gezegd. Na een paar uur mocht hij weg. Had hij verdomme een taxi naar het tankstation moeten nemen om zijn auto op te halen.

Naast hem op een stoel gezeten praatte Anouk door over al haar ideeën en plannen voor de komende tijd, maar haar woorden gingen langs hem heen. Totdat ze begon over de Van Eeghenstraat. 'Als Sylvia niet terugkomt, kan ik toch intrekken in de Van Eeghenstraat? Misschien nog voor de bevalling.'

Eddie schoot overeind. 'Sylvia komt terug.'

'Hoe weet je dat?'

'Ik weet het,' zei hij op een toon die duidelijk moest maken dat hij geen tegenspraak zou dulden.

Anouk kwam naast hem zitten. 'En ik dan? We kunnen toch samen...' Ze probeerde een arm om hem heen te slaan, maar hij weerde haar af. Ze deed een nieuwe poging, en liet zich nu half tegen hem aan vallen.

'Hè, schei nou 'ns uit, wat hebben jullie wijven toch allemaal?'

Hij stond op en probeerde zich van haar los te maken, maar ze bleef aan hem plakken.

'Is het nou nooit 'ns afgelopen?' Hij gaf haar een flinke duw, zodat ze op de grond terechtkwam.

'De baby... de baby,' huilde Anouk.

Zaterdag had ze gewerkt, maar zondag had ze met Nick afgesproken. Aanvankelijk had ze het weer afgezegd, maar na een uur van twijfelen, en wikken en wegen was ze daarop teruggekomen. 'Je weet het niet helemaal zeker?' had hij verondersteld, en ze kon hem alleen maar gelijk geven. Van Nick hoefde ze het gelukkig niet zeker te weten. Alles was veranderlijk, en waarom zij dan niet? Yuri ging met Maikel, een jongen uit zijn klas, mee naar de voetbalwedstrijd van Maikel. Zijn vader zou hen brengen en halen, en Yuri kon blijven eten. Daphne had afgesproken met Naomi, bij wie ze ook zou logeren. Tegen elf uur stond Sylvia in haar auto voor het huis van Nick. Ze bleef een minuut of vijf zitten, terwijl ze in haar hoofd greep op alles probeerde te krijgen.

Nick zat in een trainingspak lesschema's voor de volgende week te maken; 's morgens had hij hardgelopen. 'Mijn conditie moet in ieder geval beter blijven dan die van mijn leerlingen.'

Terwijl ze hem omhelsde, snoof ze de lekkere, zinnelijke geur van zijn verse transpiratie op.

Hij douchte zich, en daarna dronken ze koffie.

Nick stelde voor een stuk te gaan wandelen. In westelijke richting liepen ze de stad uit, langs de dierentuin richting Korte

Duinen. Af en toe bleven ze minutenlang zwijgen, en dan diende zich weer een onderwerp aan, zoals bij de dierentuin. Sylvia vertelde over Artis, waar ze vroeger vaak met de kinderen was geweest. Yuri die om een of andere reden altijd lang bij de zeekoeien wilde blijven kijken, terwijl daar weinig aan te zien was. Daphne die een voorkeur had voor de nachtdieren.

In Soestduinen namen ze in een café-restaurant een broodje en koffie. Daarna liepen ze door naar de Lange Duinen. Sylvia begon over Eddie. Dat ze een beetje bang voor hem was geworden. 'Ik heb het idee dat hij op een soort ongeleid projectiel gaat lijken,' zei ze. 'Hij kan het niet aan... het wordt hem allemaal te veel.'

'En jij vindt dat je er iets aan moet doen?' vroeg Nick.

'Nee... Ik kan er ook niks aan doen. Het is zijn leven. Hij moet het zelf weer op de rails zien te krijgen. Maar...' Ze maakte haar zin niet af.

'Maar wat?'

'Hij kan soms rare dingen doen, zeker als mensen tegen hem in gaan... als hij zijn zin niet krijgt.'

'Wil je hem dan zijn zin geven?'

Ze hield hem staande en sloeg haar armen om hem heen. 'Nee, dat heb ik al veel te lang gedaan.'

De lucht raakte dichtgesmeerd met wolken in verschillende tinten grijs. Het begon zachtjes te spetteren.

Ze liepen in een stevig wandeltempo terug naar Amersfoort. Het was nu leeg en stil. De enkele wandelaars die ze eerder hadden gezien, waren al verdwenen. De duinen, de bossen, de paden, alles was van haar en Nick; ze konden er vrijelijk over beschikken. Ondanks de regen had Sylvia door willen lopen, steeds maar door willen lopen.

De regen begon heftig te kletteren.

'Mijn moeder zou nu zeggen: het is opgehouden...'

'Met zachtjes regenen,' vulde Nick aan. 'Mijn moeder deed dat ook altijd.'

'Dan hebben we in ieder geval één ding gemeen.' Sylvia maakte zich van hem los en rende een stukje voor hem uit, een van de zandduinen op.

Hij kwam haar achterna. 'Ik pak je... ik pak je!'

Ze draaide zich onverwachts om, met open armen, waardoor hij tegen haar op botste. Elkaar omhelzend vielen ze in het zand. Als kinderen lieten ze zich om en om draaiend naar beneden rollen. Hij zoende haar, likte de regen van haar neus, drong met zijn tong haar gretige, warme mond binnen. Ze voelde en proefde zijn mond, de regen op haar gezicht, nu ook het zand tegen haar tanden. Het was onbegrijpelijk hoe simpel alles soms was.

Smerig van het zand en doornat kwamen ze terug in Nicks huis. Om warm te worden gingen ze samen onder de douche.

Eddie wist dat hij het beter niet zelf kon doen, maar het alternatief was een mannetje inhuren, en dat was in zijn financiële situatie onmogelijk. In een poging om het goed te maken was hij zaterdagnacht bij Anouk gebleven.

Hij keek op zijn horloge: 03.17, en hier in het centrum van Almere kon je een kanon afschieten. Dat zou hij het liefste doen: een kanon afschieten. Van thuis had hij een lege drankfles meegenomen en een stofdoek uit het kastje waar Irina altijd de schoonmaakspullen bewaarde. Begin van de week was Irina er weer geweest. 'Sylvia niet thuis?' had ze gevraagd. 'Nee, die is een tijdje weg.' In de kamer was ze bezig met stofzuigen, terwijl hij koffiedronk. Ze droeg een spijkerbroek die strak om haar kont was gespannen. Mooie, stevige, ronde billen. Ze hoorde het niet toen hij overeind kwam en van achter op haar toe liep. Hij wachtte even en drukte zich toen tegen haar aan, terwijl hij zijn armen om haar heen sloeg en haar borsten pakte. Ze gilde van schrik. 'Niet doen, meneer Eddie.' Hij zei dat hij zo verschrikkelijk geil van haar werd, dat hij niet van haar af kon blijven. 'Maar ik heb vriend… Ik wil niet.' Hij maakte zich van haar los. 'Oké, oké, ik zal het niet meer doen.' Hij vroeg zich af of ze volgende week terug zou komen.

Uit voorzorg was hij via Utrecht gereden. Bij het benzinestation vóór Breukelen had hij getankt en de fles vol laten lopen. Nu stond hij met die fles en de doek in een dooie hoek bij twee gebouwen. Geen mens te zien. Natuurlijk, 's nachts was er in Almere nooit een mens te zien. Hij haalde de kurk van de fles en druppelde wat benzine op de doek, die hij daarna met een punt in de flessenhals propte. Zijn adem joeg hem door de keel. Zijn handen trilden. Nu geen paniek. Het bleef doodstil. In een parallelstraat trok een bromfiets knetterend op. Eddie wachtte even, maar het geluid stierf weg.

Toen liep hij naar de grote winkelruit tot hij er zo'n meter of vijf vandaan stond. FLOOR'S HAIRSTYLING… in ieder geval niet voor lang meer. Hij zette met zijn aansteker de vlam in de doek en gooide de fles met alle kracht die hij had door de ruit.

Een paar seconden bleef hij staan om naar de machtig oplaaiende vlammen te kijken. Toen maakte hij zich zo snel mogelijk uit de voeten, terwijl een vreugdekreet zich maar net liet onderdrukken.

21

Floor huilde geluidloos. Af en toe ging er een schok door haar lichaam alsof ze ergens fysiek door getroffen werd, waarna ze zich moeizaam herstelde. Sylvia sloeg een arm om haar schouder, wreef over haar rug, fluisterde goed bedoelde, opbeurende woorden, maar wist dat die geen betekenis hadden. Ze keken naar de zwartgeblakerde resten van de salon, de nog rokende puinhopen, en de mannen van de brandweer die bezig waren met nablussen. De woningen boven de salon waren ontruimd. Mensen stonden ontredderd te kijken naar wat nog maar enkele uren tevoren hun huis was geweest.

Sylvia had Nick al aan de telefoon gehad. Hij bood aan om direct naar Almere te komen, maar dat wilde ze niet. Ze had vooral gebeld om even zijn stem te horen.

'Alles is weg.' De tranen liepen weer over Floors wangen. 'Wat moet ik nou?'

Opnieuw beginnen, wilde Sylvia zeggen, maar ze begreep dat het op dit moment een misplaatst advies zou zijn. 'Ik weet 't niet. Het is verschrikkelijk.'

Een politieman leidde hen naar een auto. 'Technische recherche.' Hij liet een legitimatie zien. 'Ik zou graag alvast het een en ander vragen. Kan dat? U begrijpt dat er in dit soort gevallen altijd een onderzoek wordt uitgevoerd. Maar dat doen we pas morgenochtend als er geen gevaar meer is voor instorten.'

Floor knikte. 'Kan Sylvia bij me blijven? Ze werkte in de zaak.'

Ze stapten in de auto.

'Dit was, geloof, ik een huurpand, is 't niet? En de inventaris, was die verzekerd?'

'Ja.'

De politieman zat voor in de auto. Hij maakte een paar notities. 'U was thuis vannacht?'

'We lagen te slapen. Ik werd wakker gebeld.'

'Dat was om... eh, halfvier ongeveer?'

'Ja, vijf over halfvier.' Floors stem zwabberde al iets minder.

'Is er de laatste tijd misschien iets aan de elektrische installatie veranderd of had u recentelijk problemen met de elektriciteit?'

'Nee, nooit gehad ook. Hoezo?'

'Er is altijd een kans dat zo'n brand het gevolg is van kortsluiting. Verder moeten we natuurlijk rekening houden met brandstichting.'

'Brandstichting?' vroeg Floor. 'Maar waarom zou iemand zoiets doen?'

'Dat moeten we nu juist aan u vragen. Ik heb het er net over gehad met de brandmeester. Op het eerste gezicht zou het brandstichting kunnen zijn geweest. Mogelijk benzine of een andere brandbare stof.'

'Maar wie zou dat...?' Floor sloeg een hand voor haar mond.

'Geen tegenstanders, geen ruzies, geen conflicten?' probeerde de politieman. 'Niet iemand die eropuit was uw zaak kapot te maken? Of uzelf misschien?'

'Nee, en trouwens Johan zou zoiets nooit doen.'

Het klonk vreemd, dat Floor zomaar over Johan begon, alsof die op een of andere manier verdacht zou kunnen zijn.

'Johan?'

'Ja, m'n ex, die woont in Groningen.'

De politieman maakte een paar aantekeningen, vroeg volledige naam en telefoonnummer, en keek daarna peinzend voor zich uit.

Onweerstaanbaar kwam bij Sylvia naar boven wat Eddie had gezegd over de kapsalon, over haar werk. Volgens Floor zou Johan zoiets nooit doen, maar Eddie? Als ze eraan dacht, kreeg ze het benauwd. Die blik in zijn ogen. Die trek om zijn mond.

Eddie kon zich niet inhouden, en twee dagen na zijn nachtelijke bezoek belde hij Sylvia. 'Hoe is het met je?'

'Goed.'

'Alleen maar goed?'

'Ja, dat is genoeg.'

Meer zei ze niet. Ze vroeg dus niet hoe het met hem ging. Zeker niet meer in geïnteresseerd. Maar dat zou veranderen, daar zou hij hoogstpersoonlijk voor zorgen. Anouk had hij duidelijk te verstaan gegeven dat ze niet moest rekenen op de Van Eeghenstraat.

'En... eh, hoe is met je werk?' Hij waagde het erop, en wilde zijn triomf opnieuw beleven via haar reactie.

'Goed.'

Even was hij uit het veld geslagen. In de krant had hij driftig gezocht naar een berichtje over een brand in Almere, maar dat was nergens te vinden. Als er geen mensen het leven lieten, was het kennelijk niet interessant genoeg. 'O, dus nog altijd goed. Veel klanten... Je kan je brood ermee verdienen?'

'Wat wil je?' vroeg Sylvia.

'Hoezo? Ik ben alleen maar belangstellend. Ruim vijftien jaar zijn we samen geweest. Vijftien jaar, dat is niet niks. Dan mag ik toch wel vragen hoe het met je gaat, hoe het met je werk is?'

'Goed. Dat heb ik al gezegd.' In haar stem klonk wantrouwen door. 'Maar waarom vraag je naar m'n werk, en niet naar je eigen kinderen. Ben je dan niet...?'

'Ja, hoe is het eigenlijk met Daph en Yuri?'

'Uitstekend. Ze hebben het hier geweldig naar hun zin.'

'In Almere? Sorry, hoor, maar dat kan ik me niet echt goed voorstellen.'

'Had je verder nog iets?' Sylvia werd een ambtenaar, die straks haar loket met een forse klap zou sluiten.

'Ja, ik wou over het geld...'

'Ik praat morgen met mijn advocaat. Die zal een voorstel doen voor de alimentatie, de inboedel van de Van Eeghenstraat en andere financiële kwesties.'

'Maar ik wil helemaal niet scheiden. Ik wil dat jullie hier terugkomen. Jullie moeten...'

Sylvia had de verbinding verbroken.

Eddie vloekte en kon zich er maar net van weerhouden het toestel keihard tegen de muur te gooien. Hij haalde een borrel. Na een paar slokken begon hij zich iets beter te voelen. Hij schonk zijn glas bij. Daarna toetste hij het nummer van Charly in, die gelukkig bereikbaar was. Over een uurtje zouden ze elkaar kunnen ontmoeten in Americain. Hij liep naar boven om zich te verkleden. Nergens was meer een schoon overhemd te vinden. Al drie dagen liep hij in dezelfde onderbroek.

In Americain moest hij bijna een halfuur wachten voor Charly verscheen. 'Sorry, er kwam wat tussen. Jij hebt al wat?'

Eddie wees naar zijn glas. 'Bestel er nog maar een. Kan ik wel gebruiken.'

Toen er een kelner langskwam, vroeg Charly een whisky en een rode Spa.

Eddie was verbaasd, maar zei niets.

'Hoe is 't nou met Syl?' vroeg Charly.

Eddie haalde zijn schouders op.

'Nog altijd in Almere?'

Eddie knikte en hield Charly zijn pakje Marlboro voor.

Charly glimlachte. 'Dank je, ik rook niet meer.' Hij wees

naar de vet beletterde tekst op het pakje. 'ROKEN IS DODELIJK.'

'Ja, en van leven ga je dood. Kolere, straks ga je me zeker vertellen dat je in training bent voor de marathon.'

'Ze is dus nog niet terug,' zei Charly. 'Dan komt ze waarschijnlijk ook niet meer. Hoe lang is het nou?'

'Een paar maanden. Maar daar in Almere redt ze het niet, dat weet ik zeker.'

'Brandsma is ook bij mij langs geweest, samen met die Waldheuvel of Waldhoven. Ze weten geen moer, maar als Sylvia echt gaat praten, dan zijn we de lul. Jij hebt alles uit je poten laten vallen, man.'

Eddie drukte zijn sigaret uit. 'Het komt allemaal goed.'

Charly schudde zijn hoofd. 'Dat heb je al eerder gezegd, en het wordt alleen maar erger.'

'Geloof ik niks van. Laten we het over wat anders hebben.' Eddie dempte zijn stem. 'Een nieuwe zending. We kunnen er straks in je auto verder over praten.' Hij keek om zich heen. 'Ga anders met me mee naar de Van Eeghenstraat.'

'Ik kijk wel uit.'

'Daar is niks... niemand.'

'Ik zit trouwens al met Oscar en Milano in een nieuwe deal. We kunnen er niemand meer bij hebben. Investering is rond, en jij hebt gezegd dat je niet veel te makken hebt, dus wat moeten we dan met jou? Betaal eerst die vijf rooie maar 'ns terug. Ik vind het lullig om te zeggen, maar...' Er kwamen twee jonge vrouwen langs, naar wie Charly goedkeurend keek. 'Niet verkeerd, die twee, helemaal niet verkeerd. Maar goed, voor die deal hebben we jou dus niet nodig. Eerlijk gezegd ben je dan alleen maar ballast.'

'Ballast!' siste Eddie. 'Ballast! Shit, man, ik was er altijd bij.' Hij had het idee aan de rand van een afgrond te staan, waarvan hij de diepte niet kon inschatten.

'Ja, je was er altijd bij... wás. Vroeger, voorheen. Maar de zaken zijn veranderd. Als we jou er nu bij halen, dan weten we niet wat de consequenties zijn. Daar moet je begrip voor hebben.'

Eddie probeerde zijn stem te dempen. 'Jij bent ooit via mij in deze business begonnen. Ik heb jou van alles geleerd, ik heb de contacten gelegd, ik heb de eerste deals geregeld. Het waren míjn leveranciers en het waren míjn klanten.'

'Dat is allemaal verleden tijd.' Charly nam opnieuw een miniem slokje Spa.

Eddie probeerde de aandacht van een kelner te trekken.

'Je drinkt trouwens te veel. Pillen ook, zeker? Dat is niet goed, daar ga je op een gegeven moment aan kapot.'

'*I can handle it.*'

'Ja, dat zeggen d'r zoveel en die hebben allemaal niet in de gaten dat ze het juist niet meer in de hand hebben.' Charly keek hem indringend aan. 'Ik zie het in je ogen, man. Je spoort niet meer.'

'Ik heb 't effe een beetje moeilijk, maar als ik eenmaal weer een goeie klus heb, dan gaat het een stuk beter. Zeker weten... absoluut!' Eddie probeerde een opgewekt gezicht te trekken. 'En als Sylvia en de kinderen terug zijn, dan is het weer net zoals vroeger.'

'Eerst zien, dan geloven,' zei Charly met een uitgestreken gezicht.

'Ze komen terug, ik weet 't zeker.' Hij zou Charly willen vertellen over de brandstichting, maar het leek beter om dat voor zich te houden. 'Laten we samen nog een borrel nemen.'

'En wat deed je eergisteren bij de *cops*?' vroeg Charly, vanuit een hinderlaag, leek het wel.

Eddie schoof op zijn stoel naar voren. 'Hoe weet jij dat?'

'Ik hoor af en toe wel 'ns wat. Ik heb overal mijn mannetjes. Dat ben jij vergeten, Eddie. Jij staat alleen. Er is niemand meer die jou nog helpt, die jou informatie geeft. Maar vertel 'ns. Wat deed je daar, op dat bureau?'

'O, een misverstand, een verkeersovertreding, en we kregen een beetje ruzie, dat was alles.'

Eddie probeerde de ogen van Charly te ontwijken. Die ogen, donkerbruin en wantrouwend, geloofden hem niet. 'Maar ik heb voor de komende tijd nog vier mille nodig. Kan je me die nog effe voorschieten?' Hij wist zeker dat Maaswinkel binnenkort zou betalen. Anders zou Sylvia wel terugkomen, met het geld dat ze had meegepikt uit de Van Eeghenstraat. Nu had hij heel hard cash nodig om het gat te overbruggen.

'Ik zit ook een beetje krap,' zei Charly met een uitgestreken gezicht, 'vanwege die investering. En je moet eerst die vijf maar 'ns terugbetalen.'

In huis haalde hij voor de zoveelste keer alles overhoop op zoek naar geld. Er waren zoveel plekken geweest waar ze geld hadden verborgen. Eddie rekende er niet op dat Charly met de vierduizend euro op de proppen zou komen. Het geld... Sylvia... Als zij terugkwam, nam ze het geld mee. Maar dan moest ze het nog niet hebben uitgegeven. Hij moest opschieten.

Irina was inderdaad niet meer verschenen. Stomme Poolse kut. Hij keek om zich heen en nam de chaos in zich op. Even overwoog hij om Anouk hiernaartoe te laten komen en de stofzuiger in haar handen te duwen, maar dan kon hij net zo goed meteen zijn nederlaag toegeven. Bovendien leek Anouk niet de grootste fan van huishoudelijk werk. Hij schonk het laatste bodempje Johnny Walker uit en bestelde bij Domino een pizza.

Op de bank was hij in slaap gevallen. Tegen twee uur 's nachts werd hij wakker. De overgebleven driekwart pizza propte hij met doos en al in een vuilniszak. Na een beurtelings zo heet mogelijke en koude douche voelde hij zich opvallend fit. Hij nam een pil, stapte in de Lexus en reed aan de oostelijke kant de stad uit. Het was stil op de weg, maar hij hield zich krampachtig aan de maximumsnelheid. In Almere parkeerde hij enkele honderden meters van de uitgebrande kapsalon. Misschien was het niet zonder risico, maar hij wilde het opnieuw in zich opnemen, om het echter, werkelijker te maken. Er viel jammer genoeg niet veel te zien. Het pand was afgesloten door houten schotten. Mooie houten schotten, waar al een paar affiches van een popconcert op geplakt waren.

Hij liep terug naar de auto en reed naar het huis van Floor. Zij was van haar man af, had hij begrepen. Had hem waarschijnlijk het leven onmogelijk gemaakt en vervolgens het huis uit gepest. Floor, die altijd het laatste woord wilde hebben. Eddie herinnerde het zich van vroeger. Met Sylvia zou ze lekker kwaadspreken over mannen, over hun eigen mannen. Zelf waren ze engeltjes die alleen maar het beste wilden voor iedereen. Mannen, dat waren de grote boosdoeners. Behalve dan natuurlijk die nieuwe kerel die Sylvia had opgedoken, die judoleraar. Het was toch verdomme onmogelijk. Nog maar een paar maanden bij hem vandaan, en nu al een ander. Ze liet er geen gras over groeien. Een leuk voorbeeld voor haar dochter! Die man... hij zou makkelijk kunnen achterhalen wie dat was, waar hij woonde, wat hij in zijn vrije tijd deed, afgezien van Sylvia een beetje opgeilen.

Eddie stapte uit de auto en liep naar het huis. Hij zou aan kunnen bellen. Of anders: uit een belendende tuin een tegel of een andere steen pakken, om het glazen raampje van de deur in te slaan. Ze zouden zich rot schrikken. Maar dan verder? Hij liep om het huizenblok heen en benaderde de woning van de achterkant. Op het pad stond een lantaarnpaal. Hij wrikte een steen los, en met zijn tweede poging lukte het hem om de lamp kapot te gooien. Waar sliep ze, waar lagen Yuri en Daphne? Toen drong het tot hem door dat Sylvia hier misschien helemaal niet was, maar in het bed van die judoleraar lag, dat hij nu met haar lag te vrijen, dat ze zijn lul... Het kostte hem de grootst mogelijke moeite om het niet van woede uit te schreeuwen.

Sylvia kon de slaap niet vatten. Soms was ze er dichtbij, maar dan was het net of er iets op kwam zetten, dat zich vervolgens weer pesterig van haar verwijderde. Ze wilde uit haar bewustzijn zakken, alle vragen en problemen achter zich laten en zich overgeven aan... aan niets, aan een donkere, onbestemde wereld, waaruit ze morgenochtend wakker zou worden, en waarin niets was opgelost. Morgen zou Floor duidelijkheid krijgen over een vervangende ruimte voor de salon in een nabijgelegen winkelpand waarin nu een treurig failliete slijterij zat. Het huis in de Muziekwijk was niet doorgegaan, omdat een andere, meer urgente woningzoekende voorrang had gekregen. Voor volgende week had ze een afspraak gemaakt met een advocaat. Alimentatie zou ze alleen voor Yuri en Daphne vragen, maar ze wist nog niet wat ze met de pakken bankbiljetten in de Eastpak zou doen. Ze had geen idee hoeveel het was, en had ook geen zin om het te tellen. Het was besmet geld. Als ze er gebruik van zou maken, dan kwam er alleen ellende van. Maar ze weigerde om het terug te geven aan Eddie. Om een of andere reden klopte dat niet. Het geld moest een andere bestemming krijgen. Even dacht ze aan een goed doel, kinderen in de Derde Wereld bijvoorbeeld.

Toen schoot zomaar Frans in haar hoofd, en het verhaal dat Eddie haar trots had verteld. Hoe hij Frans had bedrogen. Natuurlijk had Eddie zo op een kinderachtige manier wraak willen nemen vanwege hun verleden. Frans, het eerste vriendje met wie ze naar bed was geweest. Twee onhandige, zoekende en twijfelende pubers... Frans had het eerst niet willen toegeven, maar zij was voor hem net zo goed de eerste.

Ze dacht een rinkelend geluid te horen en ging overeind in bed zitten. Het bleef stil, maar de slaap dreef nu steeds verder weg. Ze stapte uit bed, deed geluidloos de deur naar de gang open en liep naar de keuken. Bij het aanrecht dronk ze een glas water. Ze keek naar buiten. De lantaarn die bijna recht achter de tuin stond, brandde niet. Achter de heg die het tuintje van het achterpad scheidde, meende ze toch iemand te zien staan. Ze dook weg achter de kast en keek nog eens goed. Stond daar inderdaad een man naar de achterkant van het huis te kijken? Het kon ook gezichtsbedrog zijn. Ze bibberde van de kou en misschien ook van iets anders.

22

Yuri had hem zoveel verteld dat het voor Eddie een koud kunstje was om achter de naam van de judoleraar te komen via de secretaresse van de judoclub.

'En weet u misschien waar ik mijnheer Kielink kan bereiken?' vroeg hij. 'Ik vind het vervelend dat ik u lastig moet vallen, maar het is nogal urgent in verband met mijn zoon.'

'Tja, hij werkt hier in Almere op een middelbare school.' Er klonk geritsel van papieren. Na een kleine minuut noemde de vrouw het adres en het telefoonnummer van de school.

'En zijn huisadres voor het geval hij daar niet is?' drong Eddie aan.

'Helaas, dat mag ik niet geven. Dat zou u bij de school kunnen navragen.'

'Kielink is het toch?' vroeg Eddie voor de zekerheid. Hij spelde de naam.

'Ja, correct.'

Eddie zocht op internet in de telefoongids. Er bleken in Almere wel een paar Koelinken en een Wielink te wonen, maar geen Kielink. Dronten, Lelystad en Zeewolde gaven ook geen resultaat.

Eddie belde de school. 'Sorry dat ik u lastigval, maar ik ben een medewerker van DHL en ik heb een pakje voor mijnheer Kielink. Ik sta hier voor het opgegeven adres, en het is duidelijk verkeerd. Heeft u voor mij misschien het correcte adres?'

'Natuurlijk,' zei de vrouw, 'een momentje alstublieft.'

Eddie hoorde geklik en geruis. Weer een sufkont, die zich niet eens afvroeg hoe hij op het idee was gekomen om de school te bellen. Misschien was die leraar nu op school, en zou hij zelf dat zogenaamde pakje niet eens kunnen bezorgen, omdat er dan waarschijnlijk niemand thuis was. Plotseling zag Eddie een andere mogelijkheid: Kielink was getrouwd en ging vreemd met Sylvia.

Ten slotte kwam de vrouw weer aan de lijn. 'Sorry dat het een beetje lang duurde. Er kwam wat tussendoor.' De vrouw gaf hem het adres en herhaalde het keurig op zijn verzoek.

Amersfoort. Dat had hij nooit kunnen raden.

Nick gaf tot twintig over twaalf les. Het woei stevig terwijl Sylvia bij de school stond te wachten. Het leek op vroeger: uitkijken (maar niet te opzichtig) naar je al of niet gedroomde vriendje terwijl de deuren van de school opengingen. Er druppelden wat leerlingen naar buiten. Meisjes klonterden samen, hielden zich aan elkaar vast om de wind te weerstaan. Een jongen scheurde langs op een scooter. Gisterenmiddag bij de judoles had ze Nick weer even gezien. In zijn judopak zag hij er heel anders uit. Floor zou vandaag de kinderen opvangen. Ze had toch niets te doen. De nieuwe vestiging was voorlopig een kwestie van afwachten. Geld kwam er niet binnen, ook nog niet van de inboedelverzekering. Tegen haar geweten in had Sylvia al een paar keer betaald vanuit de rugzak. 'Lastpakgeld,' noemde ze het voor zichzelf.

Nick kwam naar buiten en keek rond. Ze stak haar hand op. In de auto zoenden ze elkaar.

'Wat zullen we doen?' vroeg Nick.

'Eerst maar naar jouw huis?'

Onderweg deed de wind af en toe een poging om hen van de

weg te rukken. Zodra ze in zijn huis stonden, omhelsden ze elkaar.

'Laten we even iets eten,' zei Nick na een paar minuten. 'Ik lust wel wat. Vanochtend nauwelijks ontbeten. En jij?'

Ze trok hem naar zich toe en drukte haar lippen tegen de zijne, terwijl ze haar handen onder zijn shirt liet verdwijnen. Eindelijk liet ze hem los, bijna buiten adem.

'Tonijnsalade, is dat oké? Ik heb nog een blikje tonijn dacht ik, mayonaise, misschien wat kappertjes. Het brood is wel een beetje oud, maar ik kan het roosteren.'

Nick ging naar de keuken. Ze bladerde in een paar tijdschriften.

Hij stak zijn hoofd om de hoek van de deur. 'Een glaasje witte wijn?'

'Lekker.'

Af en toe leek de wind het huis in een onverwachte krachtsinspanning omver te willen duwen. De regen sloeg tegen de ruiten. Sylvia liep naar het raam. Papieren en afgebroken takken werden door de straat geblazen. Er liep een man met een kapot gewaaide paraplu tegen de wind in te tornen. Een fietser kwam niet meer vooruit, stapte af en keek lachend om zich heen.

De wind jakkerde en joeg om het huis. Tegen zes uur had ze Floor gebeld om te melden dat het onverantwoord was om naar Almere te gaan. De treinen reden niet meer, en ze durfde de weg niet op. '*No problem*,' had Floor gezegd, 'blijf jij maar lekker met je minnaar in bed liggen.'

Sylvia streelde over zijn borst en zijn buik. Nicks enige reactie was een licht, tevreden knorrend geluid.

'Zo klink je als een varkentje,' fluisterde ze, 'een zacht, lief varkentje.'

Tegen acht uur haalde Nick een pot pastasaus en een pak macaroni uit de voorraadkast. 'Gehakt of zoiets heb ik niet. Is dit genoeg?'

Ze aten in bed. Sylvia morste een lepel pastasaus, zodat er een forse rode vlek op het onderlaken zat.

'Net of ik je heb ontmaagd,' zei Nick.

'Misschien heb je dat ook wel gedaan.'

Eddie stond op, ijsbeerde door de kamer, ging naar de keuken, schonk een whisky in, stak een sigaret op, bladerde even in de krant, en toetste het nummer van Maaswinkel in.

Meteen toen er werd opgenomen, vroeg Eddie wanneer Maaswinkel ging betalen. 'Ik ben niet van plan veel langer te wachten.'

'Het gaat slechter met haar. Die bloedingen, die...'

Eddie liet hem niet uitpraten. 'Ik vroeg niet om een medisch bulletin. Wanneer ga je betalen?'

'De artsen weten het ook niet meer. Jij hebt het op je geweten als ze het niet haalt.'

'Sodemieter toch op. Als jij je aan je financiële verplichtingen had gehouden, dan was er niks gebeurd, dan zat je met je vrouw lekker thuis naar de televisie te kijken.' Hij vond dat hij dat mooi onder woorden had gebracht.

'Er kleeft bloed aan je handen.' Maaswinkel probeerde overduidelijk een macabere toon in zijn stem te leggen.

'Daarvan moet ik zeker onder de indruk wezen. Zorg maar dat dat geld er komt.'

Maaswinkel verbrak de verbinding.

Het was of de wind Eddie ook opjoeg. In zijn hoofd was het een chaos, van persoon naar persoon, van naam naar naam. Maaswinkel... Charly... Sylvia... Kielink.

Eddie zette de televisie aan. Weeralarm. Mensen werd aangeraden niet de straat op te gaan. Hij was van plan geweest om vanavond eens poolshoogte te gaan nemen in Amersfoort. Misschien moest hij die man direct aanspreken om hem duidelijk te maken dat hij met zijn tengels van Sylvia af moest blijven. En als het nodig was, dan zou hij hardere maatregelen niet schuwen. Hoewel het altijd een kwestie van uitkijken bleef bij zo'n judoka. Het zou in één keer moeten. Definitief.

In huis was het niet meer uit te houden. Eddie trok zijn jas aan en ging naar buiten. Op een of andere manier deed de wind hem goed. Het regende nu niet meer, maar het leek of de wind een tandje bij had gezet. Hij werd voortgeduwd, de straat uit. Er was geen mens te zien in het Vondelpark. Verderop was een boom omgewaaid. Eddie wist dat het hier niet helemaal safe was, maar hij weigerde om terug te gaan. Het leven zelf was niet helemaal safe. Kon dat ook niet zijn. Als je geen risico's wilde lopen, kon je beter stil op een kamertje gaan zitten. Nog beter: stil op een kamertje aan je einde komen. Maar dan was je dus ook kapot.

Een hardloper passeerde hem. Uit pure meligheid had Eddie bijna geroepen 'Ze hebben hem al,' maar hij hield zich in. Ze hebben hem al...

Hij wilde dwars door het Vondelpark lopen en ergens op de Overtoom wat drinken. Schuitje varen, borreltje drinken, flitste het even door zijn hoofd. Vroeger, Sylvia die liedjes zong voor de kinderen, vooral als ze ziek waren. Hij zette dan liever een cd met kinderliedjes op. Alleen bij verjaardagen zong hij. 'Er is er één jarig' en 'Happy birthday to you'. 7 april was zijn eigen verjaardag. Dan moesten ze weer terug zijn. Ze zouden een groot feest geven. Misschien hier in het park het Melkhuisje afhuren. Sylvia en hij het stralend middelpunt. Iedereen zou er zijn. Charly, de andere jongens. Natuurlijk lieten ze hem niet zomaar zitten. Marvin kwam ook, en Eddie zou naar hem knipogen als hij weer zoveel aandacht aan Sylvia besteedde. Hij probeerde nu een sigaret op te steken, maar het vlammetje van zijn aansteker werd telkens uitgeblazen.

De wind bulderde en Eddie zou terug willen bulderen. Hier ben ik, godverdomme, Eddie Kronenburg, wie doet me wat? Kom maar op, als je durft, stelletje klootzakken. Ja, jij ook Nick Kielink, ja, jij vooral. Eddie liep verder en ontweek enkele takken die over de weg werden geblazen. Onder de brug van de Eerste Constantijn Huygensstraat lagen een paar donkere hopen. Waarschijnlijk zwervers onder al het textiel dat ze hadden kunnen verzamelen. Een lege fles rolde in Eddies richting.

Eenden waren bij elkaar gekropen in een hoekje van de grote vijver. Hij hoorde een oorverdovend gekraak. In paniek keek hij om zich heen, maar zag eerst niets dan wild heen en weer waaiende bomen en heesters. Er leek iets te scheuren en het geluid vulde zijn hoofd. Toen zag hij het knakkende gevaarte op zich af komen. Eerst leek het te twijfelen, maar daarna had het kennelijk besloten om hem te overweldigen. Een fractie van een seconde bleef Eddie als aan de grond genageld staan, toen rende hij voor zijn leven.

's Ochtends keken ze naar *Goedemorgen Nederland*. Verschillende dodelijke ongelukken, die allemaal te maken hadden met omgewaaide bomen, vooral in het buitenland. Het was hard blijven waaien, maar het leek niet meer gevaarlijk. Om kwart voor acht stapte ze bij Nick in de auto. Ze keek naar zijn profiel. Hoe hij extra ingespannen en geconcentreerd reed vanwege het weer. Dit was hun eerste nacht samen geweest.

De kinderen zaten nu met Floor te ontbijten. Zij zou ervoor zorgen dat ze op tijd naar school gingen.

Toen ze bij Nicks school uit de auto stapte, zei geen van tweeen iets over een volgende keer. Geen afspraken, geen verplichtingen, maar Sylvia wist dat het goed zat, net zo zeker als ze had geweten dat ze Eddie moest verlaten.

■

Anouk sloeg haar handen voor haar mond. 'Wat is er met jou gebeurd?'

'O, niks, een paar takken in m'n gezicht. Gister, die storm.' Eddie had het al in de spiegel gezien. Het was wonderbaarlijk goed afgelopen. Enkele takken hadden over zijn wang en voorhoofd een bloederige streep getrokken. Het waren gemene wondjes die verdomd veel pijn deden, maar het bloed was al gestold. De stam en de dikke takken hadden hem niet geraakt. Zie je wel, mazzel, had hij bij zichzelf gedacht, pure mazzel. Dat had hij altijd gehad, en dat zou hij ook in de toekomst hebben.

'Waar? Hoe?' Ze sloeg haar armen om hem heen.

Hij vertelde kort en zakelijk wat er in het Vondelpark was gebeurd. 'En nou wil ik graag een lekkere kop koffie.'

'Maar wat had je dan gisteravond in het Vondelpark te zoeken? Dat was toch levensgevaarlijk?'

'Viel best mee.'

'Stel je voor als het erger was geweest! Als je onder die boom terecht was gekomen, zoals die man op het nieuws. Op slag dood!' Er klonken tranen door in Anouks stem, alsof ze al een halve weduwe was. 'Dan had de baby niet eens een vader gehad.'

'Koffie, graag koffie, Noekie.'

Anouk ging naar de keuken. Eddie keek haar na en had de indruk dat ze al een beetje begon te waggelen. 'Kwak-kwak,' mompelde hij.

Hij zou bij die school kunnen gaan staan, maar wie weet zou hij hem dan kwijtraken in het verkeer. Iemand ongezien volgen bleef een kunst apart en Eddie twijfelde eraan of hij die voldoende beheerste. Sylvia stond Kielink misschien voor zijn school verlangend op te wachten, en zij zou hém dan spotten.

Het leek daarom beter om naar Amersfoort te gaan en in de buurt van zijn huis te posten. Eddie zette de Lexus op een parkeerpleintje. Het was net drie uur geweest. Ergens tussen nu en een uur of zes zou hij waarschijnlijk thuiskomen. Eddie had nog niet besloten wat hij ging doen. Meteen aanspreken? Misschien eerst een tijdje wachten en dan aanbellen. Was het nodig om een smoes te gebruiken of kon hij beter direct zijn? In ieder geval moest die kerel breken met Sylvia, omdat er anders heel vervelende dingen zouden gebeuren. Wilde hij hier nog blijven wonen? Wilde hij niet van de weg worden gereden? Een ongeluk zat in een klein hoekje, in een verdomd klein hoekje. Sylvia was de kapsalon al kwijt, en als ze Kielink niet meer had, was er voor haar geen enkele reden om in Almere te blijven. Dan móést ze wel terug naar Amsterdam.

Schuin tegenover het huis van Kielink was gelukkig een café. Het was een ouderwetse zaak waar godbetert nog Perzische kleedjes op de tafels lagen en net zulke schemerlampjes brandden als bij zijn ouders ooit aan de wand hadden gehangen in hun met zware meubels volgeplempte woonkamertje. Gezellig, zou zijn moeder gezegd hebben. Achter de bar waren twee bordjes met een spreuk vastgeschroefd: 'In de hemel is geen bier, daarom drinken we het hier' en 'Water doet de palen rotten, die het drinken dat zijn zotten'. Het café was leeg. Een ouderwetse kastelein met een overhemd dat ooit wit was geweest en een glimmende, bruinige broek stond achter de bar. Eddie bestelde een whisky. De man keek onderzoekend naar Eddies bekraste gelaat en haalde uiteindelijk een fles van een onbekend merk tevoorschijn. Het soort drank dat ze bij Dirck III voor whisky probeerden door te laten gaan.

'Heeft u geen Johnny Walker?' vroeg Eddie. 'Black label liefst.'

'Nee, die Johnny ken ik niet.' De man lachte een korte, schorre lach.

'Doe die dan maar.' Eddie wees naar de fles die de man in zijn hand hield.

Met zijn glas ging hij voor het raam zitten waarbij hij een goed zicht hield op het huis van Kielink. Na een kwartier vroeg hij een tweede whisky. Ondertussen was hij aan de bijterige smaak van het bocht gewend. Er kwam een man met een wit poedeltje het café in, die binnen tien minuten drie biertjes dronk. Klant en kastelein zeiden niets tegen elkaar. De kastelein zette een bakje water voor het hondje neer.

'Die man is hartstikke doof,' verklaarde de kastelein tegen Eddie, toen de man eenmaal weg was. 'Elke middag gaat-ie de hond uitlaten. Moet van zijn vrouw. Dan drinkt-ie hier wat, omdat-ie thuis niks krijgt.'

Tegen vijf uur, Eddie was aan zijn vierde whisky bezig, verscheen Kielink. Eddie had net een slok genomen en verslikte zich bijna. Hij bleef wachten, alsof hem met het verstrijken van de tijd zomaar een oplossing zou worden aangereikt. Op het moment dat Eddie had besloten om hem eens te gaan verrassen, kwam Kielink de deur uit, gekleed in een trainingspak. Hij keek even om zich heen en begon te rennen. Alsof het niet genoeg was, een sportieve hardloper!

Maar toen herinnerde Eddie zich een mooie uitspraak: hardlopers zijn doodlopers.

23

Met Floor zat ze achter de computer. Eerst zochten ze naar een tweedehands kappersinterieur op internet, en ze surften van website naar website, maar er was niets te vinden wat geschikt leek. Al met ingang van 15 februari kon Floor een pand huren, en om geen tijd te verliezen, was het noodzakelijk om alles zo snel mogelijk in te richten. Nieuwe spullen waren duur, en de verzekering zou alleen de dagwaarde vergoeden van wat in vlammen was opgegaan. Er waren minstens twee wasunits nodig en vijf stoelen en een wand met kaptafels. Stoelen voor de wachtruimte, een espressomachine, een ijskast, een desk. En dan alle hulpmiddelen, alle producten, het materiaal, scharen, kammen, föhns. Een tijdje terug hadden ze nog toegekeken toen de verbrande salon werd leeggehaald. Met grote moeite was een stoomkap te herkennen in een verwrongen stuk plastic. Van de stoelen was niet veel meer over dan het geraamte. Alles was zwartgeblakerd en smerig, soms nog nat van het bluswater. Sylvia had het haar willen besparen, maar Floor moest en zou het zien.

Floor had een paar broodjes voor de lunch klaargemaakt. 'Jij eet volgens mij weer gewoon. Klopt dat?'

Sylvia knikte, terwijl ze een hap van haar bruine bol met oude kaas, sla en komkommer nam. Tegenwoordig ging ze ook weer regelmatig naar de sportschool, vaak voordat ze boodschappen deed.

'En kom je aan?'

'Nee, eigenlijk niet.'

'Dacht ik al. Lekker voor je.' Floor maakte wat berekeningen, terwijl ze haar broodje opat. 'Met een beetje geluk blijven we net onder de veertigduizend euro, en dan moet er van alles worden opgeknapt... geschilderd... gestuukt... waterleiding, afvoer, noem maar op.'

'Schilderen kunnen we misschien zelf. Nick is behoorlijk handig. Die heeft in zijn eigen huis een hele badkamer aangelegd. Misschien dat hij...'

'Nou ja, als jullie relatie er niet onder lijdt, dan vind ik het prima.'

'Maak je maar geen zorgen over onze relatie.' Sylvia wist dat ze zat op te scheppen, maar kon het niet laten.

'Het blijft toch een smak geld. We zullen naar de bank moeten voor een lening.'

'Ik heb geld,' zei Sylvia. Het was een vlakke, directe mededeling, waarop geen tegenspraak mogelijk was. Ze begreep niet waarom ze er nu pas mee op de proppen kwam.

'Jij hebt geld,' zei Floor, enigszins verbaasd. 'Hoezo heb jij geld?'

'Meegenomen uit Amsterdam.'

'Veel geld?'

'Ja. Waarschijnlijk meer dan genoeg voor de inrichting van de nieuwe salon. Floor en Sylvia's Hairstyling bekt trouwens niet lekker. Daar moeten we iets nieuws voor verzinnen, iets dynamisch. *Heads and hair* misschien, ik weet 't niet, *Hair trend*.'

Floor zat Sylvia met open mond aan te kijken. 'En dat vertel je me nu pas... van dat geld, bedoel ik.'

'Nu hebben we het nodig. Zo is het toch?' Sylvia had al bedacht dat het waarschijnlijk geen probleem zou opleveren als ze cash betaalden, wanneer ze spullen van Marktplaats kochten.

'Ja, maar...' Floor leek het nog altijd niet helemaal te kunnen geloven. 'Hoe kom je dan aan zoveel geld?'

'Je weet toch wat Eddie deed?' Het was geen geheim. Zelfs de politie wist het ondertussen. Alleen hadden ze bewijzen nodig. Gisteren had ze weer met die ene rechercheur gepraat, Brandsma. Ze wilde Eddie niet verraden, dat ging te ver, maar het was moeilijk. Als hij zou worden opgepakt, kon hij haar niet meer lastigvallen. Dan was ze misschien pas echt vrij. Maar stel dat ze vertelde wat ze wist. Dat was geen garantie dat Eddie werd veroordeeld. Een of andere gladde advocaat zou hem uit de gevangenis kunnen houden, en dan wist Eddie dat zij had gepraat. Hij zou zeker verhaal komen halen.

'Wat kijk je bang,' zei Floor.

'Ach, niks...'

'Maar het is dus...' Floor dempte haar stem. 'Het is dus... crimineel geld.' Ze keek even om zich heen alsof iemand haar zou kunnen afluisteren.

'Ja, zo zou je het kunnen noemen.'

'Is het cash?'

'Ja, allemaal bankbiljetten in een rugzak. Ik weet niet eens hoeveel precies.'

Floor keek haar met grote ogen aan, en begon toen te lachen. Sylvia lachte mee. Minutenlang bleven ze schateren. Als de een ophield en naar de ander keek, begonnen ze weer.

'In een rugzak!' proestte Floor.

Verschillende keren had hij geprobeerd de oude Wang te bereiken op de East-West Textile Company, maar er werd nooit opgenomen. Wang had geen mobiel nummer, waarschijnlijk net zomin een sofinummer, maar daar ging Eddie niet over. Het zat er dik in dat Wang geen enkel nummer had, en daarom misschien niet eens echt bestond. Eddie ging niet graag naar het pand in de Pretoriusstraat. De laatste keer was hij er met Charly geweest, meer dan een halfjaar gelden. In een kale ruimte lagen wat balen textiel. Plotseling was Wang opgedoken, vanachter een paar kledingrekken. Hij had vriendelijk geglimlacht en zei: '*Everything okay.*'

Maar nu was *everything* niet oké. Eddie was naar het pand toe gereden. De naam van het bedrijf stond nog op het etalageraam, maar daarachter leek zich alleen een donkere leegte te bevinden. Hij belde aan, maar er werd niet opengedaan. Hij probeerde het slot te openen, maar zijn sleutel paste niet. 'Tering, nieuw slot,' mompelde hij.

Eddie reed terug naar huis. Daar belde hij met Sylvia, die tot zijn verbazing de telefoon opnam. 'Ik wil het over twee dingen hebben,' zei Eddie. 'De kinderen en het geld.'

'Wat wil je met de kinderen?' vroeg ze.

'Dat weet je best.' Hij probeerde zich in toom te houden, maar dat lukte maar moeilijk.

'Je wilt dat Yuri en Daphne naar jou komen?'

'Precies... volgend weekend was m'n idee.'

'Dan hebben ze al afspraken,' zei Sylvia. 'Yuri moet naar een judotoernooi, en Daphne gaat logeren bij een vriendinnetje. En trouwens...'

Eddie onderbrak haar. 'Kunnen ze dat niet afzeggen? Ik dacht dat hun eigen vader toch belangrijker was.'

'Weet je nog hoe het met jou vroeger was? Dan zat je hier, dan was je daar. Toen waren ze voor jou blijkbaar ook niet zo belangrijk.'

'Ja... vroeger. Toen heb ik het misschien niet altijd even goed aangepakt.' Eddie stak een sigaret op. Rust... kalmte. Hij moest Yuri en Daphne voorgoed hier zien te krijgen, dan zou Sylvia zeker volgen. Gisteren had Oscar hem namens Herman gebeld en gevraagd wanneer ze terugkwam. Het leek of zelfs Herman zenuwachtig begon te worden, hoewel die dat nooit zou toegeven. Dat kon hij helemaal niet gebruiken, zeker niet nu Charly en de anderen deden of hij een besmettelijke ziekte had. Als je je eigen vrouw niet eens onder de duim kon houden, dan was je pas echt een loser.

'Dat judoën,' vroeg Eddie, 'gaat Yuri daar met jou naartoe? Of met iemand anders?'

'Hoezo?'

'Zomaar.' Ze ging waarschijnlijk samen met die Kielink. Gezellig met z'n drieën. En hij stond zelf overal buiten. 'Het weekend daarna dan? Kunnen we voor dat weekend iets afspreken? Ik kom ze dan bijvoorbeeld vrijdagmiddag halen. Is dat oké?'

'Nee, liever niet. Ik wil pas een omgangsregeling als we gescheiden zijn, en dan moet ik zeker weten dat je uit die criminele toestanden bent. Ik wil m'n kinderen daar niet meer aan blootstellen. Het is me veel te gevaarlijk. Straks gaan ze weer op je schieten terwijl ze bij je in de auto zitten.'

'Natuurlijk niet. Dat was een vergissing,' zei Eddie.

'Bijna een dodelijke vergissing.'

'Ik ben echt bezig mijn leven weer op orde te krijgen.'

'Je krijgt binnen twee weken een voorstel van mijn advocaat over de boedelscheiding en dat soort dingen. Heb jij al een advocaat?'

Eddie drukte zijn sigaret uit. 'Nee, dat is toch nergens voor nodig. We hoeven helemaal niet te scheiden, dat weet je best. We zitten nu een beetje in een crisis, maar dat trekt wel weer over.'

'Je krijgt een brief van mijn advocaat.'

'Toe nou, Syl, doe nou niet zo lullig.'

'Ik ga ophangen. Ik heb meer te doen en jij wilt toch niet luisteren.'

'Wacht 'ns. Dat geld, uit die bergplaats onder de stoppenkast? Dat heb jij meegenomen. Ik heb overal gezocht en het is nergens te vinden.'

'Dan moet je er maar niet zo'n rotzooi van maken. Ik heb het in ieder geval niet.'

'Daar geloof ik niks van,' zei Eddie
'Dan geloof je het maar niet.'
'Kom op, laten we een beetje redelijk doen.'
'Ik ben redelijk. Redelijker dan jij ooit bent geweest.' Aan haar stem kon hij horen hoe ze hem in de tang had, die bitch. Het liefst zou hij haar verrot schelden, maar dan zou hij het helemaal kunnen schudden.
'Als je terugkomt, gaan we echt alles anders aanpakken. Dat beloof ik je.'
'Dat geloof je zelf niet,' zei Sylvia. 'Je hebt al zoveel beloofd, daar zou ik een heel boek over kunnen schrijven.'
'Maar...'
'Hoe is het trouwens met die bijzit van je en de baby die straks komt?' vroeg Sylvia zoetsappig. 'Verheug je je alweer op een nieuw kind? Lekker papa spelen?'

Op vrijdagmiddag zat Eddie voor de derde keer voor het raam van het café schuin tegenover het huis van Kielink. Hij had een oude Ford Escort met deuken en krassen gehuurd via een mannetje achter de Jacob van Lennepkade, dat nooit vragen stelde of papieren hoefde te zien. Op een stil parkeerterrein bij het Amsterdam-Rijnkanaal, waar hij eerder weleens zaken had gedaan, had hij er voor de zekerheid twee nieuwe platen op gezet. Simpel met tape, zodat hij ze er weer makkelijk en snel af kon halen. De auto stond nu iets verderop geparkeerd. Er moest verdomd snel iets gebeuren. Hoe langer deze situatie voortduurde, des te moeilijker zou het worden om er een eind aan te maken. Het was als een kanker die doorwoekerde. Die brand was niet genoeg geweest, en dus moest hij verder gaan. Ingrijpen... nu... zo snel mogelijk. Anouk had weer om geld gezeurd. Charly had hem heel vriendelijk, maar zeer beslist, nul op het rekest gegeven. De hele week was zwaar klote geweest.
De kastelein had de fles whisky al gepakt voordat Eddie was gaan zitten.

'Doe maar een biertje. Ik heb dorst.'

Kielink kwam thuis.

Eddie had zijn biertje al betaald, groette de kastelein en verliet het café. In de auto wachtte hij tot Kielink naar buiten zou komen. De tijd verliep trager dan ooit. Hij stak een sigaret op, maar maakte hem meteen weer uit. Eddie vroeg zich af hoe hij zou hebben gereageerd als Sylvia met Kielink uit de auto was gestapt en het huis was binnengegaan.

Kielink kwam naar buiten en zette direct een looppas in. Tegen zijn zin moest Eddie toegeven dat het er atletisch uitzag. Hij startte de auto en trok langzaam op. In een Amsterdamse boekhandel die gespecialiseerd was in kaarten, had hij een plattegrond van Amersfoort gekocht, en daarop had hij het park gezien waar Kielink de vorige keer naartoe was gegaan. Hopelijk zou hij dat nu weer doen. Vanmiddag had hij daar eerst de situatie verkend. Als Kielink het park uitkwam, moest hij een stille straat oversteken. Geen zebrapad in de buurt. Daar moest het gebeuren.

Eddie reed op zo'n kleine vijftig meter achter hem aan. Af en toe stopte hij even om Kielink weer wat voorsprong te geven. Hij liep inderdaad het park in. Eddie reed iets verder door en keerde zijn auto bij een inrit. Met schrik bedacht hij dat Kielink misschien deze keer op een ander punt het park zou verlaten. Eddie trok de kaart uit het dashboardkastje. Ja, er waren natuurlijk nog andere toegangspoorten en uitgangen.

Hij keek op zijn horloge. Kielink was al langer dan tien minuten geleden het park in gelopen. Een jongen en een meisje van een jaar of achttien liepen innig gearmd over de stoep, alsof ze elkaar nooit meer los wilden laten. Eddie zuchtte. Misschien moest hij hiermee ophouden. Wegrijden. Opnieuw beginnen. Ergens anders naartoe. Een andere omgeving. Andere mensen. Verdomme, er was toch niks met zijn hart? Hij probeerde rustig te ademen. Langzaam... controle, daar ging het om. Nu moest hij doorgaan. Maar waarmee? Waar bracht het hem? Hij sloot even zijn ogen, en zag weer voor zich hoe ze begonnen waren. Hij met Sylvia. De geboorte van Daphne. Twee jaar later Yuri. Geen problemen. Geld en geluk. Naar die tijd moesten ze terug. Alleen die klootzak van een Kielink zat ertussen. Die had zo nodig Sylvia, zijn Sylvia moeten versieren. Misschien kende ze hem via Floor, al voordat ze naar Almere was vertrokken. Ja, dat was het! Om hém was Syl naar Almere gegaan.

Net op dat moment verscheen Kielink. Hij rende nog altijd even soepel, alsof er een machine in hem zat die de bewegingen voortbracht.

Eddie gaf voorzichtig gas. Kielink keek naar links en rechts en moest de langzaam naderende Ford Escort zien. Het duurde en duurde. Eddie maakte een gebaar van steek-maar-over. Toen Kielink aanstalten leek te maken, drukte hij het gaspedaal zo diep in dat de auto bijna naar voren sprong. Even keek hij in de paniekogen van Kielink, die probeerde weg te springen. Er klonk een hol gebonk. Een kreet van buiten drong door. Er vloog iets door de lucht. Kleuren van een trainingspak. Bijna vrolijk.

Eddie schakelde en reed zo hard mogelijk door. Hij durfde niet om te kijken.

Met zijn hart wild kloppend in zijn keel probeerde hij Amersfoort uit te rijden, maar hij kwam twee keer op dezelfde rotonde terecht. Weg, hij moest hier weg, zo snel mogelijk. Het was gekkenwerk wat hij gedaan had. Hoe had hij zo stom kunnen zijn?

Sylvia had er lang over getwijfeld, maar het gevoel dat ze iets had goed te maken, was niet verdwenen. Frans stond met zijn privénummer in Amstelveen in de telefoongids. Eigenlijk had ze een telefoontje verwacht van Nick om voor het weekend iets af te spreken, maar hij had niet gebeld.

Ze toetste het nummer van Frans in.

'Hallo.'

'Met Sylvia.'

'Sylvia? Wat leuk dat je belt.' Maar Frans klonk verre van vrolijk of opgewekt.

Ze praatten over wat onbenulligheden totdat Sylvia vertelde dat ze weg was bij Eddie en nu in Almere woonde.

'Dat verbaast me niks,' zei Frans. 'Ik begreep al niet hoe je het bij hem uithield.'

'Ik ook niet. Maar ik... eh...' Weer zag ze alleen even een donker gat, een onbekende toekomst die haar beangstigde. 'Ik wil je nog wat vertellen.'

'Waarover?'

'Over die deal die je laatst had met Eddie. Weet je nog, toen je bij ons in de Van Eeghenstraat bent geweest. Een paar maanden geleden.'

'Dat weet ik nog verdomd goed,' zei Frans. 'Al dat geld... Jezus nog aan toe, allemaal *down the drain*. Maar wat wil je me precies vertellen?'

'Dat doe ik liever niet over de telefoon. Misschien kan je een keer langskomen, hier in Almere. Ik woon nu tijdelijk in bij Floor. Die ken je vast nog wel van vroeger.'

24

Sylvia bleef bellen, maar zowel op het thuisnummer als op Nicks mobiel kreeg ze alleen de voicemail. Ze probeerde zich een onschuldige verklaring voor te stellen, maar het lukte nauwelijks. Een oude vriend tegengekomen. Iets gaan drinken. Mobiel vergeten. Maar hij had toch gezegd dat hij zou bellen?

Van alles had ze bedacht, gefantaseerd, voorspeld en daarna weer verworpen, omdat de werkelijkheid toch elke keer weer anders zou uitpakken. Ooit had ze een verkeerde keuze gemaakt, en daar moest ze waarschijnlijk eeuwig voor bloeden en boeten. Ze proefde de woorden in haar mond. Eddie zou haar nooit loslaten, dat lag niet in zijn aard.

Ze stond buiten met Floor, voor de brandende kapsalon. Ze keek opnieuw in de vlammen, rook de zware, indringende brandlucht en dacht even dat er hier in huis iets smeulde. Eddie... Vanaf dat moment, daar buiten op straat, had ze de verdenking niet meer van zich af kunnen zetten. In het rapport van de politie had gestaan dat er sprake was van opzettelijke brandstichting. Aan Floor was nog een keer gevraagd of ze een concurrent of tegenstander had die haar misschien zakelijk had willen treffen. Sylvia zat ook bij het gesprek met de politie; ze had Eddies naam gesuggereerd. Daarna was er onderzoek gedaan, maar dat had niets opgeleverd. Eddie scheen simpelweg te hebben verklaard dat hij alleen thuis was geweest die nacht. Hij had gewoon liggen slapen. Verder was er niets wat hem met die nacht in Almere verbond, er waren geen sporen, geen getuigen, niets.

Zaterdag. Ze kon blijven liggen, maar haar spieren beslisten anders. Iedereen in huis sliep nog. Twee keer had ze gecontroleerd of Nick niet op de voicemail stond. Ook geen sms'je. Niets. Zo streng mogelijk hield ze zich voor dat het niets te betekenen had. Straks zou hij bellen, en dan bleek er sprake te zijn van een misverstand dat alles kon verklaren. Maar misschien was hij nu al op haar uitgekeken. Ze trok haar jas aan, ging naar buiten en begon aan een lange wandeling, die haar langs tot op heden onbekende wijken, straten en pleinen in Almere Stad bracht, en die eindigde voor het nieuwe pand. Volgende week zouden ze erin kunnen trekken. Dan begon het echte werk. Toch leek het nu mijlenver weg. Nick zou zeker meehelpen. Binnenkort had hij krokusvakantie, en dan zouden ze flink vooruitgang kunnen boeken.

Sylvia schrok van de ringtone van haar mobieltje. Wie belde haar op zaterdagochtend om halfnegen? Dat kon alleen maar Nick zijn, maar het nummer herkende ze niet.

Een onbekende stem: 'Spreek ik met mevrouw Houweling?'

'Ja, Sylvia Houweling.'

'U bent een vriendin of *de* vriendin van de heer Nick Kielink? Klopt dat?'

Er was iets verschrikkelijks gebeurd. Nick was... 'Ja, is er iets? Waarom belt u?' Sylvia ging op de rand van het trottoir zitten.

De vrouw vertelde over een ongeluk. Met zware verwondingen was Nick naar het ziekenhuis vervoerd, waar hij gisteravond was geopereerd. Zijn toestand was nu redelijk stabiel.

Zonder iets te kunnen zeggen, had Sylvia geluisterd, haar mobieltje dicht tegen haar oor gedrukt. De vrouw zei dat Nick haar had gevraagd Sylvia te bellen. 'Het was een van de eerste dingen die hij zei.'

Sylvia schraapte haar keel, maar kon nog geen woord uitbrengen. De vrouw vertelde iets over de bezoekuren in het ziekenhuis.

'Hoe is 't nu met hem?' vroeg Sylvia ten slotte.

'Goed... redelijk. Hij heeft een flinke klap gehad, maar hij komt er zeker bovenop.'

'Maar wat...?' begon Sylvia.

'Sorry, maar we hebben zo medicijnenronde.'

Eddie werd wakker met een eikenhouten kop. Vaag herinnerde hij zich gisteravond en gisternacht. De twee kentekenplaten had hij in het water laten verdwijnen bij dezelfde parkeerplaats als waar hij ze had bevestigd. Daarna had hij de Ford Escort teruggebracht. Uit voorzorg. De Lexus had hij in de Van Eeghenstraat laten staan, en daarna was hij naar één café, twee cafés, drie cafés gegaan. Misschien meer. Helemaal klem had hij zich verdomme gezopen. Hij had zich bijna laten meezeulen door een of andere vrouw, die hij eerder een keer met Oscar had gezien. Laila of Lola of Lila. Maar gelukkig was net op tijd het besef doorgedrongen dat hij hem niet eens meer overeind zou kunnen krijgen, en dan zou het zonde zijn geweest om een paar honderd euro te betalen.

Zijn mobieltje ging over. Hij keek op het display. Ja, precies, je kon erop wachten, daar was ze weer. Omdat er toch niet aan te ontsnappen was, drukte hij het gesprek niet weg.

Na het bekende inleidende verhaal dat ze hem zo had gemist, vroeg ze waar hij nu was.

'Thuis, in de Van Eeghenstraat.'

'Maar je moest voor je werk naar België, zei je! Naar Brugge of zo!' Anouk klonk verontwaardigd.

Verdomme. Smoes vergeten. 'Zeebrugge... Ik was daar wat eerder klaar,' verzon hij, 'en toen dacht ik dat ik net zo goed naar huis kon gaan.'

'Dan had je toch bij mij kunnen komen. Waarom alle twee alleen als we net zo makkelijk samen kunnen zijn? Je had toch niet...?' Ze maakte haar zin niet af.

Hij wist dat ze het niet uit durfde te spreken. Een paar jaar lang was ze eraan gewend geweest om hem met een ander te moeten delen waarbij ze ook nog op de tweede plaats kwam. Maar nu wilde ze niets minder dan de eerste plaats, en hem helemaal voor zichzelf.

'Luister, Noekie, ik was doodmoe. Toen ik eenmaal thuis was, ben ik finaal in slaap gestort. Ik ben nog maar pas wakker.'

'O...'

Eddie hoorde flink wat ongeloof in haar stem. 'Dan kom ik vanavond. Is dat oké?'

Ze praatten wat door. Anouk vooral over hoe ze zich nu voelde. 'Ja, ja,' zei Eddie, en 'Hmm... hmm.' Ze was al flink dikker geworden. Zwanger stond haar niet, het hoorde niet bij haar. Ze zegde toe dat ze voor hem zou koken, maar Eddie wist dat het waarschijnlijk een scooter met een Thaise, Chinese of Surinaamse lauwwarme hap zou worden.

'Ja, dag schat, tot vanavond. Om een uur of zes. Ik moet eerst nog het een en ander doen.' Hij hoorde een telefoonzoen in zijn oor.

Door dat gepraat over eten voelde hij pas dat hij eigenlijk een gierende honger had. Gisteravond niets gegeten toen hij uit Amersfoort terugkwam. Amersfoort. Hij moest op zoek naar een krant met nieuws uit die plaats. Misschien stond het in *De Telegraaf*. Hij slofte naar de voordeur, haalde de krant van de mat en bladerde die door. Nee, geen dodelijk ongeluk in Amersfoort, helemaal geen ongeluk in Amersfoort. Geluk voor iedereen die in Amersfoort woonde. Hij gaapte zo hevig dat hij even bang was dat zijn kaken klem kwamen te staan.

Er was nog brood en wat kaas. Staande bij het aanrecht belegde hij een boterham en begon te eten. Een rare smaak. Hij draaide de boterham om en keek kokhalzend naar de groen uitgeslagen schimmelplek.

Het was niet tegen te houden. Toen ze het ziekenhuiszaaltje binnenkwam en Nick zag – een onnatuurlijk bleek gezicht, zijn ogen dicht, bijna alsof hij al dood was, gekoppeld aan apparaten, een infuus waarvan de slang onder het laken verdween – stroomden haar de tranen over de wangen. Ze bleef aanvankelijk van een afstandje kijken. Dichterbij was te veel voor haar. Ze staarde naar Nick, tot de eerste schok was weggetrokken. Een verpleegkundige had gezegd dat ze een paar minuten naar hem toe mocht. 'We zijn redelijk tevreden. Het gaat goed... Naar omstandigheden natuurlijk. Hij heeft een enorme klap gehad.'

De verpleegkundige stond nu achter haar. 'U mag wel even gaan zitten.'

'Dank u,' fluisterde Sylvia. Ze schoof een stoel naast het bed.

Intensief bleef ze Nick observeren. Ze wilde goed in zich opslaan hoe hij er nu uitzag. Toen deed hij zijn ogen open, aanvankelijk twijfelend en knipperend met zijn oogleden. Een niet helemaal gelukte poging tot een glimlach verscheen op zijn gezicht. Er kwam een hand onder het laken vandaan, die ze zachtjes omvatte. Ze begon weer te huilen.

Nick schudde licht met zijn hoofd. 'Niet doen.' Zijn stem klonk vreemd schor en was nauwelijks hoorbaar. 'Ik leef nog.'

Sylvia kon geen woord uitbrengen. Ze wilde zijn hand stevig vastpakken, liever nog hem zo heftig mogelijk omhelzen om te voelen dat hij nog leefde.

Ze droogde haar tranen en snoot haar neus. Nick glimlachte weer.

'Wat is er gebeurd?' De vraag was onzinnig, maar ze moest hem toch stellen.

'Hardlopen,' mompelde Nick. 'Auto. Keek niet uit... Plot-

se...' Hij zuchtte alsof hij een enorme prestatie had verricht.
'Stil maar. Dat komt later wel. Het is nu niet belangrijk.'
'Plotseling... Reed heel hard. Veel te hard.'
Ze streelde zijn hand, terwijl het begin van een gitzwarte gedachte zich in haar hoofd vastzette.

Eddie was naar Herman geweest, die hem eindelijk had willen ontvangen. Ze ontmoetten elkaar in het kantoor van Disselhoek, Hermans advocaat. Herman zat als een boeddha in een grote fauteuil in de hoek van de kamer, alleen keek hij minder vriendelijk. Er kon geen glimlachje af. Herman had Eddie nors aangehoord, nadat Disselhoek de kamer uit was gebonjourd. Ja, Eddie had altijd zijn best gedaan, maar vooral voor zichzelf, toch? Hij had er het meest van geprofiteerd. Eddie bedacht dat daar wel wat tegenin was te brengen, maar over het algemeen leek het niet verstandig om het met Herman oneens te zijn.
Eddie had om werk gevraagd, maar daar was Herman niet op ingegaan. Hij begon wel over de huur van de Van Eeghenstraat, want hij was de eigenaar van het pand waarin Eddie woonde, zoals trouwens van meer panden in de buurt. Eddie wist dat hij al drie maanden achterliep. Normaal geen probleem, maar nu leek het van groot belang. Alleen maar om hem te stangen, natuurlijk. 'Je moet eerst maar 'ns je eigen zaken wat beter organiseren,' had Herman ten slotte gezegd. 'Het is een puinhoop, dat weet je nog beter dan ik.' Ze lulden over hem; Eddie wist het wel. 'Maar ik probeer juist alles weer een beetje onder controle te krijgen, en het gaat al een stuk beter,' zei Eddie. Herman lachte uiteindelijk toch even, een lach die overging in een scheurende hoestbui. Eddie dacht dat Herman er elk moment in kon blijven. Daar zou hij dan waarschijnlijk meteen de schuld van krijgen. Een secretaresse van Disselhoek, alsof ze achter de deur had staan wachten, kwam binnen met een glas water. Voordat Herman dat aanpakte, wuifde hij Eddie weg met een wappe-

rend gebaar, waaruit vooral irritatie sprak.

Het leek of hij van afspraak naar afspraak ging, van telefoontjes naar bezoekjes, zonder dat er ene moer gebeurde, zonder dat hij een stap vooruit kwam. Brandsma had hem gebeld en wat druk uitgeoefend. Uiteindelijk was Eddie ingegaan op het verzoek om weer eens met elkaar te praten. In een onverklaarbare vlaag van lichtzinnigheid had Eddie het parkeerplaatsje bij het Amsterdam-Rijnkanaal voorgesteld. Toen hij in zijn auto wilde stappen, meende hij Maaswinkel te zien in zijn BMW, dubbel geparkeerd. Eddie liep in zijn richting, maar voordat hij hem had bereikt, stoof de auto weg.

Nadat Eddie aan was komen rijden bij het Amsterdam-Rijnkanaal – ruim een halfuur te laat; Brandsma en Waldhoven moesten niet denken dat ze het zomaar cadeau kregen – had hij aan de rand van het kanaal eerst even naar het water gekeken, bijna vrezend dat de kentekenplaten boven zouden komen drijven. Hij had er trouwens helemaal niets over gehoord, over die aanrijding zoals hij het voor zichzelf noemde. Afgelopen zaterdag had hij in een internetcafé tussen allemaal jonge toeristen de site van *AD Amersfoortse Courant* bekeken. Thuis deed hij dat liever niet. Je wist nooit of ze dat konden nagaan. Ja, er was een artikeltje op het scherm verschenen over een hardloper die door een auto was geschept. De man was zwaargewond naar het ziekenhuis vervoerd, maar was volgens de laatste informatie buiten levensgevaar. Eddie had zachtjes gevloekt. Het bericht meldde verder dat de automobilist was doorgereden na het ongeluk, en dat de politie getuigen opriep om zich te melden. Gisteren had hij opnieuw op de site van die krant gekeken, maar over het ongeluk was er geen nieuws.

Buiten levensgevaar, dacht hij, terwijl hij keek naar een visser zo'n vijftig meter verderop, die bewegingloos naar zijn dobber staarde.

'Hè? Wat zeg je?' Brandsma keek hem vragend aan.

'Nee, niks.'

'Oké, hoe gaat het ermee?' vroeg Brandsma. 'Veel goeie deals? Of zit je alleen maar met Anouk in je liefdesnestje te wachten op de geboorte van jullie baby?'

Eddie besloot de hatelijkheid te negeren. 'Wat heb ik er eigenlijk aan om met jullie te praten?'

'Verkeerde vraag,' zei Waldhoven, die achter in de auto zat. 'Het gaat erom wat er gebeurt als je níét met ons praat.'

'En wat is dat dan?'

'Dat begrijp je verdomd goed. We weten ondertussen genoeg voor een leuke aanklacht. Als we meneer Wang laten lopen, is hij graag bereid om het een en ander te vertellen. Wonderbaarlijk hoe welbespraakt die Chinezen soms kunnen worden. Het ene moment denk je dat ze bijna geen woord Nederlands spreken en een paar tellen later lullen ze je de oren van je kop. Moeilijk verstaanbaar, maar toch. Zo'n verblijfsvergunning is echt goud waard voor die lui. Daar doen ze alles voor.'

'We kunnen je helpen,' vulde Brandsma zijn collega aan, 'maar dan moet je ons ook helpen. Gelijk oversteken.'

Eddie wist het even niet meer. Het leek zo simpel. Hij zou zich helemaal leeggooien, en dan was hij van alles af. Het nieuwe begin, precies wat Sylvia eiste. De schone lei! Shit, dat kon hij helemaal niet. Charly verlinken? Oscar, Daan? Of erger nog: Herman? Dan kon hij net zo goed met een rotsblok aan zijn poot hier in het kanaal springen. Hij haalde zijn sigaretten tevoorschijn.

'In de auto mag niet gerookt worden,' zei Brandsma met een effen stem, net of hij een automaat was die reageerde op het pakje Marlboro.

Toen wist Eddie dat hij zijn mond dicht zou houden. 'Dan doe ik het toch buiten de auto.' Hij opende het portier, stapte naar buiten en stak zijn sigaret aan. Na een paar genietende halen ging hij in de Lexus zitten, startte en reed weg. In zijn achteruitkijkspiegel zag hij hoe de twee rechercheurs uit hun auto waren gekomen. Waldhoven schudde zijn vuist, wat er behoorlijk belachelijk uitzag.

25

Vanmiddag was Sylvia weer naar het ziekenhuis geweest. Elke dag ging het iets beter met Nick. De kans bestond dat zijn rechterbeen nooit meer helemaal volwaardig zou functioneren vanwege de enorme klap die het had gehad, en vooral vanwege de gebroken knieschijf. De automobilist die hem had geschept, was nog altijd niet gevonden door de politie. Misschien was hij doorgereden omdat hij geen rijbewijs had, geen wegenbelasting had betaald of niet verzekerd was. Het kon een gestolen auto zijn geweest. Er hadden een paar mensen op straat gelopen, maar in de paniek en de schrik van het ongeluk had niemand het kenteken van de auto genoteerd, een donkere middenklasser, niet al te nieuw meer. Zelfs het merk was niet bekend, dus een zoektocht naar de automobilist was bij voorbaat gedoemd te mislukken.

Tot zeker drie keer aan toe had ze Nick laten vertellen wat er volgens hem precies was gebeurd. Pas de derde keer kwam hij met het detail van de man achter het stuur, die een wenkend gebaar gemaakt had, dat hij kon oversteken. 'Ja, nu zie ik het weer voor me.' Moeizaam ging Nick in bed overeind zitten. 'Zo van: gaat u maar. En toen ik begon te lopen, toen schoot-ie naar voren. Ik schrok me echt kapot.' 'Hij deed het misschien dus wel expres,' had ze verondersteld. 'Heb je dit ook aan de politie verteld?' Nee, dat had hij niet. Moest hij misschien doen, maar het zou natuurlijk niet helpen om die man te vinden, hoogstens werd de politie iets actiever. Maar bij wie moesten ze zoeken, welke richting uit, waar? Sylvia zei dat ze Eddie verdacht. 'Eddie?' 'Ja, die is overal toe in staat.' 'Dan moet jij nog een keer naar de politie gaan,' stelde Nick voor. 'Die kan het verder uitzoeken.' Daarna had hij zich met een diepe zucht op het kussen laten terugzakken.

Vanuit het ziekenhuis was ze meteen naar het politiebureau gegaan. Na ruim een halfuur wachten had ze eindelijk met een agent kunnen praten, een jonge vrouw. Sylvia had verteld dat ze een vermoeden had van de dader. 'Mijn ex-man. Nick Kielink, het slachtoffer dus, dat is mijn nieuwe vriend, en mijn ex is krankzinnig jaloers.' De vrouw had alles opgetekend, ook het adres van Eddie. De politie zou erachteraan gaan, had ze beloofd, zo snel mogelijk.

Misschien omdat ze het iemand verteld had, omdat ze zijn naam had genoemd, wist Sylvia het zeker: na de brand was ook dit weer het werk van Eddie geweest. Haar leven hier moest onmogelijk worden gemaakt, en het kon hem niet schelen hoe, ook al vielen er doden bij. Hij kon eenvoudigweg niet begrijpen en niet accepteren dat ze hem niet meer wilde, nooit meer. Die man zat hopeloos opgesloten in zijn eigen waanideeën. Daphne en Yuri zouden in ieder geval voorlopig niet meer naar hem toe gaan. Dat was te gevaarlijk. De drie dagen tijdens de kerstvakantie waren hun overigens maar matig bevallen. Yuri had het nauwelijks meer over zijn vader en Daphne leek helemaal niet meer naar Amsterdam te talen.

Floor was weg. De kinderen zaten boven. Sylvia keek naar *De wereld draait door.* Ja, haar wereld draaide ook door, leek over de kop te draaien. Frans zou langskomen, had ze met hem afgesproken. Hij zou vast willen weten hoe Eddie hem ronduit had belazerd.

■

Nick moest voorlopig in het ziekenhuis blijven. Bovendien, hoe zou hij zich in zijn eigen huis kunnen redden, hoe kwam hij de trap op? Alles leek nu tegelijk te komen. Ze had een huis in Muziekwijk toegewezen gekregen, en binnenkort konden ze beginnen met het werk aan de nieuwe salon. Over een paar dagen begon voor Daphne de Cito. Soms hapte Sylvia naar adem. Ze moest achterover leunen in haar stoel of haar handen tot bedaren brengen als ze bedacht wat er de laatste paar maanden was gebeurd en nog kon gebeuren. Eddie... Misschien zou hij het opgeven. Nee, zo was hij niet.

Ze zat nu in een café vlak bij het station waar ze met Frans had afgesproken. Bij Floor thuis had haar minder geschikt geleken. Frans was nu al een kwartier te laat. Er zat een oma met twee kleinkinderen aan een ronde tafel in het midden, twee meisjes van verschillende leeftijd, maar met identieke kleren en identieke staartjes en strikjes in hun blonde, springerige haar. De kinderen kregen chocolademelk met slagroom.

Misschien zag Frans ervan af, en wilde hij niet op deze manier met het verleden worden geconfronteerd. De kans was niet denkbeeldig dat hij wegliep voor zijn falen. Opnieuw had hij het onderspit gedolven tegenover Eddie.

Een van de kinderen, de jongste, hief een enorm gekrijs aan. De oma tilde haar op schoot en begon haar te knuffelen, waardoor het meisje in een mum van tijd stilviel. Troosten en knuffelen, bij Daphne lukte dat niet meer. Volgend jaar al naar de middelbare school. Maar het ging goed met haar. Ze hoopte samen met een paar van haar nieuwe vriendinnen, met wie ze ook voortdurend aan het msn'en was, een plaats te krijgen op Het Baken. Sylvia was er samen met haar naartoe gegaan voor een informatieavond. Daphne bleek onder de indruk. Zwijgzaam had ze alles aangehoord, en terwijl ze door het schoolgebouw dwaalden, zei ze nog steeds niets. Yuri had via een paar vriendjes een nieuw hobby gevonden: skateboarden. Hij had gesmeekt en gebedeld. 'Alvast voor mijn verjaardag. Ik hoef dan niks meer te hebben!' Ze had hem voorgehouden dat hij pas op 28 april jarig was, maar uiteindelijk was ze toch gezwicht. Skateboarden leek haar ook een gevaarlijke sport, maar Yuri had gezegd dat het best meeviel. 'En ik zal echt voorzichtig doen.' Ja, voorzichtig... Maar hielp dat tegen Eddie? Ze kon nu alles van hem verwachten. Gisternacht was ze nog bij de kinderen wezen kijken, nadat ze midden in de nacht wakker was geworden van een vreemd geluid. Yuri sliep, op zijn buik liggend zoals altijd, terwijl een arm naast het bed bungelde. Daphne draaide zich op haar andere zij, terwijl Sylvia door de deuropening gluurde. Ze was door het stille, vredige huis gelopen, had uit het raam gekeken naar de stille, vredige straat. Ze wist dat ze zich niet gek moest laten maken, maar de onzekerheid over wat Eddie zou kunnen doen, was bezig haar op te vreten.

Sylvia dronk van haar cappuccino. Tot elf uur bleef ze wachten, sprak ze met zichzelf af. Nu dus nog vier minuten.

Het andere, jongste kind was nu in een buggy in slaap gevallen, terwijl de oma met het blonde meisje op schoot door een tijdschrift uit de leesmap bladerde.

De deur leek bijna open te barsten toen Frans onhandig het café binnen struikelde. Hij keek wat paniekerig in het rond. Pas toen ze met haar hand zwaaide, merkte hij haar op.

'Sorry dat ik te laat ben. Allemaal toestanden, en ik was je telefoonnummer kwijt. Alles ben ik tegenwoordig kwijt.' Frans zag eruit alsof hij al bijna vijftig was. Oud, hulpeloos en vermoeid, met een droevige blik in zijn ogen. 'Graag koffie,' mompelde hij tegen de vrouw die zijn bestelling op kwam nemen.

Toen er koffie voor Frans was gebracht, kletsten ze eerst wat over koetjes en kalfjes. Sylvia vertelde over de kapperszaak, de brand, de nieuwe salon. Eddie vermeden ze aanvankelijk, die bestond even niet, maar het was of ze een weg afliepen die uiteindelijk toch bij hem moest eindigen. Ze vertelde wat ze wist over de deal, dat Eddie heel bewust Frans had bedrogen. 'Jij was een makkelijk slachtoffer voor hem. Hij was er gewoon trots op.'

'Een oude rekening,' zei Frans. Hij leek niet eens zozeer kwaad, maar eerder verslagen, diep teleurgesteld. 'Wat een ontzettende onbetrouwbare klootzak, maar eigenlijk had ik het kunnen weten.' Even was het of zijn handen iets zochten wat hij grondig en systematisch zou kunnen vernietigen. Toen legde hij ze verslagen weer op het tafeltje. Die handen hadden haar ooit gestreeld. Die tijd leek langer geleden dan ooit. Frans wendde zijn hoofd van Sylvia af. Ze hoorde hoe hij zijn neus ophaalde. 'Cd-king,' bromde Frans. 'Onzin. De koning is afgezet... een koning zonder koninkrijk.' Frans. Vaak had ze erover nagedacht hoe haar leven zou zijn verlopen als ze bij hem was gebleven, maar ze wist dat ze uiteindelijk niet bij elkaar pasten.

Vóór deze afspraak had ze het geld met trillende handen geteld, bijna alsof ze alleen al daardoor een criminele daad beging. Yuri en Daphne waren naar school, Floor op familiebezoek, niemand zou haar dus kunnen betrappen. Ruim zesenveertigduizend euro was het. Fluisterend noemde ze het bedrag tegen Frans.

'Nee, dat kan ik niet accepteren. Dat is voor jou. Als je het zo lang met hem hebt uitgehouden, dan heb je daar recht op.'

Zelf twijfelde ze daaraan. Ze legde een hand op zijn arm, en zei dat hij het moest aannemen, maar hij gaf geen duimbreed toe.

'Bovendien,' zei hij, 'voor mij is het veel te weinig.' Sylvia moest haar best doen om hem te verstaan. 'Die schulden van mij... Het is hopeloos, erger dan hopeloos. Ik heb veel en veel meer nodig. Een paar miljoen. Echt gigantisch veel geld.'

Naast zijn tweede koffie had hij een glas cognac besteld. Even voelde Sylvia behoefte om op te staan en hem troostend tegen zich aan te drukken, maar ze liet het moment voorbijgaan. Zwijgend roerde Frans in zijn koffie.

'Je komt er vast wel weer bovenop.' Ze probeerde een luchtige toon in haar stem te leggen.

Frans schudde zijn hoofd.

'Je kan misschien overnieuw beginnen met wat anders.'

'Jij denkt misschien dat het net zoiets is als met die kapsalon van jullie, maar dat is 't niet. Het gaat verder... veel verder. Ik ben kapot, weet je dat?' Hij keek even op en sloeg zijn ogen weer snel neer. 'Ik heb alles geprobeerd, maar dit is het einde.'

In het ziekenhuis was de ex van Nick op bezoek, Esther, een vrouw met donker haar en een licht Aziatisch uiterlijk. Knap, slank, vriendelijk. Ze glimlachte veel, maar zei heel wat minder. Sylvia voelde zich te veel, overbodig, maar wilde niet weglopen. Nick keek beurtelings van Sylvia naar Esther en weer terug, maar nadat hij had verteld over het revalidatieprogramma waarin hij terecht zou komen, leek zijn gespreksstof uitgeput. Sylvia had verwacht dat ze een steek van jaloezie zou voelen, maar die bleef achterwege. Het was of een oude kennis van Nick op bezoek was, en niet de vrouw met wie hij jaren het bed had gedeeld.

'Jij woont nu dus in Zwolle?' vroeg Sylvia.

'Ja,' glimlachte Esther.

'En bevalt 't?'

'Heel goed. Zwolle is echt een leuke stad. Maar ik moet nu gaan. Mijn trein.' Esther stond op en gaf Nick een voorzichtige zoen op zijn wang. Sylvia kreeg een hand.

Bij de deur zwaaide ze even.

Sylvia vertelde Nick over haar huis en de salon, totdat er een collega van school kwam.

Sylvia ging staan.

'Je hoeft niet meteen weg te gaan.'

'Ik heb nog veel te doen.' Ze boog zich over Nick heen, zoende hem, zoende hem opnieuw, proefde een lichte medische smaak, wat niet erg was, streek met haar hand langs zijn gezicht en door zijn haar. Zoende hem weer.

Ze kwam omhoog.

De collega keek glimlachend toe. 'Doe voorzichtig met hem. Hij moet nog langer mee.'

Misschien was het goed, dat alles tegelijk kwam. Via kennissen van Floor had Sylvia alvast wat meubels gekregen. De extra bedden van Floor konden naar haar nieuwe huis. De vorige bewoners hadden gelukkig de gordijnen laten hangen. Bij de HEMA had ze wat keukengerei, borden en bestek gekocht. Het huis was nog kaal, niet ingevuld. Dit was alleen maar het begin. Langzamerhand zou de woning meer echt van haar worden. Via Marktplaats kwam ze op het spoor van een tweedehands televisie, elektrische kookplaat en stofzuiger, allemaal in Almere. Ze had extra sloten laten aanbrengen. 's Avonds laat controleerde ze minstens twee keer of die dicht waren.

Daphne had de eerste onderdelen van de Cito-toets, rekenen en taal. In de klas hadden ze al een paar keer proefgedraaid, en het ging niet slecht. Natuurlijk was ze bloedzenuwachtig, maar dat hoorde erbij. Bij het ontbijt kreeg ze geen hap door haar keel. Vanmiddag dus niet naar Nick, maar wel vanavond. Dat moest. Van wie? Van haarzelf. Over een paar dagen zou hij uit het ziekenhuis worden ontslagen, was de voorspelling. De vraag was nog waar hij naartoe zou gaan. Sylvia had al een plan, dat ze aan hem voor zou leggen.

26

Hij begreep er niets van. Ze had verdomme een huis gekregen en was er ook al ingetrokken. Dat ging dus behoorlijk de verkeerde kant op. Als hij niet optrad, zat ze daar voorgoed. Een paar dagen had hij bij Anouk gebivakkeerd, omdat de Van Eeghenstraat hem naar de strot vloog. Maar bij Anouk was hij ook weer gevlucht, toen zij eindelijk een keer de deur uit was om boodschappen te doen. Ze kende maar een handjevol onderwerpen om over te praten: de baby, met Eddie samenwonen in de Van Eeghenstraat, misschien wel trouwen ('Lijkt me zo romantisch!'), inrichting van het huis en geld. Over die thema's kon ze urenlang doorgaan, terwijl hij halsstarrig probeerde om een televisieprogramma te volgen, ook al interesseerde het hem geen reet. Zelfs snooker- of dartuitzendingen waren een welkome tijdspassering. Toen ze het weer eens had over mooi kinderspeelgoed, herhaalde hij zo luid mogelijk de commentator: '*Hundredandeighty!*' Bij haar werd hij gillend gek. Als hij sterk aandrong, was ze in voor wat spaarzame seks, maar eigenlijk alleen recht-op-en-neer en liefst een vluggertje. Hij moest van haar af zien te komen, voorgoed. Een huisdier kon je in het bos achterlaten als je met vakantie ging, maar bij haar was dat jammer genoeg niet mogelijk. Niet meer naar haar toe, geen telefoongesprekken, en als ze in de Van Eeghenstraat verscheen, liet hij haar voor de deur staan. Die baby kon hij straks niet helemaal negeren. Ze zou misschien onderzoek laten doen met DNA of zo, en dan werd duidelijk dat hij de vader was (de vader is de dader, bedacht hij). Dat ging natuurlijk geld kosten, maar altijd veel minder dan hij nu aan haar kwijt was. Geld, dat was nog altijd een probleem. Een paar keer had hij tevergeefs geprobeerd om Maaswinkel te bereiken. Als die binnenkort niet zou dokken, dan moest Eddie andere inkomstenbronnen zien aan te boren.

In een gehuurd vw-busje stond hij zo'n honderd meter van de school. Na een minuut of tien kwamen de eerste leerlingen naar buiten. Eddie stak een sigaret op, maar drukte die snel uit. Hij meende Yuri te zien, maar het was een jongen die veel op hem leek. Kinderen... ze bleven uit die school komen alsof het einde van de stroom nooit zou worden bereikt; het was of ze aan de achterkant weer naar binnen gingen. Eddie dacht aan zo'n apparaat dat hij ooit had willen kopen voor een fontein in een vijver in de tuin, waarin het water werd rondgepompt. Die vijver was er nooit gekomen.

Yuri en Daphne gingen straks op de fiets naar huis, wist hij. Misschien was het nu een geschikte dag, maar als er andere kinderen bij waren, zou het ingewikkeld worden. Ja, Daphne. Zíjn dochter, zíjn bloedeigen dochter. Als vader had hij recht op haar, en zij op hem. De verwarring over het kind van Anouk probeerde hij van zich af te zetten. Dat lag heel anders.

Yuri voegde zich nu bij Daphne. Hij stond met een andere jongen te praten, die hem een paar speelse boksstoten verkocht. Yuri probeerde zich te beschermen.

'Sla terug,' fluisterde Eddie. 'Laat je niet kennen. Geef 'm een beuk!'

Yuri en Daphne stapten op de fiets. Daphne zwaaide naar een ander meisje.

■

'Gaat het?' vroeg Sylvia.

'Ja, gaat wel.'

De opvouwbare rolstoel zat al in de achterbak. Nick was op de plaats naast haar geschoven. Hij had licht tegengesputterd, voor de vorm leek het, toen ze had voorgesteld dat hij bij haar zou komen wonen. Tijdelijk, natuurlijk. Maar tijdelijk zou lang kunnen gaan duren. 'Wat moet je in je eentje?' had ze gezegd. 'Boodschappen doen, koken... ontzettend lastig als je niet langer dan een paar minuten kunt staan.' Yuri vond het leuk. Het was moeilijk om te voorspellen hoe Daphne zou reageren. Tot nu toe leek ze tevreden en gelukkig, maar soms zat ze voor zich uit te staren, alsof ze ergens diep over nadacht en niet tot een besluit of een oplossing kon komen. Sylvia vroeg een keer wat er was. 'Niks... hoezo?' was de reactie. Waarschijnlijk de eerste tekenen van echt pubergedrag.

Eerder had Nick al te kennen gegeven dat hij voorlopig niet wilde denken over samenwonen. Dat was nog een brug te ver en misschien kwam het nooit aan de orde. Maar hij wilde wel een tijdje half logé-half patiënt zijn.

Ze reden richting Almere.

'Hier ongeveer hadden we toen die botsing.' Sylvia keek naar het profiel van Nick. De laaghangende zon scheen door zijn krullen.

'Botsing is een groot woord. Het was eerder zo dat je je auto beschaafd en voorzichtig in aanraking bracht met die van mij. Ik denk dat je het expres deed.' Nick glimlachte. 'Je was op de versiertoer.'

Sylvia wilde protesteren, maar toen zei ze: 'Dat is me dan gelukt. Dankzij die file misschien wel.' Met haar rechterhand streek ze even over zijn bovenbeen.

'Dit is het dan.' Sylvia haalde het contactsleuteltje uit het slot; ze stonden voor het huis.

Nick knikte. Ze bleven een tijdje zitten, zwijgend, alsof het de beste manier was om deze nieuwe werkelijkheid tot hen door te laten dringen.

Ze hielp hem in zijn rolstoel. Een buurvrouw van de overkant stond nieuwsgierig toe te kijken toen ze hem het huis binnenreed. Vrouw met invalide man. Gisteren had Sylvia al gebakjes gekocht. Nu maakte ze koffie.

'Lekker,' zei Nick.

Ze dronken koffie en aten bavaroisgebak. Citroensmaak. Sylvia wist dat hij dat lekker vond. Het was allemaal onwennig en vreemd, bijna alsof ze op een onbekende hotelkamer was, waar elk moment een medewerker van het hotel aan kon kloppen met de vraag of er verder nog iets van hun dienst was.

Ze stond op. 'Ik zal je tas maar 'ns uitpakken.' Uit zijn woning had ze op zijn aanwijzingen een tas met verschillende spullen meegenomen. Vooral kleren, maar ook een paar boeken, en enkele dvd's, die ze op het tv-toestel legde. Ze had hier nog geen dvd-speler. De vraag was of ze er een zou moeten kopen of dat misschien de dvd-speler uit het huis van Nick... Maar dat was te duidelijk een voorschot op samenwonen. Toen hij pas in het ziekenhuis lag, had ze al een keer wat noodzakelijke dingen opgehaald. Het was vreemd geweest om alleen in zijn woning te staan, rond te lopen en dingen te zoeken; een inbreuk op de intimiteit van zijn privéleven. T-shirts van een kastplank, een spijkerbroek, onderbroeken uit een la. Ja, ze stond met die onderbroeken in haar hand. Bijna alsof hij nu geen geheimen meer had voor haar, terwijl ze wist dat die gedachte onzinnig was. In een andere la, waarin ze naar sokken zocht, zag ze een stapeltje brieven in enveloppen met Nicks naam en adres erop. Allemaal in een identiek handschrift. Ronde, enigszins kinderlijke letters... een typisch vrouwenhandschrift. Een van de enveloppen draaide ze om. Er stond op de plek van de afzender alleen een E met een hartje eromheen getekend.

Het boek dat ze nu in haar handen hield, had ze die eerste keer ook meegenomen, omdat het op een tafeltje naast een luie stoel lag met een ooit uit Griekenland door ene Matthijs verzonden ansichtkaart, waarschijnlijk als bladwijzer, erin geschoven. Maar in het ziekenhuis had hij niet veel gelezen. *De vrouw die tegen de deur aan liep* las ze nu van het omslag. 'Daar was je toch in bezig?'

'Ja.'

'Is het goed?' Sylvia keek naar de vreemde foto. Twee sportschoenen in een openstaande oven. Daarboven een stomende fluitketel op het vuur. Roddy Doyle was de naam van de schrijver. Daar had ze nog nooit van gehoord.

'Tot nu toe wel,' zei Nick, 'maar ik ben nog niet erg ver.'

Ze legde het boek op de tafel neer. 'Nu heb je tijd genoeg om te lezen.'

Ze waren zich nergens van bewust. Eddie had voor zichzelf besloten dat het vandaag moest gebeuren, als ze tenminste niet zoals eergisteren met andere kinderen zouden oprijden. Een paar keer had hij met Sylvia gebeld – ze moest tenslotte een kans krijgen; daar was hij heel redelijk in – maar na een paar woorden had ze het gesprek steeds afgebroken. Eerst was hij langs haar nieuwe woning gereden. Haar auto stond daar vlakbij geparkeerd. Waarschijnlijk was ze thuis, maar door de vitrage was van enig leven niets te bespeuren.

Yuri en Daphne stapten op hun fiets. Straks kwamen ze op een speciaal fietspad, en hij zou hen moeten onderscheppen voor ze daar waren. Tussen de verschillende wijken lagen fiets- en busroutes waar autoverkeer verboden was. Verdomd lastig allemaal. Eddie startte het vw-busje. Twee straten na de school ging hij hen voorbij. Toen de afstand groot genoeg was, zette hij de auto stil. Vlak voor ze hem zouden passeren, stapte hij uit de auto en bleef midden op de weg staan.

Ze remden. Daphne kwam bijna te vallen toen ze hem probeerden te ontwijken.

'Papa,' zei Yuri. 'Wat doe jij hier?'

'Hoe is 't met jullie? Alweer een tijd niet gezien. Ik mis je, Yuri. Jou natuurlijk ook, Daph. Het is net of jullie gegroeid zijn. Bijna twee maanden en jullie zijn al weer een stuk groter geworden. Zeker door de gezonde buitenlucht hier.' Hij lachte even, maar de kinderen bleven ernstig kijken, bijna schuw, op hun hoede.

'Wat kom je doen?' vroeg Daphne.

'Jullie weer 'ns zien. Wat dacht je anders? Jullie hebben toch een nieuw huis?'

Ze knikten.

'Bevalt 't?'

'Gaat wel,' zei Daphne.

'Jullie verhuizen nogal 'ns. Ieder een eigen kamer?' Eddie had het vervelende gevoel met een verhoor bezig te zijn. Hij zou vragen blijven stellen, net als Brandsma tegenover hem.

Ze knikten weer.

Hij deed een paar stappen in hun richting.

'We moeten nu naar huis,' zei Daphne, 'anders weet mama niet waar we blijven. Dan wordt ze ongerust.'

'Ik breng jullie even. Dan zetten we de fietsen achter in dit busje.'

'Heb je de Lexus niet meer?' vroeg Yuri.

'APK-keuring. Dat moet af en toe, en deze is handig met die fietsen.'

'Maar we kunnen...' begon Daphne.

Eddie had haar fiets al van haar overgenomen. 'Ik zet ze er zo in. Geen enkel probleem.'

Sylvia had zich gehaast om van het pand voor de nieuwe salon op tijd naar huis te komen. Met Floor was ze druk bezig geweest met opruimen, schoonmaken en het weghalen van oude vloerbedekking. Ze vond het vervelend als Nick alleen thuis was wanneer de kinderen uit school kwamen. Eigenlijk zou ze hen zelf van school willen halen, maar daar waren ze fel tegen. 'We zijn geen kleuters meer, mam!' Onderweg naar huis begon ze steeds sneller te fietsen.

Nick lag te lezen op de bank. 'Die vrouw is wel tegen meer dan één deur aan gelopen. Wat een ellende!'

Ze zoende Nick. Als ze eenmaal bij hem was, sijpelde de angst weer weg. 'Hoe dan?'

'Je moet het maar 'ns lezen. Echt heel goed. Spannend ook, trouwens.'

Ze maakte thee en zette alvast een trommeltje met Sultana's op tafel.

'Hoe is het met je been?'

'Redelijk. Maandag naar de revalidatie, maar dat had ik toch al verteld?'

'Ik zal je brengen.'

'Dat zal wel moeten.' Nick klonk verre van vrolijk. Sylvia wist dat het niet aan haar lag, maar hij had er de pest aan om afhankelijk te zijn. Af en toe kon hij ook nog kwaad worden vanwege het ongeluk. 'Ik hoop dat ze hem te pakken krijgen, die wegpiraat,' had hij eerder gezegd. 'Eigenlijk leek het wel een poging tot moord.' De politie had laten weten dat Eddie geen verdachte was. Ze hadden niets tegen hem kunnen vinden, net zoals bij de brand. Ook geen krasje op zijn auto, niets. 'Toch denk ik dat hij het gedaan heeft,' had Sylvia volgehouden. 'Bewijzen,' zei Nick, 'Je moet het kunnen bewijzen.'

Ze keek op haar horloge. Over een minuut of vijf moesten ze thuis zijn. Voor het eten vanavond moest ze boodschappen doen, maar nu was het niet het moment om daarvoor de deur uit te gaan.

Nadat hij een paar voorzichtige oefeningen had gedaan, begon Nick, liggend op de bank, weer te lezen. Sylvia pakte de krant. Ze probeerde de berichten over het nieuwe kabinet tot zich te nemen, maar kon zich moeilijk concentreren. Samen leven en samen werken. Ze liet haar ogen vluchtig gaan over de pagina met rouwadvertenties. Haar ogen bleven haken aan de naam van ene Frans Reintjes. Toevallig, iemand die ook Frans Reintjes heette. Toen keek ze naar de geboortedatum. Verdomme, het was haar oude vriend, die ze nog geen week geleden had gesproken. Tien december 1968. De datum van zijn verjaardag. Het werd haar even zwart voor de ogen. Frans... zomaar dood. Ze vroeg zich af wat er was gebeurd. Ze legde de krant weg.

'Is er iets?' vroeg Nick.

'Een oude vriend...' Ze kon niet verder uit haar woorden komen. Beelden van Frans zoals hij het café binnen was gekomen, daar was gaan zitten en haar aankeek met die droevige ogen van hem, werden onderbroken door scènes van vroeger. Hoe hij haar thuis op kwam halen, hoe ze de stad in gingen, hun eerste echte vrijpartij vol schaamte en ongemak, zijn zichtbare, heftige verdriet toen ze het uitmaakte en erger: toen ze een paar weken later met Eddie ging. Niet eerder had ze zo sterk gevoeld dat ze hem had verraden.

Nick had haar een tijdje zwijgend aangekeken. 'Wat is er met die oude vriend?' vroeg hij ten slotte.

'Overleden. Nog maar achtendertig jaar. Eigenlijk was-ie m'n eerste echte vriendje.' Ze begon nu de hele tekst van de advertentie voor te lezen. 'Vol droefheid maar intens dankbaar voor wat hij voor ons heeft betekend...' Ze schoot vol, maar duwde haar tranen weg. '... en met respect voor zijn eigen keuze geven we kennis van het plotselinge overlijden van Frans Reintjes, directeur van CD-KING... Amsterdam, tien december 1968... Amstelveen 27 februari 2007... Annemiek Reintjes-Vermeulen, Rianne, Jorinde, Mitchel.' Ze las de tekst nog een paar keer over, legde de krant weg en liep naar het raam. Ze staarde naar buiten zonder iets te zien. Na een paar minuten ging ze weer zitten, haar hoofd in haar handen.

'Met respect voor zijn eigen keuze,' zei ze na een paar minuten.

'Ja,' zei Nick. 'Dat kan maar één ding betekenen. Dan heeftie er zelf...'

'Ja, ik weet 't,' onderbrak ze hem. Opnieuw verscheen Frans in het café. Ze hoorde zijn stem, de dingen die hij had gezegd, en ze voelde weer dat hij voor haar onbereikbaar was gebleven.

Nick kwam moeizaam overeind, ging op de leuning van haar stoel zitten en sloeg een arm om haar heen.

'Een dag of zes geleden heb ik hem nog gesproken,' zei Sylvia. 'Over vroeger, over Eddie. Hij was ook een vriend van Eddie. Die had hem bedrogen... met geld. Frans was helemaal wanhopig. Zijn hele bedrijf naar de knoppen, je weet wel, die grote cd-winkel, zo'n keten van winkels. Failliet, geld kwijt. Hij zei iets over het einde, en toen begreep ik niet wat hij echt bedoelde. Ik dacht dat-ie het had over het einde van die winkels.'

'Hij was niet ziek of zo?'

'Nee, somber... treurig, dat wel, maar dat hoorde op een of andere manier bij Frans. Als het vroeger zonnig was, vroeg hij zich altijd af hoe lang het mooi weer zou blijven.' Er stond een wrange glimlach op haar gezicht. 'En als het regende, ging hij ervan uit dat het nog dagen, nee, weken zou blijven kletteren.'

En toen kwamen weer de tranen. Nick zei niets, maar hield haar stevig vast.

Na zich enkele minuten willoos te hebben overgeleverd aan haar verdriet, werd ze langzamerhand rustig. Nog een paar snikken, die diep uit haar binnenste leken te komen. 'Frans,' zei ze, 'Frans.'

Nick streelde haar voorzichtig.

Ze wierp een blik op haar horloge. 'Daphne en Yuri hadden al minstens een kwartier thuis moeten zijn!'

'Ja, je hebt gelijk.'

'Waar zijn ze? Waar zijn ze naartoe?'

Nick probeerde haar gerust te stellen. 'Er is vast een simpele verklaring. Ze zijn natuurlijk met andere kinderen mee.'

'Daar geloof ik niks van. Vooral Daphne weet verdomd goed dat ik hier niet tegen kan. Die zou nooit wegblijven zonder een telefoontje. Ze heeft ook geen sms'je gestuurd. Ik zal ze zelf even bellen.' Sinds ze in Almere woonden, had Sylvia liever dat ze hun mobieltjes mee naar school namen, wanneer ze die op school tenminste uitzetten. Daphnes telefoon stond niet aan.

'Telefoon staat nog uit,' zei ze tegen Nick, terwijl ze zich tegen de rug van de bank liet vallen.

Nick keek haar alleen maar aan.

'Waar zijn ze? Waarom belt ze zelf niet?'

'Misschien denkt ze er niet aan. Misschien heeft ze een vriendje. Je weet nooit, op deze leeftijd...'

Ze probeerde Yuri's nummer. Hetzelfde resultaat.

Sylvia belde 112. Na lang wachten werd ze doorgeschakeld naar iemand die haar te woord kon staan. Nee, er was niets bekend over twee kinderen met wie iets aan de hand zou kunnen zijn. Nee, ook geen ongeluk gebeurd waar twee kinderen bij betrokken waren. Hoe lang de kinderen al zoek waren? Een klein halfuur. 'Nou mevrouw, dan zou ik me maar geen zorgen maken. Die staan ergens stiekem een sigaretje te roken of zo. Of ze doen spelletjes die voor u en mij verborgen moeten blijven.'

Voor de zoveelste keer keek ze op het scherm van haar mobiel. Nee, geen bericht. Niets. Ze was het contact met haar kinderen kwijt. Opnieuw begon ze door de kamer te lopen. Het kon maar één ding betekenen.

Toen haar telefoon overging, schoot haar hart in haar keel. 'Met Sylvia.'

'Hallo.' Onmiskenbaar de stem van Daphne, maar tegelijk hoorde Sylvia een soort regelmatig gebrom op de achtergrond.

'Daphne,' zei Sylvia. 'Is Yuri daar ook?

'Ja, die zit naast me.

'Waar zijn jullie?'

'Bij papa.'

'Bij Eddie? Maar hoe... Jullie zouden toch naar huis komen?' Sylvia's stem ging schril omhoog.

'Ja, maar papa haalde ons op. Hij zou ons naar huis brengen, naar jouw huis, en toen...'

Er klonken nu door elkaar pratende stemmen. Het duurde even.

'Wat is er aan de hand?' Sylvia zag hoe Nick haar met vragende ogen aanstaarde.

Ze haalde haar schouders op, terwijl ze wist dat haar gezicht in een lelijke kramp stond.

'Ja, met Eddie.'

'Waar ben je? Waar zijn jullie? Je moet...'

'Ze zitten veilig bij mij in de auto. We zijn onderweg naar Amsterdam, vlak bij Diemen nu. Ze gaan terug naar hun huis, naar waar ze thuishoren.'

'Ik wil...'

Eddie liet haar niet uitpraten. 'Jij bent daar ook van harte welkom.'

Op de achtergrond hoorde Sylvia de stemmen van Daphne en Yuri, maar ze kon hen niet verstaan.

Er waren nu al twee dagen voorbijgegaan en er was niets gebeurd. Het leek of Eddie de kinderen gevangenhield in het huis in de Van Eeghenstraat. Hij had overal voor gezorgd, zelfs voor een PlayStation voor Yuri, had Sylvia begrepen. Nick troostte haar als ze huilde, fluisterde haar bemoedigende woorden in, en hield haar vast als ze dat nodig had. En dat was vaak. Ze wilde er voor hem zijn, nu hij haar nodig had, maar in werkelijkheid was hij er vooral voor haar. 's Nachts kon ze vaak niet slapen. Overdag viel ze een keer van pure vermoeidheid op een stoel in slaap. Ze wilde Floor helpen in de salon, maar dat lukte niet. Een enkele keer dacht ze nog aan Frans, maar zijn dood was naar het tweede plan gedrukt. Even had ze overwogen contact te zoeken met zijn vrouw – zijn weduwe, bedacht ze, een woord dat volstrekt niet paste bij iemand van ongeveer haar eigen leeftijd –, maar daarvoor ontbrak het haar aan moed en energie. En wat zou ze moeten zeggen? Hoe zou ze kunnen troosten?

De angst zat in haar lijf, de angst zat in haar hoofd. Met Eddie kon ze alles verwachten. Die was volkomen onvoorspelbaar. Ongelooflijk stom van haar dat ze het niet had weten te verhinderen. Eigen schuld, eigen schuld, echode het voortdurend door haar hoofd. Natuurlijk had ze bij de school moeten staan. Nooit hadden ze alleen van school naar huis mogen fietsen. Maar tegelijk wist ze dat permanente bewaking of aandacht van haar onmogelijk was. Ze gingen mee met andere kinderen, maakten afspraken, fietsten naar judo of jazzballet, Yuri ging skaten. Krankzinnig dat ze dát gevaarlijk had gevonden, terwijl het echte gevaar ergens anders in school.

Nergens anders kon ze aan denken. Ze zette koffie en vergat volkomen dat ze dat had gedaan. Het eten liet ze aanbranden. 'Niet erg,' zei Nick en zelf kon ze toch geen hap door haar keel krijgen. In de supermarkt bleek ze geen geld of pinpas bij zich te hebben. Als ze op straat kinderen van Daphnes en Yuri's leeftijd zag, raakte ze volledig van de kaart. Ze had huilend op de fiets gezeten.

Soms brak het zweet haar aan alle kanten uit, de straaltjes liepen over haar rug en tussen haar borsten, als het kort door haar hoofd flitste wat deze toestand voor Nick betekende. Door haar was hij ook in de problemen geraakt. Tegelijk kon zij nu niets voor hem doen. Hij zou in zijn rolstoel de deur uit kunnen rijden en alles achter zich laten. Terug naar Amersfoort, terug naar een vreedzaam bestaan. Graag wilde ze er met hem over praten, maar het lukte haar niet de woorden te vinden.

Ze had de politie gebeld met de vraag of die iets konden doen. Na bijna tien keer heen en weer te zijn geschakeld, kwam er eindelijk iemand aan de lijn die haar niet met een rotsmoes afbrak, maar haar verhaal aanhoorde. Of ze al gescheiden waren en de kinderen aan haar als eerste voogd waren toegewezen? Nee, dat was niet het geval. Dan stond de politie in feite ook machteloos. Toen herinnerde ze zich de naam van Brandsma, en vroeg naar hem. Dezelfde middag kreeg ze de rechercheur aan de telefoon. Hij liep over van begrip ('Eddie lijkt me inderdaad niet erg betrouwbaar, maar dat hoef ik u natuurlijk niet te vertellen.'), maar kon niets doen. Op school had ze Daphne en Yuri ziek gemeld. 'Allebei ziek? Zeker elkaar aangestoken,' concludeerde de conciërge.

Omdat ze hoopte dat hij een uitweg wist, had ze contact gezocht met Lichteveld, de advocaat die de echtscheiding zou regelen. Hij bleek een kleine week met vakantie in Portugal te zijn. Ze kreeg een collega aan de lijn, die uitlegde dat hij in deze kwestie helaas niets voor haar kon betekenen.

Een paar keer had ze met de kinderen gebeld, maar het had net geleken of echt contact niet mogelijk was, of ze achter een scherm zaten, waardoor ze zich niet helemaal bloot konden geven. Sylvia had begrepen dat ze zich begonnen te vervelen. 'Maar papa heeft gezegd dat we binnen moeten blijven tot jij weer in Amsterdam bent. Kom je?' Daar had ze negatief op gereageerd, hoeveel pijn het ook deed. 'Moet je soms bij Nick blijven?' had Daphne gevraagd. 'Nee, daar gaat het niet om.'

Dit zou ze niet lang meer vol kunnen houden. Eddie was grillig, onvoorspelbaar, onbetrouwbaar. Soms was ze bang dat hij de kinderen iets aan zou doen, misschien om haar zo heftig mogelijk te raken.

Natuurlijk had ze contact met Eddie gezocht. Hij deed opgewekt en schijnbaar makkelijk. Nu ook weer. 'Dag, Syl, leuk dat je belt. Hoe is 't?'

Woede en angst maakten het haar bijna onmogelijk om te praten. Ze moest eerst iets wegslikken. 'De kinderen... Daphne en Yuri, die... die moeten terug, dat weet je best.'

'Kom, zeg... moeten, moeten? Er moet niks. Ik moet in ieder geval niks van jou. Daphne en Yuri hebben het hier heel goed naar hun zin, en het is volgens mij het beste als jij ook hiernaartoe komt.'

Met trillende hand pakte ze het glas water en nam een slokje. 'Nee, de kinderen horen hier... hier bij mij.'

'Kom naar Amsterdam. Dat willen we alle drie. Dat is het beste, voor jou, voor de kinderen, voor iedereen.'

Toen dacht ze aan de dood van haar oude vriend, die ook een oude vriend van Eddie was geweest. 'Weet je het al van Frans?' vroeg ze.

'Ja, ik heb het gehoord. Echt iets voor Frans om er stiekem tussenuit te knijpen.'

'Hoe kan je dat zeggen? Jij hebt...'

Eddie verbrak de verbinding.

27

Wachten, dat was haar bestaan geworden, alleen maar angstig wachten. Elk uur, elke minuut, elke seconde van de dag. Soms leek het of zelfs de seconden in kleine onderdelen waren gesplitst, die ze stuk voor stuk lijdzaam moest ondergaan. Ze had alle mogelijkheden nagelopen om Daphne en Yuri weer terug te krijgen, maar telkens stuitte ze op een harde, ondoordringbare muur.

Rosalie was langs geweest. Die had aangeboden om naar de Van Eeghenstraat te gaan, 'om te bemiddelen' zoals ze zei. Ze zou Eddie mogelijk kunnen ompraten, maar Sylvia wist dat hij behoorlijk de pest had aan haar zus. Het enige dat ze zou bereiken was dat Eddie zich nog meer zou ingraven. Sylvia had plichtmatig met haar moeder gebeld, maar had niets gezegd over Yuri en Daphne. Haar moeder vroeg wanneer ze weer eens op bezoek kwam. 'Ik heb geen tijd,' had Sylvia geantwoord. 'Waarom niet?' Ze verzon iets over werk dat haar in beslag nam.

Ze had een afspraak met haar advocaat, Lichteveld, die terug was van zijn vakantie. Misschien wist hij wel een oplossing. Nick had geprobeerd haar verwachtingen te temperen, maar ze bleef hopen, bijna tegen beter weten in.

'Tja,' zei Lichteveld, 'op korte termijn zie ik eerlijk gezegd weinig perspectief. U bent bij hem weggegaan en hebt de kinderen tegen zijn zin meegenomen naar Almere. Volkomen begrijpelijk, hoor, gelet op wat u me al eerder verteld heeft, maar nu doet hij in feite precies hetzelfde.'

Ze wilde iets zeggen, maar kon geen woord uitbrengen.

'Hij is niet uit de ouderlijke macht ontzet. Voor de wet heeft hij nog net zoveel recht op omgang met zijn zoon en dochter als u. Spijtig, maar waar.'

'Maar ik vertrouw hem niet met de kinderen. Hij is onbetrouwbaar... gevaarlijk. Dat schietincident, daar heb ik u al van verteld. Zoiets zou weer kunnen gebeuren.'

Lichteveld begreep al haar zorgen. Ze had volkomen gelijk, maar toch genoot het de voorkeur om af te wachten. 'Uw man kan niet eeuwig uw kinderen in huis opgesloten houden. En we kunnen er natuurlijk na overleg met de afdeling onderwijs van de gemeente Amsterdam wel een leerplichtambtenaar op afsturen, maar die heeft nauwelijks juridische sancties. Bovendien zal dat flink veel tijd in beslag nemen.'

Ze praatten verder over de echtscheiding, Sylvia als eerste voogd, en alleen eventueel een beperkte omgangsregeling met Eddie, maar voordat dat allemaal geregeld was, waren ze maanden verder, zeker als Eddie niet wilde meewerken. 'En een coöperatieve houding van uw echtgenoot lijkt me geen reële optie,' zei Lichteveld. 'Bovendien pleit het niet in zijn voordeel wat hij nu heeft gedaan.'

Dat Lichteveld sprak over 'uw echtgenoot' stuitte Sylvia tegen de borst, maar ze maakte er geen opmerking over.

Om de tijd stuk te slaan, of misschien de tijd te verslaan, fietste ze vervolgens naar de nieuwe kapsalon. De loodgieter legde een nieuwe leiding en het meubilair was net afgeleverd. Floor begon over de indeling en wat ze aan de muur zouden hangen. Normaal was haar enthousiasme aanstekelijk, maar nu was Sylvia met haar gedachten mijlenver weg. Een paar keer mompelde ze 'Ja, ja,' of 'Natuurlijk'.

'Je bent er niet helemaal bij, hè?' zei Floor. 'Zullen we daar verderop koffie gaan drinken?'

Floor gaf een paar instructies aan de loodgieter.

In de snackbar namen ze een kopje koffie.

'Hoe is het nu met...?' begon Floor.

Sylvia schudde haar hoofd, terwijl ze haar tranen probeerde te verdringen.

Er kwamen twee luidruchtige scholieren van een jaar of zestien de snackbar binnen, die een patatje oorlog bestelden. Daarna stortten ze zich op de gokmachine, die voor Sylvia's oren te luid klingelde, belde en toeterde, met de kreten van de jongens daartussendoor.

Toen ze weer buiten stonden, zei Sylvia dat het afgelopen moest zijn. 'Ik trek het niet meer. Ik ga ze daar weghalen. Zo kan het niet langer, dat houd ik niet vol.'

Floor keek haar aan met een bedenkelijke blik. 'Samen met Nick?'

'Nee, die wil ik erbuiten houden. Als Eddie hém ziet, dan slaat-ie helemaal op tilt.' Haar verwrongen lach was geen lach. 'Zoals een gokapparaat.' Ze wees naar de snackbar.

'Maar hoe ga je dat aanpakken?'

'Weet ik nog niet. Ik ga er gewoon naartoe. Als Daphne en Yuri me zien, dan houdt-ie ze niet meer binnen volgens mij.'

'Maar loop je dan geen risico?'

'Misschien, maar wat moet ik anders?'

'Politie?' suggereerde Floor.

'Die kunnen niks doen. Ze zijn net zoveel zíjn als míjn kinderen. Ik heb het er net met Lichteveld, je weet wel, die advocaat, over gehad, en dat levert niks op.' De moedeloosheid was overweldigend groot. Ze liepen in de richting van de kapsalon, maar eigenlijk kon Sylvia geen stap meer zetten.

'Hoe is het nu tussen jou en Nick?'

'Ik weet 't niet. In principe goed, denk ik, maar door die toestand met Eddie en de kinderen ben ik er met mijn hoofd niet echt bij. Soms ben ik bang dat hij er genoeg van heeft, dat-ie bij me weggaat. Ik voel bijna niks meer. Het is of mijn lichaam op slot zit. We hebben geen seks, want ik...'

Floor sloeg een arm om haar heen en trok haar tegen zich aan.

'Eddie maakt alles kapot,' ging Sylvia door. 'Zo is-ie. Als het niet in zijn eigen belang is, dan maakt-ie het kapot, ook wat er tussen Nick en mij is. Je weet het, de brand in de oude salon, dat ongeluk van Nick... allemaal Eddie, allemaal om zijn zin te krijgen. Ook de dood van Frans. Allemaal Eddie.'

Floor dempte haar stem. 'Hij heeft Frans toch niet vermoord?'

'Nee, dat niet, maar het is evengoed zijn schuld.'

Het had alle overredingskracht van de wereld gekost, maar Eddie was erin geslaagd om Anouk buiten de deur te houden. Na een kleine bedelpartij had hij van Oscar vierduizend euro kunnen lenen. Daarna had hij Mo, die wel vaker koeriersklusjes voor hem had gedaan, ingehuurd om een paar keer als een soort oppas te fungeren zodat hij even de stad in kon.

In huis probeerde hij de sfeer positief te houden. Daphne en Yuri mochten televisie kijken zoveel als ze wilden. Daphne zat vaak te chatten op de computer in zijn kantoortje terwijl Yuri opging in de PlayStation, die Mo ergens voor nog geen honderd euro op de kop had getikt. Eddie had niets gevraagd over de herkomst van het apparaat; dat deed je niet als Mo kwam met wat hij zelf 'een voordelige aanbieding' noemde. Aan Yuri had hij half en half toegezegd dat hij voor zijn verjaardag de PlayStation 3 zou krijgen. Daarop waren de games mooier, sneller, cooler, had Yuri hem uitgelegd.

Toch begon de verveling toe te slaan. Yuri had het over zijn skateboard, Daphne over haar vriendinnen. Voortdurend bedachten ze dingen die ze misten. Zelfs over het feit dat ze achter gingen lopen op school, leken ze zich zorgen te maken. Ze zaten nu te eten. Hij hield hun voor dat het allemaal aan Sylvia lag. Als die een beetje inschikkelijker werd, dan waren alle problemen voorbij, dan woonden ze weer gezellig met zijn vieren bij elkaar, dan konden ze samen leuke dingen gaan doen. Het woord 'gezellig' kon hij maar met moeite uit zijn mond krijgen.

'Met z'n vieren hier in Amsterdam?' vroeg Daphne. 'Ik vind het in Almere eigenlijk best leuk.'

'Dat zien we dan wel weer. Daar vinden we wel een oplossing voor.'

'En Nick dan?' Daphnes ogen stonden hem net iets te schrander, alsof ze in de gaten had dat ze Eddie hiermee op de proef stelde.

'Dat is een bevlieging. Omdat ze alleen is, en omdat ze het misschien wel spannend vindt. Zo zijn vrouwen nou eenmaal.' Eddie probeerde erbij te kijken alsof dit laatste grappig bedoeld was.

'Ze is hartstikke verliefd.' Daphne schoof haar bord een stukje van zich af. 'Ze is echt gek op Nick.'

'Maar wat willen jullie? In één huis wonen met je eigen vader en moeder, of met alleen je moeder en zo'n vreemde man?'

'Nick is geen vreemde man,' zei Yuri.

'Maar hij is niet je eigen vader en dat wordt-ie ook nooit.'

Nick ging langzaam vooruit. Verder dan elkaar stevig vasthouden en een beetje zoenen ging hun intimiteit niet. In bed lag Sylvia meestal de halve nacht of langer te malen.

Ze zaten aan tafel. Sylvia probeerde tegen heug en meug iets te eten. Eddie... Eddie... ze bleven erover praten. Sylvia begon voor de zoveelste keer over de brand en over het ongeluk en over het feit dat Eddie het wel gedaan móést hebben. Het leek of

Nick zich eraan begon te ergeren, maar ze kon het niet laten. 'Geloof je me soms niet?' vroeg ze, toen Nick niet reageerde op wat ze zei.

'Natuurlijk geloof ik je wel, maar nu gebeurt juist wat Eddie wil. Zo is-ie toch de baas. Dat wil je toch niet?'

Ze schudde haar hoofd. 'Sorry.'

'Kijk me 'ns aan,' zei Nick.

Ze keek. Lang en intens. Daar zat de man van wie ze hield, van wie ze in korte tijd steeds meer was gaan houden, de man die ze nooit meer wilde verliezen.

'Hij redt het niet,' zei Nick. 'De hele tijd met twee kinderen in huis. Dat lukt hem nooit.'

'Maar jij kent Eddie niet.'

'Gelukkig niet... Sorry, ik bedoelde het niet vervelend.'

Ze pelde een mandarijntje, haalde de witte velletjes zoveel mogelijk weg en gaf de partjes aan Nick.

'Dat kan ik zelf ook, hoor.'

'Ja, sorry, dat deed ik altijd voor Eddie. Anders at hij helemaal geen fruit.'

Nick glimlachte en stak een partje in zijn mond. 'Laten we niet te veel "sorry" zeggen. Dat wordt zo eentonig.'

Ze lag te woelen en te draaien. Het leek of het elke nacht erger werd. Vier dagen waren Daphne en Yuri nu al weg. Sylvia wist dat ze het niet langer kon verdragen. Ze probeerde zich te verplaatsen in die moeder met de twee kinderen op de Nederlandse ambassade in Syrië. Maanden en maanden had die in afschuwelijke onzekerheid geleefd. Maar er was tenminste een diplomatieke dienst die zich voor haar inspande en in die ambassade waren ze veilig. Bij Eddie moest ze dat maar afwachten. Het was duidelijk wat Eddies plan was: de kinderen waren het lokaas waarmee hij haar dacht terug te halen. Hij was heus niet de lieve papa die niet zonder zijn kinderen kon. Zij moest haar nederlaag erkennen en terugkomen bij hem, in zijn huis, in zijn leven, in zijn wereld.

Zo voorzichtig mogelijk, haar adem inhoudend tot het pijn deed, stond ze op. Nick maakte een onverwachte beweging met zijn arm, maar leek door te slapen. Ze dronk wat water en bleef met haar hoofd in haar handen op de rand van het bed zitten. Halfeen was het, nog een lange nacht te gaan, maar morgen zou er niets veranderd zijn. Als ze tenminste niets deed, als ze alles maar liet gebeuren, en alleen maar afwachtte. Ze ging weer liggen, boven op het dekbed. Met haar ogen dwong ze de cijfers op de wekkerradio om te verspringen, maar die cijfers gehoorzaamden haar nauwelijks. En wat maakte het ook uit. Er was geen eindtijd waarop alles zou zijn opgelost, geen verlossende finish die in zicht kwam. Door het telefonisch contact had ze begrepen dat Daphne en Yuri behoorlijk in de watten werden gelegd, met één grote beperking: ze mochten het huis niet uit. Yuri had al een keer hoopvol gezegd dat de buitendeur voor ze open zou gaan als Sylvia weer in Amsterdam kwam wonen. Het deed haar pijn om hem duidelijk te maken dat ze dat nooit meer zou doen, alsof ze haar kinderen daarmee in de steek liet.

Plotseling wist ze wat ze moest doen. Ze kwam opnieuw stilletjes overeind, luisterde naar de rustige ademhaling van Nick, en moest zichzelf geweld aan doen om niet even haar hand door zijn haar te laten gaan. Haar kleren lagen nog op de stoel. Haastig, alsof ze nu geen minuut meer te verliezen had, kleedde ze zich aan. Ze stootte haar grote teen tegen de stoel. Tussen haar tanden zoog ze lucht naar binnen, om de felle pijn te weerstaan. Nick sliep zo te zien nog altijd door.

Vannacht meteen, dat was het beste. Eddie verwachtte haar niet. De kinderen zouden in bed liggen als ze binnenkwam, en dat was misschien maar beter ook. Even overwoog ze om Nick wakker te maken en te vertellen wat ze van plan was, maar als hij meeging, werd het nog gecompliceerder. Eddie zou razend worden wanneer hij met Nick werd geconfronteerd. Binnen een uur of drie was ze weer terug. Met de kinderen. Ze zouden met zijn vieren ontbijten, daar was ze van overtuigd.

Toen ze de deur naar de gang opendeed, zei Nick: 'Wat ga je doen?'

'Eh... even naar de wc.'

'Je hebt je kleren aan.'

Ze ging op de rand van het bed zitten en legde een hand op zijn arm. 'Ik ga naar Amsterdam, de kinderen halen. Het moet. Ik houd het niet meer uit. Ik word gek als ik hier blijf wachten.'

Nick kwam overeind. 'Dan ga ik mee.'

'Nee, dat kan niet. Eddie gaat finaal door 't lint als-ie jou ziet. Dat weet ik zeker.'

'Ik ga mee.' Hij zette zijn voeten naast het bed.

'Ik moet het alleen doen,' zei ze.

'We zijn samen, Sylvia. We willen samen... Dan kan ik je niet in je eentje...'

Ze dempte zijn woorden met een zoen op zijn mond, stond op en liep naar de deur.

Eddie wist dat hij naar bed zou moeten gaan. Bijna twee uur, en morgen... ja, morgen was er weer een dag. Daphne en Yuri hield hij steeds flink lang op, zodat ze een beetje zouden uitslapen.

Hij schonk nog een glas whisky in en stak een sigaret op. Sylvia had wel een verdomd harde kop. Misschien was haar verliefdheid hardnekkiger of heviger dan hij had verwacht. Die Nick vond ze blijkbaar belangrijker dan haar kinderen. Maar als hij zelf lang genoeg volhield, zou ze op een gegeven moment overstag gaan. Hij kende haar. Typisch een moederkloek. Haar kinderen, daar deed ze alles voor.

Toen ging de bel. Kort, bijna alsof iemand zich had vergist en zijn vinger weer snel had teruggetrokken. Shit, wie kon dat zijn? Vijf over twee. Hij liep naar de voordeur en weifelde even of hij wel open zou doen. Nog voordat hij een besluit had genomen, werd er van de straatkant een sleutel in het slot gestoken. De deur werd opengeduwd. Eddie stond aan de grond genageld, zijn adem schuurde door zijn keel.

Syl.

Eerst kon hij zijn ogen nauwelijks geloven. Syl... het was gelukt, ze was teruggekomen. 'Je bent er weer.' Hij wilde haar omhelzen, maar ze weerde hem af.

'Ik kom de kinderen halen.'

'Goed dat je terug bent.'

Ze schudde haar hoofd. 'Ik kom hier niet meer terug, dat heb ik je al vaak genoeg uitgelegd.'

'Daph en Yuri zullen het fantastisch vinden dat je d'r weer bent.' Eddie voelde een vrolijk, triomfantelijk gevoel opborrelen. Hij probeerde rustig te blijven, maar dat kostte hem de grootst mogelijke moeite. Feest, het was feest! Ze zouden een fles champagne open moeten trekken. Als het goed was, stonden er nog een paar in de kelder.

'Ik neem ze mee naar Almere,' zei Sylvia.

'Wat zeg je?'

'Ik neem ze mee naar Almere.'

'Kom op, Syl, dat slaat nergens op. Laten we er even rustig over praten.' Ze stond nog in de open deur, maar nu ze eenmaal zo dichtbij was, zou hij haar niet meer laten gaan. Nooit meer. Hij pakte haar bij een arm en trok haar het huis in. 'Alleen maar even overleggen. Als je helemaal van Almere hiernaartoe bent gereden, dan heb je daar heus wel de tijd voor.'

Half tegenstribbelend ging ze mee naar de kamer.

Ze merkte hoe Eddie alle zeilen bijzette om zo vriendelijk, begripvol en sentimenteel mogelijk over te komen. Hij had haar iets te drinken aangeboden, maar dat had ze afgeslagen. Daarna begon hij over vroeger, de geboorte van de kinderen, de eerste jaren, de mooie vakanties, de vrijpartijen in de duinen, de inrichting van hun eerste huis. 'Weet je nog, die bank, die ik een keer van de straat had gehaald? Hij was nog helemaal goed! En die bovenburen... wat een stelletje azijnpissers. Altijd even chagrijnig.'

Ze reageerde niet.

'Wat we samen hebben opgebouwd, dat kunnen we toch niet zomaar weggooien,' zei Eddie, 'dat is toch doodzonde!'

'Ik wil het niet meer.' Dat was het enige wat ze uit kon brengen.

'We hebben een gezamenlijk verleden, en ook een gezamenlijke toekomst. Ik weet 't zeker.' Voor Eddies doen klonk het zeldzaam plechtstatig.

Ze schudde haar hoofd, maar dat leek hij niet te merken. Hij bleef doorpraten over allerlei dingen van vroeger, vooral de mooie, zonnige dagen, het geluk, het plezier. 'We hadden het fantastisch,' zei Eddie, 'en ik ga heel erg mijn best doen, zodat het weer zo wordt.'

'Word nou eindelijk 'ns wakker,' wierp ze tegen. 'Het is voorbij, het is over, voorgoed.'

'We horen met z'n vieren bij elkaar.'

'En die vrouw dan, Anouk? Dat is nummer vijf, en dat kind dat ze krijgt, wordt nummer zes.'

'Met Anouk is het afgelopen. Ik geef haar geld voor het kind, maar verder is dat een gepasseerd station.'

Leuk, dacht Sylvia, als je een gepasseerd station werd genoemd. Ze ging staan. 'Ik ga nu naar boven om de kinderen wakker te maken.'

'Oké,' zei Eddie, 'dan weten ze dat je hier weer bent. Misschien dat we er morgen een feestje van kunnen maken.'

Dit leek hopeloos. Niets drong meer door tot Eddies botte

hersens. 'Ik maak ze wakker,' zei ze nadrukkelijk. 'Ze kleden zich aan en ze gaan met me mee.'

Eddie kwam ook overeind.

Verdomme, het was of ze haar verstand had verloren, of ze niet meer in de gaten had hoe de wereld in elkaar zat. Hij drukte zijn sigaret uit in de grote kristallen asbak die op het tafeltje stond. Er zat nog altijd een flinke ster in de glasplaat. Hij was er nooit aan toe gekomen om die te laten vervangen.

'Ze gaan met me mee,' herhaalde ze.

'Nee, Syl, ze gaan niet met jou mee. Ze blijven hier, net zoals jij hier blijft.'

Ze keek hem aan, maar zei niets. Toen, in één keer, zag hij in haar ogen de ontluisterende waarheid: ze had hem weggestreept uit haar bestaan, ze had definitief voor een ander gekozen, voor een ander leven, waarin er geen plaats meer was voor hem, waaruit hij moest worden verwijderd.

Ze had hem echt volledig en finaal gedumpt!

Zo diep mogelijk haalde hij adem. De kamer kantelde even, maar trok snel weer recht. Sylvia liep naar de deur, maar in twee sprongen was hij bij haar en sloeg zijn armen om haar heen. Ze probeerde zich te verweren en ze vielen op de grond. Terwijl ze daar lagen, sloeg ze naar hem, krabde, worstelde om hem van zich af te werpen, maar hij mobiliseerde alle kracht die hij in zich had.

'Je dacht dat je mij de baas was, hè?' zei hij tussen opeengeklemde tanden. 'Je dacht dat je mij wel een beetje kon piepelen, maar dat laat ik mooi niet gebeuren. Er is maar één manier waarop ik jou hier de deur uit laat gaan, en dat is dood... hartstikke dood.'

'Nee,' schreeuwde ze.

Hij legde een hand over haar mond, maar ze beet er zo hard in dat hij haar tanden in zijn vlees kon voelen. Hij haalde zijn hand weg en keek naar de bebloede handpalm. De kleur van het bloed mengde zich met het beeld dat voor zijn ogen schemerde. 'Trut... godverdommese trut!' Hij klemde zijn handen om haar hals. Nu moest het gebeuren. Ze vroeg erom.

'Laat haar los,' hoorde hij iemand zeggen. Pas toen had hij in de gaten dat er twee mannen in de kamer stonden.

28

Sylvia kwam hijgend en hoestend overeind. Ze spuugde wat met bloed vermengd slijm uit. Dit was te erg voor woorden. Ze kon het niet geloven. Was ze in Almere toch in slaap gevallen, en was dit een nachtmerrie, waaruit ze elk moment wakker kon worden?

De wat magere man in het slonzige pak naast Nick, had ze nooit eerder gezien. Hij hield een pistool op Eddie gericht. Nick bleef staan alsof hij dit tafereel niet durfde te verstoren, alsof door één beweging van hem iedereen de kogels om de oren zouden kunnen vliegen. Nick. Hij was weer bij haar, nu ook. Gelukkig had hij aangehouden, en was hij toch meegegaan naar Amsterdam. Voorlopig zou hij in de auto blijven zitten, hadden ze afgesproken. Nu was hij blijkbaar met iemand anders het huis binnengekomen.

'Vannacht is ze overleden,' zei de man bijna fluisterend, 'in het ziekenhuis.'

'Wie?' vroeg Eddie.

'Mijn vrouw, natuurlijk. Dat weet je verdomd goed. Jij hebt haar...'

Eddie liet de man niet uitspreken. 'Gecondoleerd.' Hij keek even van zijn gewonde hand naar Sylvia en toen weer terug.

'Die inwendige bloedingen waren niet meer te stoppen,' ging de man door. 'Volgens de artsen zijn die haar fataal geworden.'

Sylvia begreep er niets van. Een vrouw die in het ziekenhuis was overleden, wat had Eddie daarmee te maken?

Eddie leek een stap naar voren te willen doen.

'Staan blijven!' beval de man. Zijn stem had aan kracht gewonnen.

Zwijgend stonden ze bij elkaar.

Eddie overwoog zijn kansen en mogelijkheden. Eén tegen drie, en van die drie was er één gewapend, maar de manier waarop hij het pistool vasthield, maakte duidelijk dat hij er eigenlijk zelf bang voor was.

Het was wel een ongelooflijk, stompzinnig toeval dat die vette koe van Maaswinkel net vanavond naar de Eeuwige Jachtvelden was vertrokken, en dat hij even wraak wilde komen nemen. Maar Maaswinkel zou nooit zomaar schieten, vermoedde Eddie. Dan had je die Nick. Wel een sportman, een judoka, maar hij strompelde nog een beetje. Knap waardeloos dat hij hem destijds niet echt naar de andere wereld had kunnen rijden. Ze waren zomaar binnengekomen met z'n tweeën. Waarschijnlijk was hij zelf vergeten de deur dicht te doen, toen hij Sylvia naar binnen had getrokken. Stom, maar op dat moment had hij maar aan één ding kunnen denken. En de laatste van het trio was dan Sylvia. Die was op voorhand onschadelijk en ongevaarlijk. Van haar had hij niets te duchten; het ging om die andere twee.

'Wat gebeurd is, is gebeurd,' zei Eddie.

'Inderdaad, gedane zaken nemen geen keer.' Maaswinkel had een bittere grijns op zijn gezicht.

'Ik heb het al eerder gezegd.' Eddie stak zijn wijsvinger op alsof hij een waarschuwing uit wilde delen. 'Wanneer jij had betaald, dan was er niks aan de hand geweest, dan leefden jij en je vrouw nog lang en gelukkig, echt als in een sprookje.'

'Hou je praatjes maar voor je,' zei Maaswinkel. 'We gaan samen een stukje rijden in jouw auto.'

Eddie keek naar Maaswinkel en deed of hij hem niet begreep. Het was nu zaak om tijd te winnen, dan zou een oplossing zich vanzelf aandienen. 'Een stukje rijden? Waarom? Waarnaartoe?'

'Dat is nog een verrassing.'

'Ik hou wel van verrassingen,' zei Eddie, maar hij maakte geen aanstalten om in beweging te komen.

'Komt er nog wat van?' Maaswinkel wenkte ongeduldig met het pistool.

'Nou ja, dat moet dan maar.' Eddie wist dat hij alles kwijt was als hij met Maaswinkel in de Lexus zou stappen. Het kon Maaswinkel nu niets meer verdommen wat er gebeurde, als hij de dood van zijn vrouw maar kon wreken. Dat was het enige dat telde. Desnoods legde hij zelf het loodje of werd hij gepakt door de politie. En bovendien, als hij met Maaswinkel wegging, dan had Sylvia zeker de kinderen, en was alles verloren. Het was tijd voor actie. De juiste actie op het juiste moment.

De spanning tussen Eddie en die andere man hing bijna tastbaar in de lucht. Eddie had kennelijk iets te maken met de dood van zijn vrouw. Het wapen maakte Sylvia bang. Een verdwaalde kogel, een mislukt schot, altijd kon er iets fout gaan. Ze schoof voorzichtig, centimeter voor centimeter bij Eddie vandaan. Ze keek naar Nick, die haar aanstaarde met nauwelijks verhulde paniek in zijn ogen.

Vurig hoopte ze dat de kinderen niet naar beneden zouden komen. Ze konden stemmen hebben gehoord, onbekende geluiden, deuren die werden dichtgeslagen. Nieuwsgierig naar wat er aan de hand was, zouden ze plotseling in de kamer kunnen staan. Hoe zou ze aan hen uit kunnen leggen wat er hier gebeurde, terwijl ze het zelf niet eens begreep?

Eddie had de suggestie gewekt dat hij met de andere man

mee zou gaan, maar hij bleef onwrikbaar op zijn plaats staan.

'Nou, moet ik het híér doen?' De man zette een dreigende stap in Eddies richting.

Net op dat moment leek het of Eddie als uit een katapult naar voren schoot. Voordat zijn tegenstander iets had kunnen doen, was Eddie boven op hem gesprongen en had hij hem tegen de grond gegooid, terwijl hij zijn arm met het pistool omhooggedrukt hield. Er ontstond een worsteling om het wapen. Eddie gaf de man zo'n harde stomp in zijn gezicht dat het bloed uit zijn neus stroomde. Eddie probeerde het pistool te pakken te krijgen, maar de man hield het nog altijd vast. Met de moed der wanhoop, zo leek het wel. Eddie kreeg de overhand, en de tegenstand van de man leek te verslappen. Sylvia had de indruk dat Nick zich in het gevecht wilde mengen.

'Nee!' riep ze.

Nick keek haar vertwijfeld aan.

Sylvia zag de zware kristallen asbak naast zich op het tafeltje. Zonder er verder bij na te denken pakte ze die asbak, deed twee stappen naar voren en liet hem met alle kracht die ze in zich had neerkomen op Eddies achterhoofd.

Nick had uit de keuken een glas water voor haar gehaald, dat ze in een paar haastige slokken leegdronk. Hij zat naast haar op de bank en drukte zich tegen haar aan, maar het trillen hield niet op. Het was of ze het steenkoud had, terwijl haar hoofd gloeide. Ze keek naar haar handen, maar er zat geen bloed aan.

De man met het pistool hurkte naast Eddie, die bewegingloos op het vloerkleed lag. Hij voelde zijn pols en schudde zijn hoofd.

Sylvia wendde haar gezicht af.

'Wie bent u eigenlijk?' vroeg ze na een paar minuten.

'Dat doet er niet toe,' zei de man, terwijl hij overeind kwam. 'Het is beter dat u dat niet weet.' Hij liep naar de drankkast, pakte de fles whisky, maar zette hem weer terug. Daarna veegde hij de fles schoon met een zakdoek. Hij ging op de stoel tegenover Sylvia zitten. 'Bedankt. Al had ik het liever zelf gedaan. Vanwege Andrea.'

'Andrea?' vroeg Sylvia.

'Mijn vrouw.'

'Wat had Eddie dan met uw vrouw te maken?'

De man gaf geen antwoord.

'Wat doen we nu?' vroeg Nick. 'De politie bellen?'

'Beter van niet. Nergens voor nodig. Daar krijgen we alleen maar gedonder mee.'

'En wat moet er dan met hem gebeuren?' Nick wees.

'Die laat ik wel verdwijnen, samen met het kleed. Dat zit onder het bloed. Misschien kan je me straks even helpen, voordat jullie weggaan. Ik rij nu eerst m'n auto hier voor de deur. En zijn auto... het lijkt me beter als die ergens anders staat, niet hier op straat.' De man voelde in Eddies broekzakken en haalde er autosleutels uit. Daarna verliet hij de kamer.

'We nemen de kinderen mee,' zei Sylvia. Het was een krankzinnig idee dat ze boven nog altijd lagen te slapen, terwijl hier... Verschrikkelijk... Ze kon het nog niet geloven. Even liet ze haar ogen op het lichaam van Eddie rusten, om de werkelijkheid tot zich door te laten dringen, maar snel wendde ze haar blik af. Dit beeld zou voor altijd op haar netvlies blijven staan. De gedachte aan Frans schoot weer kort door haar hoofd. De vrouw van de anonieme man; met haar dood had Eddie blijkbaar ook iets te maken. 'Ja, we nemen de kinderen meteen mee,' herhaalde ze. 'Nu, vannacht nog. Ze moeten naar huis, naar ons huis.'

Nick hield haar voor dat het niet kon. Ze moesten Yuri en Daphne hier laten. Die zouden waarschijnlijk morgenochtend al opbellen dat hun vader er niet was. Pas dan konden ze hen ophalen.

'Maar ik kan ze toch niet hier boven laten liggen!'

'Eén nacht,' zei Nick, 'één nacht, en daarna is het voorbij. De politie moet denken dat wij de hele avond en nacht in Almere zijn geweest.'

Nick was een paar uur naar bed geweest, maar Sylvia had niet meer geslapen. Ze was tegelijk doodmoe en klaarwakker. De tijd kroop ergerlijk traag voorbij. Af en toe had ze het idee dat haar horloge stilstond. Nick maakte koffie, maar ze wilde niets eten of drinken. Ze kón niets eten of drinken. Ze zwegen beiden. Er was nu niets te zeggen.

Vlak voor tien uur klonk de ringtone van Sylvia's telefoon. Geschrokken graaide ze naar haar mobiel en liet hem bijna uit haar handen vallen. 'Met Sylvia.'

'Het is heel gek, mam. Er is hier...'

'Bè... ben jij het, Daphne?'

'Ja, we zitten hier alleen. Papa is er niet. We weten niet waarie naartoe is. Er ligt ook geen briefje of zo. Hij heeft niet gebeld... helemaal niks.'

'Is alles goed met jullie?'

'Natuurlijk. We hebben alleen honger. Er is niks te eten in huis, en we zien ook nergens geld.'

'We komen jullie halen,' zei Sylvia. 'We stappen nu in de auto en rijden meteen naar Amsterdam. Dan kunnen jullie hier ontbijten.'

'Maar als papa nu weer terugkomt, wat dan?'

Die komt niet meer terug, wilde ze antwoorden, nooit meer. Maar ze zei alleen: 'Dat zien we dan wel weer.'

Drie dagen later, Yuri en Daphne gingen inmiddels weer naar school, stonden er twee politiemannen voor de deur. Brandsma en een ander. Ze had zijn naam niet goed verstaan toen hij zich voorstelde. Iets met 'oven' op het eind.

'U woont hier niet slecht.' Brandsma keek goedkeurend de kamer rond. 'Maar toch lang geen Van Eeghenstraat.'

'Dat hoeft ook niet,' zei ze. 'Is er iets?'

'We wilden graag met Eddie Kronenburg praten,' zei Brandsma, 'maar hij is onvindbaar. Weet u misschien waar we hem kunnen vinden?'

'Nee. Ik heb geen contact meer met hem. Misschien zit-ie in het buitenland. Hij ging af en toe naar België... Zeebrugge.'

De andere man knikte. 'Zeebrugge, havens, schepen, containers, ook uit Marokko en Zuid-Amerika. We kennen zijn handel. Maar zijn auto stond ergens geparkeerd in de buurt van het Amstelstation. Hij leek ons niet iemand om de trein te nemen. Geen groot liefhebber van het openbaar vervoer. Vanaf dat punt spoorloos, letterlijk en figuurlijk.'

'Ik heb ruim een week geleden nog met u gepraat,' zei Brandsma. 'Dat ging over de kinderen die u met hem heeft. Hij had ze in uw ogen min of meer gekidnapt, ontvoerd, en u wilde weten hoe u ze terug kon krijgen. Ik neem aan dat dat ondertussen is opgelost.'

'Ja, die zijn weer hier.'

'Heeft hij ze gebracht?'

'Nee, drie dagen geleden belden ze 's ochtends op. Ze waren alleen in het huis in de Van Eeghenstraat. Eddie was er niet. Hij had ook geen boodschap achtergelaten. Helemaal niks.'

'En toen?'

'Toen hebben we ze opgehaald.' Ze had het er van tevoren met Nick over gehad. Het beste was om wanneer dat kon, zo dicht mogelijk bij de waarheid te blijven. De kans was groot dat op een gegeven moment ook de kinderen werden ondervraagd, en die zouden dan haar verhaal bevestigen.

'En hij heeft niets meer van zich laten horen?'

Ze wist dat eventuele telefoontjes waarschijnlijk zouden zijn te traceren. 'Nee, niets, dat vond ik ook wel gek, omdat hij eerst zo fanatiek was. De kinderen moesten en zouden bij hem blijven, en plotseling liet-ie ze in de steek.' Ze probeerde een beetje verbaasd te kijken. 'Maar waarvoor moet u hem eigenlijk hebben?'

'Lopend onderzoek.'

Ze keek Brandsma vragend aan.

'Daar kunnen we verder niet over uitweiden.'

29

Maandag, haar vrije dag. De kinderen waren naar school. Daphne naar de eerste klas van Het Baken. Het was of ze in één klap twee, drie jaar ouder was geworden. Ze leek in een groeispurt te zitten, had borsten gekregen. Samen met Janet, die haar al was voorgegaan, had ze zelf een beha gekocht. Nee, Sylvia hoefde niet mee. Nick gaf weer les. Hij was vrijwel volledig hersteld, en had in ieder geval zijn werk op kunnen pakken. Bij judo moest hij nog voorzichtig doen. Een andere leraar trainde tijdelijk het clubje van Yuri.

Deze zomer waren ze met zijn vieren naar Kreta geweest, een appartement in een complex met een zwembad, maar ook dicht bij een leuk kiezelstrand, waar ze het liefste met Nick lag. Het was druk, maar de kinderen hadden genoten. Af en toe hadden ze het nog over Amsterdam, vooral Yuri begon er soms over. Als ze weer eens zei dat het een raadsel was waar Eddie naartoe was gegaan, was ze bang dat het woord 'leugenaar' op haar voorhoofd verscheen in fel oplichtende letters. Leugenaar, bedrieger. Soms ontkwam ze niet aan de indruk dat Daphne er een vaag vermoeden van had dat Eddie niet zomaar op eigen initiatief was verdwenen, maar ze liet zich er niet over uit. Een keer had Sylvia een rechtstreekse vraag aan haar gesteld: 'Waar denk jij dat Eddie naartoe is?' 'Ik weet het niet. Misschien is-ie nergens naartoe.' 'Nergens naartoe, hoe bedoel je?' Daarop had

Daphne niet meer gereageerd. Maar Sylvia moest bekennen dat het idee haar wel aanstond: Eddie verdwenen in het niets. Misschien dat hij Frans daar tegenkwam, zodat ze het nog eens konden uitpraten.

De nieuwe salon liep fantastisch. Ze dachten er zelfs over om uit te breiden en het naastgelegen pand, waarin een zieltogende videotheek was gevestigd, bij hun zaak te trekken.

Net toen Sylvia naar de keuken wilde gaan om een cake in de oven te zetten, werd er gebeld.

Er stond een vrouw voor de deur met een baby in haar armen. Het duurde even voor Sylvia haar herkende.

Ze begroetten elkaar.

'Erg, hè, dat ze hem nooit gevonden hebben,' zei de vrouw.

'Eh... ja, heel erg.' Sylvia deed haar best een trieste toon aan te slaan.

'Dat we niet weten waar-ie is.'

'Tja.'

'Misschien is-ie wel ergens in Zuid-Amerika of zo.'

'Ja, zou kunnen.' Sylvia vroeg zich af hoe ze de vrouw weg kon sturen zonder al te grof te worden.

'Zou ik misschien even binnen mogen komen?'

'Dat lijkt me niet echt nodig.'

Nu hield de vrouw de baby iets naar voren. 'Dit is 'm,' zei ze met de trotse glimlach van een jonge moeder. 'Hij heet ook Eddie. Hij lijkt echt op hem. Vind je niet?'

'Ik weet niet. Misschien wel.'

'Wil je hem even vasthouden?'

'Nee,' zei Sylvia, 'liever niet.'

Ze stonden zwijgend tegenover elkaar. Sylvia had het gevoel dat de vrouw keek alsof ze haar een geheim probeerde te ontfutselen. Alleen al daarom moest het niet te lang duren.

'Als ik niet echt welkom ben, dan ga ik maar weer,' zei de vrouw. 'We zien elkaar vast nog wel 'ns.' Ze liep naar een auto toe.

▪

Brandsma had vooraf gebeld en gevraagd wanneer ze thuis was, omdat hij graag nog een keer met haar wilde praten. Sylvia zat een paar dagen lang in de zenuwen. De politie had een spoor gevonden, een aanwijzing. Misschien dat die man met het pistool had gepraat. De waarheid zou boven tafel komen. In een rampscenario zag ze hoe Nick alleen achterbleef met Yuri en Daphne terwijl zij werd weggevoerd. Nick zou vertrekken. Yuri en Daphne gingen naar... ja, waar moesten die dan naartoe? Een tehuis? Haar moeder? Sylvia's fantasie sloeg compleet op hol.

De rechercheur zat nu tegenover haar in de woonkamer.

Brandsma keek om zich heen. 'Het ziet er al een stuk beter uit dan de vorige keer dat ik hier was.'

'Hard gewerkt in de zomervakantie,' zei Nick.

'Nog altijd niets van Eddie gehoord?'

'Nee, niets.'

'U weet dat er een nogal gewelddadig einde is gekomen aan het leven van zijn oude maatje, Charly van der Berg?' Daar had Sylvia een kleine week geleden in de krant over gelezen. In het artikel stonden enkele andere namen met initialen die ze herkende: Oscar T. en Herman L. Er werd gesproken over bronnen in het criminele milieu van de hoofdstad, over verdwijningen en liquidaties. De naam van Eddie stond er gek genoeg niet bij.

'Wij vragen ons natuurlijk af of Eddie daar ook iets van weet. Als-ie nog leeft, tenminste.'

'Ja,' zei Sylvia, 'als-ie nog leeft.' Ze weerstond de onderzoekende blik van Brandsma.

'U heeft dus geen enkel idee waar hij zou kunnen uithangen? Hem niet meer gesproken, ook niet over de kinderen?'

Sylvia wist niet of hij misschien een toespeling maakte. Of er een vaag vermoeden bestond van haar betrokkenheid bij de verdwijning van Eddie, maar de rechercheur leek echt alleen te willen weten of zij nog contact met Eddie had gehad. 'Nee, ik begrijp het ook niet,' zei ze, zonder zich een huichelaar te voelen. 'U heeft ook gesproken met Anouk? Haar achternaam ken ik niet. Hij heeft ook een kind bij haar.'

'Ja, Eddie junior,' zei Brandsma. 'Hopelijk gaat-ie zijn vader niet achterna. We hebben al genoeg te doen. Maar zij heeft ook geen enkel idee.'

'Jammer.' Met de grootst mogelijke moeite perste Sylvia dat woord eruit.

'Ja,' ging Brandsma door. 'Zolang hij niet tevoorschijn komt of zolang... eh, zijn stoffelijk overschot niet wordt gevonden, bent u nog steeds met hem getrouwd. De kinderen, de eigendommen, alles staat nog altijd op uw beider naam.'

Sylvia liet haar ogen even naar Nick gaan. Die bleef neutraal voor zich uit kijken. Ze vroeg zich af of er een speciale bedoeling achter Brandsma's woorden school. Een waarschuwing? Misschien was er toch sprake van een verdenking.

Brandsma knikte in de richting van Nick. 'U zou dus ook niet kunnen trouwen. Als u dat zou willen tenminste.'

'Misschien,' zei Sylvia.

'Dus u weet echt niets over een eventuele huidige woon- of verblijfplaats van Eddie?' Het klonk vreemd formeel. Het viel nog mee dat ze het niet hadden over 'Eddie K.'.

'Nee, als ik ooit iets hoor, dan waarschuw ik u natuurlijk meteen.'

'Daar reken ik op. Bedankt voor de koffie. Lekkere cake trouwens. Zelfgebakken?'

Ze knikte.

Brandsma ging staan. 'Ik ga ervan uit dat ik u niet meer hoef lastig te vallen.'

Sylvia bracht Brandsma naar de deur en gaf hem een hand. Door het raampje in de deur keek ze toe hoe hij naar zijn auto liep, erin stapte en wegreed.

Toen ze zich omdraaide, bleek Nick achter haar te staan. Ze sloeg haar armen om hem heen. 'Ze weten niets,' zei ze. 'We hoeven nergens bang voor te zijn. Alles is voorbij.'

'Nee hoor.' Nick drukte een zoen op haar mond. 'Wíj zijn pas begonnen.'

Verantwoording

Graag wil ik de volgende mensen bedanken die me bij het schrijven van dit boek hebben geholpen met advies en informatie: Ton Anbeek, Frank Bovenkerk, Christine Degenaar, Harry Lensink, Cees Schaap en Marjolijn van kapsalon Giovanna in Almere.